Robbie

De

D0547557

3227

Bezoek onze internetsite www.zwartebeertjes.nl
voor informatie over al onze boeken.

Sean Smith

Robbie
De biografie

Zwarte Beertjes
Utrecht / Amsterdam

Dit is een uitgave van Uitgeverij Het Spectrum
in samenwerking met Zwarte Beertjes.

Oorspronkelijke titel *Robbie.The biography*
Oorspronkelijke uitgever Simon & Schuster UK Ltd.,A Viacom Company
Copyright © 2003 Sean Smith
The right of Sean Smith to be identified as author of this work has been asserted in accordance
withsections 77and 78 of the Copyright, Designs and Patents Acts, 1988.
Vertaling Emilie Brouwer
Eindredactie Carolien van der Ven
Typografie binnenwerk Herman van Bostelen
Omslagfoto's © Beirne Brendan/Sygma/Corbis UK – © Bembaron Jeremy/Sygma/Corbis UK
Fotocredits kleurkaternen pag. 1: Judy Totton/Rex Features; pag. 2: linksboven: Brain
Rawlings/NorthStaffs Amateur Dramatics and Operatics Society,
rechtsboven: Brain Rawlings/North Staffs Amateur Dramatics and Operatics Society, onder: The
Staffordshire Sentinel; pag. 3: boven:Lee Hancock, onder: The Staffordshire Sentinel; pag. 4:
boven: News Group Newspapers Ltd/Rex Features, midden: Dave Hogan/ Rex/ Features, onder:
Richard Young/ Rex Features; pag. 5: boven: Rex Features, midden: Richard Young/ Rex
Features, onder: Sam Barcroft/Rex Features; pag. 6: boven: Richard Young/ RexFeatures; onder:
Rex Features; pag. 7: boven: Richard Young/ Rex Features, onder: Alpha Press; pag. 8: boven:
Photo News Service/Rex Features, onder: James Horton/ Rex Features; pag. 9: Brian
Rasic/RexFeatures; pag. 10: boven: David Hogan/ Rex Features, midden: Rex Features, onder:
Beirne Brendan/Sygma/Corbis UK Ltd pag. 11: Steven Sweet/ RexFeatures; pag. 12: boven:
P.A.News Kipa/Corpis UK Ltd, onder: ASLAN/Rex Features; pag. 13: Richard Young/ Rex
Features; pag. 14: boven: Ri-chard Young/ Rex Features, onder: Rex Features; pag.15: boven:
Bill Bache, sportfotograaf, onder: David Johnstone/Rex Features; pag. 16: Dennis Stone/ Rex
Fatures; pag. 17: Hellestad Rune/ Sygma/Corbis UK Ltd; pag. 18: boven: AGF s.r.l/ Rex
Features, midden: Richard Young/ Rex Features, onder: Brian Rasic/Rex Features; pag. 19:
boven: James D.Morgan/Rex Features, onder: Peter Carrette; pag. 20: Brian Rasic/Rex Features;
pag. 21: Stephen Lenehan/ Fame Pictures, inzet: Stephen Lenehan/ FamePictures; pag. 22:
boven: Tammie Arroyo/AFF/Retna Pictures, onder: Stephen Lenehan/ Fame Pictures; pag. 23:
Stephen Lenehan/ Fame Pictures; pag.24: boven:Richard Young/Rex Features, onder: Mark
Campbell/Rex Features.

Eerste druk paperback oktober 2003
Tweede druk paperback november 2003
Derde druk pocket 2004

Zetwerk:Elgraphic+DTQP b.v.,Schiedam
Druk:Koninklijke Wöhrmann, Zutphen

This translation © 2003 by Het Spectrum bv

ISBN 90 461 5007 0
NUR 314

Inhoud

Dankwoord

Een van de plezierigste dingen tijdens de research voor en het schrijven van deze biografie was dat iedereen graag zijn herinneringen aan en gedachten over Robbie Williams wilde vertellen. Sommige mensen wilden anoniem blijven en dat heb ik gerespecteerd. Ik bedank hen voor hun hulp. Degenen die ik met name wil noemen zijn George Andrews, Bill Bache, Carol Banks, Paul Colclough, Sam Evans, Zoë Hammond, Lee Hancock, Keith Harrison, Dave Johnson, Philip Lindsay, Kelly Oakes, Jane Oddy, David en Val Ogden, Jim Peers, Tim Peers, Paul Phillips, Brian en Joy Rawlins, Giuseppe Romano, Phil Rossiter, Rick Sky, Hamid Soleimani, Eric Tams, Brian Toplass, en Eileen en Graham Wilkes.

Het onderzoek van Lizzie Clachan was voor mij weer van onschatbare waarde. Richard Philpott en Taryn Cass van het Zooid Agency in Londen hebben fantastisch werk verricht door de foto's voor het boek op te sporen. Cliff Renfrew was een enorme hulp in Los Angeles. Verder bedank ik Stephen Lenehan van Fame Picture Agency in Los Angeles voor de foto's van de nieuwe woonplaats van Robbie.

Bij Simon & Schuster bedank ik uitgever Jonathan Atkins voor de opdracht om dit boek te maken, mijn redacteur Rumana Haider voor haar enthousiasme en deskundigheid, Barry O'Connor voor zijn energie en ideeën bij de productie en Darren Wall voor zijn prachtige coverontwerp.

Ik ben Madeleine Moore dank verschuldigd voor de voortreffelijke horoscoop die zij van Robbie getrokken heeft. Tot slot dank ik mijn vrouw Zoë Lawrence voor haar hulp en steun bij het totstandkomen van het manuscript.

Inleiding

Het lijkt wel of Robbie Williams er altijd is geweest, terwijl hij toch nog jong is. Normaal gesproken zou ik aarzelen om het leven van iemand aan te pakken die nog dertig moet worden, uit angst dat het eerder tot een folder zou leiden dan tot een fatsoenlijk boek. Toen ik net met schrijven begon, adviseerde een uitgever me om me er altijd van te verzekeren dat er over de gekozen beroemdheid ook echt wat te vertellen is. Het is natuurlijk fantastisch voor een ster als hij elke dag in de krant staat, maar dat maakt hem nog niet per se interessant. Hij kan best de saaiste persoon ter wereld zijn, die toevallig een goede persagent heeft.

Ik heb nooit over Robbie Williams getwijfeld als onderwerp voor een boek. Hij steekt met kop en schouders uit boven het merendeel van de moderne popsterren, die zich vooral kenmerken door karakterloosheid en middelmatigheid. Vanaf het prille begin van Take That had hij iets bijzonders, door zijn energie, zijn gevoel voor humor en zijn zelfbewustzijn. Hij heeft het de pers nooit moeilijk gemaakt, omdat hij het hart op de tong heeft. Meestal beperken de media zich tot een bepaald aspect van het imago van een beroemdheid, zoals het kapsel (David Beckham), de billen (Kylie), het wangedrag (Russell Crowe), de seksuele escapades (Justin Timberlake), het gewicht (Geri Halliwell) of het geld (J.K. Rowling). Aan het feit dat je alle tussen haakjes genoemde namen kunt vervangen door de zijne zie je al hoeveel verschillende aantrekkelijke kanten hij heeft.

De meest intrigerende opmerking die ik uit de mond van Robbie heb gehoord, staat op de titelpagina van dit boek: 'Rob is Robbie niet.' Die vraag roept onmiddellijk een andere vraag op: 'Wie is in dat geval Rob?' In *Somebody Someday*, het boeiende, geautoriseerde verslag van zijn vorige Europese tournee, schetst Mark McCrum een meeslepend portret van de man zoals hij nu is en wat hem op dit moment drijft. Ik wilde teruggaan in de tijd en alles te weten komen over het hoe, wat, wie, wanneer en waarom het zover gekomen is met Robert Peter Williams. Ik besloot terug te gaan naar de plaats waar het allemaal begon, Tunstall, een van de zes steden in de Potteries, die samen Stoke-on-Trent vormen. Ik wist bijna meteen dat ik wilde schrijven over Rob Williams, en niet over zijn alter ego Robbie. De mensen die hem daar hebben gekend en met veel warmte en respect aan hem terugdenken, kenden hem als Rob.

Vanaf het moment dat ik uit de trein stapte, stond ik versteld van dit kleine wereldje. De taxichauffeur die me naar mijn hotel reed, vertelde over de keer dat hij op een vrachtje stond te wachten en Robs moeder, Jan, aankwam in haar glanzende BMW. Rob kwam naar buiten met Nicole Appleton, die hij dat weekend mee naar huis had genomen. In de Sneyd Arms, waar ik in Tunstall logeerde, vertelden ze me dat Robs vader, Pete Conway, daar menig pintje had gedronken en dat Rob zelf er karaoke had gezongen. Mijn eerste avond in Tunstall ging ik een eindje om en kwam ik terecht in een Indiaas restaurant, de Kashmir Garden. De vriendelijke ober vroeg me hoe ik daar verzeild was geraakt. Toen ik hem vertelde dat ik onderzoek deed voor een boek over Robbie Williams, zei hij: 'Mijn broer zat bij hem in de klas. Ik zag hem vaak skeeleren op de stoep.' Rob, zijn moeder, zijn zus Sally en kennissen van de familie hadden er vaak gegeten. Later hoorde ik dat hij zijn moeder zijn beroemde Maori-tatoeage had laten zien terwijl ze daar curry aten. Aan de muur hangt een gesigneerde foto van Graham Wilkes, een populaire figuur in deze streek en de vader van Jonathan Wilkes, de beste vriend van Rob. Graham is een bekende ceremoniemeester in Tunstall, over wie verteld werd dat hij meer dan levensgroot is en twee keer zo geestig, wat allemaal bleek te kloppen toen ik het genoegen had hem te ontmoeten.

Een paar straten bij de Sneyd Arms vandaan bevindt zich Newfield Street, waar Pete Conway is opgegroeid en waar Rob in zijn jeugd veel gelukkige uurtjes heeft doorgebracht bij zijn geliefde grootmoeder, zijn 'Nan', zoals hij Betty Williams noemde. Het is een smalle straat met arbeidershuisjes. Ik zag er een man in overall naast een bestelauto en sprak hem aan: 'Pardon, u kent zeker niet toevallig de grootmoeder van Robbie Williams die hier vroeger woonde?' 'Jawel,' antwoordde hij.

'Ik heb haar huis gekocht van Robbies vader toen ze was overleden. Vroeger woonde ik naast haar.' In de plaatselijke bibliotheek trok ik de stoute schoenen aan en vroeg: 'Kent iemand hier Robbie Williams?' Een verlegen receptioniste vertelde dat haar dochter hem had gekend en dat hij als kind vaak langskwam.

En zo ging het maar door. Vanaf de allereerste dag had ik het gevoel dat ik een heel schilderachtige route volgde, met wisselende landschappen en veel plekken om te stoppen en over het uitzicht na te denken. Dit waren geen mensen met ingestudeerde verhalen die een slaatje slaan uit hun vergezochte banden met een superster. In Stoke-on-Trent en ook daarbuiten vond ik mensen die Robbie Williams echt kenden en iets konden vertellen over zijn leven en over hoe hij de man is geworden die hij nu is. Het grote voordeel van een niet-geautoriseerde biografie is dat je iemand niet per se in zijn voordeel hoeft te beschrijven. In het geval van Robbie Williams ontdekte ik dat de grote meerderheid van de mensen die ik ontmoette en met wie ik over hem sprak hem graag mocht.

Er is niets frustrerender dan aan het einde van een boek blijven zitten met onbeantwoorde vragen. Daarom wil ik deze inleiding besluiten met het beantwoorden van de vragen die mij werden gesteld in de periode dat ik aan deze biografie werkte.

Drinkt hij nog steeds graag een biertje?
Nee! Los Angeles heeft fantastisch uitgepakt voor Rob. Hij vertelde de moeder van Jonathan Wilkes, Eileen, dat hij zich nog nooit zo goed heeft gevoeld. Hij is er heel trots op dat hij zich houdt aan het programma dat is uitgestippeld voor mensen met alcohol- en drugsproblemen. Hij woont bijeenkomsten bij van de AA en NA en leidt een gezond leven in Californië. Het is een zware weg geweest sinds die slechte dagen halverwege de jaren negentig, maar hij redt het absoluut.

Kan hij zingen?
Rob is zo'n briljante entertainer dat vaak over het hoofd wordt gezien dat hij ook een fantastisch zanger is. Er stond thuis een piano in de zitkamer, maar Rob schijnt als kind niet erg geïnteresseerd te zijn geweest in het bespelen van een muziekinstrument. Hij zat bijvoorbeeld niet in

het schoolorkest. Ook zaten hij en zijn vrienden in hun tienertijd niet op gitaren te tokkelen en Simon en Garfunkel te zingen. Als kind wilde hij liever acteur worden en schitterde hij in de plaatselijke amateurvoorstellingen. In die tijd was zijn stem nog niet bijzonder sterk, maar hij had de gave om een song tot leven te brengen.

Profsporters worden beter door oefening en coaching. Voor een professionele zanger geldt hetzelfde. Robs stem is aanzienlijk verbeterd sinds de begintijd van Take That, toen hij tijdens een concert in elkaar kromp van schaamte omdat hij 'Everything Changes' vreselijk vals zong. Men kan zich alleen maar verbazen over het verschil tussen die armzalige poging en zijn *Swing When You're Winning*-concert in de Albert Hall, dat een persoonlijke triomf was. Hij is natuurlijk geen Frank Sinatra. Maar wie wel?

Is hij homo?

Als het niet zo'n vreselijk cliché was, zou ik bijna zeggen: 'Als ik vijf pond kreeg voor iedere keer dat iemand me dat vroeg ...' Ik begrijp de heisa niet helemaal. Met deze vraag kan niemand ooit scoren. Een paar jaar geleden schreef ik over prins Edward en de geruchten over zijn seksuele geaardheid: 'Er is nooit het geringste bewijs voor gevonden.' Ik merkte ook op dat een gerucht heel snel hardnekkig wordt. Dit gaat ook op voor Robbie Williams.

Take That is begonnen als een nogal verwijfde band die optrad in homotenten, maar Robs vrienden hebben nooit enige aanwijzing gehad dat hij homo zou zijn. Wat nog het dichtst in de buurt van een homoseksueel contact komt, is zijn gesprek met Jimmy Somerville in het herentoilet. De geruchten stammen echter uit die tijd van Take That en zijn in de loop der jaren aangewakkerd door insinuaties, vooral met betrekking tot zijn vriendschap met Jonathan Wilkes. Het probleem is dat je wel een feit kunt bewijzen, bijvoorbeeld dat Rob met een aantal vrouwen heeft geslapen, maar dat je geen negatieve uitspraak kunt bewijzen, bijvoorbeeld 'Rob is geen homo'.

Rob wordt nog steeds niet chagrijnig over het onderwerp en reageert liever luchtig met een grap wanneer hem voor de zoveelste keer gevraagd wordt: 'Ben je homo?' Belangrijker is, of hij het nu wel of niet is, dat het volstrekt irrelevant is voor zijn status als artiest. Hij gebruikt zijn seksualiteit niet om 'Robbie Williams' te verkopen. Zijn imago wordt bepaald door een combinatie van een aantal zaken: lef, humor, goede muziek, een fantastische podiumverschijning en die broeierige ogen. Hij is geen Hollywoodlieveling wiens reputatie alleen maar berust op zijn sex-appeal en wiens leven, zoals in het geval van wijlen Rock Hudson bijvoorbeeld, een grote leugen is.

Zal hij ooit doorbreken in Amerika?
We moeten dit in het juiste perspectief zien. Engelse artiesten hebben niet automatisch succes in de Verenigde Staten. Op dit moment hoor je veel rock en rap in Amerika. De Rolling Stones, Paul McCartney, de Bee Gees en Elton John zijn er iconen, dankzij de zogenoemde Britse invasie in de jaren zestig en zeventig. Rob kan niet meeliften op een dergelijke golf van Brits succes. Take That had een toptienhit in de VS, 'Back For Good', maar de band was uit elkaar voordat ze blijvend succes hadden kunnen veroveren. De enorm succesvolle song 'Angels' betekende de doorbraak voor Rob in Engeland. Hij was toen echter al een van de bekendste namen in de Britse popmuziek, maar in de Verenigde Staten was hij onbekend en de single had daar niet hetzelfde succes. Het was te vroeg in zijn solocarrière.

Rob is in Los Angeles gaan wonen, wat een goed begin is. Dit jaar heeft hij zichzelf goed verkocht in het Amerikaanse talkshowcircuit. Hij heeft nog niet genoeg fans in de VS om grote zalen vol te krijgen, dus er is een serie concerten gepland in kleinere zalen. Hopelijk zal zijn populariteit geleidelijk groeien. Op dit moment zal de gemiddelde Amerikaan bij de naam Robbie Williams denken dat je Robin Williams bedoelt, de gevierde filmacteur. Rob heeft pech dat hun namen zo op elkaar lijken.

Rob is niet de eerste artiest die zegt dat het hem niet uitmaakt of hij carrière maakt in Amerika. Kylie Minogue, om er maar een te noemen, heeft dat ook beweerd. Ik geloof niet dat artiesten met zo veel energie geen succes willen in de grootste markt ter wereld. Maar geen succes hebben is in mijn ogen niet hetzelfde als mislukken. Tenslotte hebben, volgens het *Guinness Book of British Hit Singles*, in de eerste drie jaar van het nieuwe millennium maar vier nummers de toptien in de VS gehaald, wat toch heel magertjes is.

Ik denk dat Rob alleen een beetje geluk nodig heeft om het te gaan maken in Amerika. Het wordt misschien geen nieuwe tijdloze plaat. Het kan iets onbeduidends zijn als een glansrolletje in een aflevering van *The Osbournes* of een andere populaire Amerikaanse serie. Het beste zou hij nog een succesvolle film kunnen maken. Hij zou perfect zijn geweest voor *The Full Monty*, vooral omdat hij nooit valse schaamte heeft gevoeld om uit de kleren te gaan. Hij zou een versie van *Notting Hill* kunnen maken, gesitueerd in Stoke-on-Trent. Of hij zou iets kunnen doen als Eminem, wiens semi-autobiografische debuut, *8 Mile*, een grote hit is geworden. Dat van Rob zou *M6* moeten heten.

Waarom is hij ongelukkig in de liefde?
Rob lijdt onder zijn roem. Iedere keer dat hij met een meisje praat, wil iedereen weten wanneer ze gaan trouwen. Op school was hij nooit zo'n grote versierder en hij bekende dat hij toen hij bij Take That kwam nog nooit echt een vriendin had gehad. Sindsdien kan hij natuurlijk ieder meisje krijgen dat hij wil. De relaties van beroemde mensen staan echter bekend om hun instabiliteit omdat ze vaak lang weg zijn vanwege tournees, films of promotionele activiteiten over de hele wereld. Het moet bijna onmogelijk zijn om zaken in de juiste verhoudingen te zien.

Op zijn negenentwintigste is Rob niet bepaald uitgerangeerd en ieder meisje in zijn leven zal de vergelijking met zijn moeder moeten kunnen doorstaan. Hij is opgegroeid in een heel matriarchaal huishouden, met zijn moeder Jan, zus Sally en grootmoeder Betty als de belangrijkste mensen in zijn dagelijks leven. Zij zijn niet makkelijk te evenaren. En dan is er zijn carrière, die altijd om zijn aandacht vraagt. Zijn horoscoop laat een klassieke tegenstelling zien: die tussen de behoefte aan vrijheid en onafhankelijkheid en een verlangen naar intimiteit.

Onlangs heeft hij gezegd dat hij terug zou moeten gaan naar Stoke-on-Trent om een meisje te vinden met wie hij zijn leven wil delen. Jammer dat hij niet zo'n meisje had gevonden voordat hij vertrok.

Is hij groot geschapen?
Er doet een verhaal de ronde dat een meisje bij Butlin's Robs mannelijkheid ooit beschreef als een babyarmpje dat een sinaasappel vasthoudt. We gaan verder …

Wat doet hij als hij vijftig is?
Rob heeft zijn hele leven opgetreden. Het zit hem echt in het bloed. Zijn vader was meer dan dertig jaar professioneel komiek en entertainer. Het zou verbazingwekkend zijn als Rob alles opgaf om zijn geld te gaan zitten tellen in Beverly Hills. Een van zijn grote helden, Tom Jones, is op zijn drieënzestigste nog meer dan actief en het is goed mogelijk dat Rob ook die weg opgaat. Hij heeft wel eens voor de grap gezegd dat hij altijd een nummertje doet als het lichtje in de koelkast aangaat. Misschien zal hij zingen en acteren gaan combineren, of misschien gaat hij naar Las Vegas. Ik kan me hem ook voorstellen met een eigen televisieprogramma.

In de boeiende horoscoop van Robbie Williams die na deze inleiding volgt, zegt Madeleine Moore dat zijn leven over drie jaar in bepaalde opzichten in een nieuwe richting gaat. Ik zou verbaasd en teleurgesteld zijn als hij ooit saai werd.

Toevallig wist Madeleine praktisch niets over Robbie Williams voordat ze zijn horoscoop trok voor dit boek, alleen zijn geboortedatum, -tijd en -plaats. Ze heeft de tekens in geen enkel opzicht hoeven te 'verdraaien' om ze op één lijn te krijgen met de gangbare meningen over hem.

Sean Smith
juli 2003

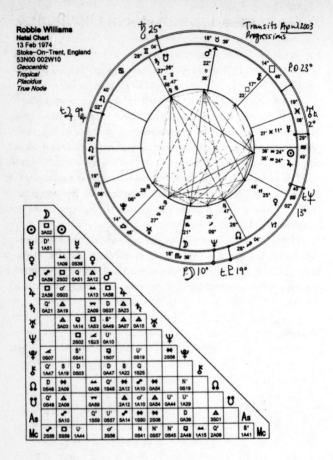

Robbie Williams
Natal Chart
13 Feb 1974
Stoke-On-Trent, England
53N00 002W10
Geocentric
Tropical
Placidus
True Node

Transits April 2003
Progressions

P.☉ 23°

P.☽ 10°   t.♇ 19°

De horoscoop van Robbie Williams

Dit is iemand die groot wil zijn; die zichzelf en anderen wil bewijzen dat hij belangrijk is, een man met een grote behoefte om indruk te maken en in de smaak te vallen. In het centrum van zijn sterrenkaart komen de energieën van een centraal staande zon en Jupiter samen om in combinatie met de maan en Mars een T-vierkant vormen. Deze krachtige, vaak moeilijke, aspecten zorgen voor de energie en passie die zijn creatieve zelfexpressie en ambitie voeden, en bekrachtigen zijn rol als boegbeeld. Hij is heel gewoon, een man die zich met andere mensen kan identificeren en hun taal kan spreken, die begrip heeft voor menselijke beperkingen, maar zelf een leider is. Hij hoort bij de gevestigde orde in de leidinggevende klasse, hoewel een vleug rebellie waarmee hij zichzelf eer aandoet, ervoor zorgt dat hij zich het prettigst voelt in de hoge rangen van het alternatieve establishment, op dit moment in ieder geval. Watermannen schommelen richting de eigenzinnige, non-conformistische energie van de planeet Uranus, maar moeten niet vergeten dat hun sterrenteken ook wordt geregeerd door de conservatieve, respectabele, van regels bezeten Saturnus, en allebei hebben ze hun eigen tijdstippen.

Robbie Williams heeft een horoscoop met enkele klassieke patronen en standen, waarvan er een de combinatie is van Jupiter, de planeet die bekendstaat als de 'grote weldoener', en zijn zon, geplaatst in waterman. Jupiter wordt geregeerd door Zeus en een dergelijke stand zou geluk moeten brengen en verleent optimisme, vrolijkheid en een vooruitziende blik aan degene die hem heeft. Een dergelijke persoon wordt aangetrokken door groei, expansie en overdaad. Het is het kenmerk van iemand met grote verwachtingen van wat hem toekomt en die aandacht verlangt. Inderdaad, hij heeft het nodig om vereerd te worden. Hij houdt er niet van om genegeerd te worden, en toch heeft hij, in strijd hiermee, een enorme behoefte aan vrijheid en privacy (*opgeroepen door de maan in de mysterieuze schorpioen*). Deze twee elementaire drijfveren zullen onvermijdelijk botsen. De opgewekte, moedige, avontuurlijke kant strookt niet met de behoefte aan respect, omdat een neiging tot overdaad waardigheid ondermijnt, met als resultaat vlagen van onprettige humeurigheid.

Overdaad kan vele vormen aannemen; aan sommige daarvan of aan allemaal kan men toegeven, maar minder duidelijk in deze horoscoop is een meedogenloze ambitie om de hoogste normen te bereiken. Deze persoon streeft er altijd naar zijn werk goed te doen. Hij legt de lat voor zichzelf hoog, zonder altijd rekening te houden met de menselijke beperkingen van hemzelf en anderen. Er is veel hartstochtelijke nerveuze energie die tot uitputting leidt wanneer zij niet onder controle wordt gehouden. Vonken zullen rond spatten en woede-uitbarstingen zullen volgen wanneer dit perfectionisme, dat meestal tot uiting komt in zelfkritiek, wordt opgelegd aan mensen die hem het naast staan en die hij probeert te verbeteren. Wanneer hij uit balans raakt, zal deze drang tot perfectie tot problemen leiden voor hemzelf en voor anderen. Teleurstelling over wat er bereikt wordt zal zich gewoonlijk manifesteren als felheid, woede, en soms depressiviteit. Een dergelijk conflict zal waarschijnlijk uitgevochten worden in zijn dagelijkse werkzame leven en in contractuele partnerschappen en gevestigde relaties met een openbare of wettelijke erkenning. Deze man kan toegeven in dergelijke gevechten, deels omdat hij zich bewust is van de buitensporigheid van zijn eisen, maar heel vaak zal hij, niet in staat om zijn basisinstincten terzijde te schuiven, weer de strijd aanbinden.

Robbie Williams heeft een wezenlijke drang om kennis te vergaren. De drijfveer in zijn leven is het verlangen om te leren, zij het niet in een schoolse betekenis. Hij zal de voorkeur geven aan eigen ervaring boven de afgeleide kennis op school, en hij zal persoonlijke uitdagingen zoeken. Veel van zijn energie gebruikt hij voor het bereiken van de waarheid en begrip van het leven, omdat hij een sterk verlangen heeft naar resultaat en een flair voor leiderschap, (*ascendant leeuw*). Hij kan bereiken dat andere mensen hun starre, kortzichtige mening loslaten, hij kan hun visie verbreden en oplossingen bieden door het perspectief te veranderen. Deze panoramische manier om met onderwerpen om te gaan kan soms overkomen als een arrogante, onaantrekkelijke houding, maar over het algemeen zal deze drang om mentaal en emotioneel te reizen, om verder te gaan en hoger te vliegen bewondering opwekken. Uranus, die zich in het gebied op de horoscoop bevindt dat geassocieerd wordt met opleiding, geeft een originele denkwijze en een dorst naar kennis aan, maar aanvankelijk een afkeer om meer te doen dan oppervlakkig over weids terrein scheren. De kaart geeft aan dat het ontwikkelen van mentale discipline een van de kerndoelen is waarmee Robbie Williams zich na zijn dertigste levensjaar bezig zal houden. Omdat hij veel intuïtie heeft, kan Robbie snel meegaan in de gedachten van andere mensen, en net zoals anderen van zijn generatie zal hij zoeken naar overeenkomsten binnen diverse geloven om de grenzen tussen religies te slechten.

Op het gebied van relaties zal deze persoon te kampen krijgen met het klassieke conflict tussen de behoefte aan vrijheid en een verlangen naar intimiteit. Uit zijn hele horoscoop blijkt dit dilemma. Veel relaties zullen spaak lopen door zijn enorme verlangen om ambities, visies en idealen na te streven, in volledige vrijheid, om de uitdrukking van zijn eigen uniciteit te verkennen. Hij functioneert het best wanneer hij de ruimte heeft en onafhankelijk is. Als hij zich dat niet bewust is, zal hij een partner aantrekken die deze kant van hem respecteert, die misschien getrouwd is, ver weg woont of emotioneel onverschillig is. Dit is een waarschijnlijk scenario wanneer hij toegeeft aan zijn sterke behoefte aan intimiteit. Wanneer hij daarentegen zijn verlangen daarnaar negeert, beweert dat hij ruimte nodig heeft, zal hij partners aantrekken van het bezitterige type. De door Zeus geïnspireerde Robbie zou de eerste zijn om te erkennen dat er geen fouten zijn in zijn leven, alleen lessen, die steeds herhaald worden tot hij ze uit zijn hoofd kent. Zoals veel generatiegenoten zal hij lang alleen wonen om de pijnlijke les van geven en nemen die een duurzame intieme relatie vereist uit te stellen, zodat hij lijkt te blijven steken in de groeifase van de egocentrische puber – ten minste tot Saturnus terugkeert.

Tegenover zijn uiterlijke uitbundigheid en seksuele charismatische persoonlijkheid staat de man met intense emoties, terughoudend over zijn gevoelens en ietwat wantrouwig om zich uit te spreken tegenover andere mensen. Voor hem betekent emotionele veiligheid vaak beheersing. Dit is de dominante kant van deze man die nooit genoegen zal nemen met een voetveeg, maar de loyaliteit nodig heeft van een partner die begrip kan opbrengen voor zijn behoefte om alles te onderzoeken. Een zware opdracht. Terwijl Robbie misschien boven deze pijnlijk tegenstrijdige behoeften is uitgegroeid, is het zeer waarschijnlijk dat hij ze vroeger thuis heeft gevoeld, met één restrictieve, dominante en gepassioneerde ouder, en met één meer gereserveerde en onafhankelijke ouder. Hij is iemand die geen problemen heeft met zijn seksualiteit en mensen zal aantrekken die hem de gelegenheid geven om dapper, expressief en spontaan te zijn. Hij zal integer zijn wat zijn verplichtingen betreft. Degelijke en langdurige relaties kosten tijd en zullen meer iets voor de toekomst zijn.

Het gezinsleven was misschien wat moeilijk voor deze man, omdat zijn ouders verschillende waarden, levensvisies en geloven moesten verenigen. Wellicht waren er ruzies, die hebben bijgedragen aan Robbies moeite om werkelijk emotionele veiligheid en wezenlijke eigendunk te voelen. Het is mogelijk dat hij is opgetreden als de woordvoerder voor een ouder of voor beide ouders, die niet in staat waren hun diepere gevoelens te uiten. Zijn vader kan afstandelijk zijn geweest in fysieke of emotionele zin. Saturnus, die vaak de vader representeert op een horoscoop, is verbonden met Uranus en Jupiter, twee van de buitenste planeten, die worden geassocieerd met afzondering en afstandelijkheid. Het overheersende gevoel is dat van een onregelmatige aanwezigheid, een avontuurlijke vader die zijn eigen wetten stelt. Het beeld van de moeder (*dat voortkomt uit de stand van de maan in schorpioen, tegenover Mars*) is er een van intensiteit. Waarschijnlijk waren haar verwachtingen en opgelegde normen zeer hoog. Het is mogelijk dat Robbie in de felheid waarmee hij zijn openbare status en carrière beleeft, de dromen van zijn moeder in praktijk brengt.

Mars, de planeet die wordt geassocieerd met kracht, energie en agressie, bevindt zich boven aan de horoscoop, waar hij krachten bundelt met de middenhemel. Dit is een punt dat verbonden is met iemands carrière en doelen in de wereld. Deze stand wijst op grote ambitie, een instinct om te vechten voor erkenning, de stoutmoedigheid en meedogenloosheid om de leiding te nemen en te winnen. Dit is een dominant kenmerk op de horoscoop van veel selfmade mensen. Het is op deze horoscoop heel dominant, gezien de stand in een teken (stier) waar hij zich van oorsprong niet op zijn gemak voelt en tegelijkertijd raakt aan veel andere planeten. Het ligt in de verwachting dat mensen met deze stand eigenzinnig en koppig zijn, met veel uithoudingsvermogen en vasthoudendheid. Als ze dwars worden gezet, zijn het genadeloze vijanden. Robbie zou in conflict kunnen komen met mensen in gezaghebbende posities en het zou kunnen zijn dat boosheid op jonge leeftijd op een ouder of andere gezaghebbende persoon een oorzakelijke factor is geweest in het proces van zijn vooruitgang. In combinatie met de nauwe band die Mars heeft met de optimistische, extraverte, avontuurlijke verbinding tussen zon en Jupiter, geeft de horoscoop een krachtige drijfveer aan voor een succesvolle carrière.

Dit wordt ondersteund door een prachtig aspect – in het kader van ambitie en distinctie – tussen de zon en de 'Grote opdrachtgever', Saturnus. Dit contact doet veel om de mateloosheid van Jupiter te beperken, door te voorzien in grenzen aan deze inflatoire energie. Saturnus is, in tegenstelling tot Jupiter, een planeet van ontzegging en beperking en wijst, rakend aan de zon, op problemen op het gebied van het identiteitsgevoel. Mensen met dit contact worden gedwongen uit te zoeken wie ze zijn – geen slechte zaak met deze horoscoop, omdat Jupitermensen vaak het gevoel hebben dat ze álles kunnen zijn, en juist níets wanneer de luchtbel barst.

Het contact tussen de zon en Saturnus op deze kaart, weliswaar een licht contact, wijst op angsten wat betreft de identiteit. Vooral in zijn jeugd zullen er momenten zijn geweest, waarschijnlijk op school, dat hij zich niet gewaardeerd voelde. Saturnus in tweelingen kan wijzen op communicatieproblemen, die een enorme invloed kunnen hebben op studie en vertrouwen. Deze stand is ook verbonden met periodes van depressie. De planeet raakt Uranus in het derde huis, het gebied dat gerelateerd is aan vroege scholing. Een onafhankelijke geest en uitgesproken gedrag, geven samen met onzekerheid en Martiaanse eigenzinnigheid het beeld van een moeilijke schooljongen.

Het is zwak uitgedrukt als je zegt dat Jupitermensen zich niet prettig voelen als ze worden weggestuurd of vernederd, en een van de reacties op een dergelijke kleinering kan zijn om ernaar te streven iets te maken om trots op te zijn, iets wat een bewijs is van iemands waarde.

Dit is de beste manier om deze energie te gebruiken en gezien de energie, het uithoudingsvermogen en het optimisme die uit andere gebieden op deze horoscoop blijken, is het een aspect van uiteindelijk succes. Robbie Williams wordt misschien beperkt door zijn streven naar het willen uitblinken en door zijn verlangen om middelmatigheid te vermijden, hetgeen tot gevolg zou kunnen hebben dat hij niet tot goede prestaties komt.

Robbie heeft zijn eerste terugkeer van Saturnus al meegemaakt. Het is een belangrijk moment als de planeet Saturnus zijn cyclus van 29 jaar rond de horoscoop heeft voltooid en weer terug is op de plek van de tijd van zijn geboorte. Het is een periode waarin gebeurtenissen vragen om een beoordeling van de vooruitgang die is geboekt wat betreft iemands doelen en plannen in het leven. Deze zijn niet altijd hetzelfde. Robbies horoscoop wijst op een zeer grote behoefte aan het verstevigen van zijn innerlijke eigenwaarde, gebaseerd op een leven dat zich afkeert van openbaar optreden en zich richt op het verspreiden van kennis en zijn levensvisie, waarvoor hij zijn eigen ervaring en creativiteit gebruikt. Het is misschien niet realistisch om van iemand die succes heeft als entertainer te verwachten dat hij deze houding al aanneemt. Maar er is een belangrijk humanitair doel in zijn leven. Hij is op de proef gesteld, dat is onderdeel van deze overgang, en tot nu toe is hij gegroeid, schijnt het, naar de uitdagingen die zijn horoscoop impliceert.

Deze terugkeer van Saturnus zal vooral belangrijk zijn voor het evalueren van zijn leven tot heden, het zal hem dwingen tot een groter bewustzijn van de moeilijkheden die hij heeft om trouw te blijven aan de speciale doelen. De horoscoop wijst op de gewoonte om een voet in twee kampen te houden, uit angst dat als hij voor één kant kiest hij een kans mist die de andere kant misschien te bieden had. Hij zal zich bewust worden van de prijs die hij moet betalen wanneer hij alles wil zijn voor alle mensen; dan zal hij met veel mensen en dingen bezig zijn, maar oppervlakkig. Het is een tijd waarin hij zich misschien niet prettig voelt in de strijd waarin hij met veel mensen, kleinigheden en projecten bezig is, maar die niet tot grotere tevredenheid lijken te leiden. Het is een roep om meer afzondering te zoeken en grotere inzet te tonen voor één onderneming, één organisatie en één droom.

In juli 2003 stond Jupiter, die langs de hemel beweegt (*transit*), te-genover de positie van de zon ten tijde van zijn geboorte. Dat luidt een tijd in waarin veel pogingen zullen slagen, al zal elke vorm van arro-gantie hem nu in de problemen brengen. Het is de voorbode van een heel belangrijk jaar wat betreft persoonlijke groei. Vanaf dit punt zal Jupiter naar het eerste huis gaan en een nieuwe cyclus beginnen. Daar-mee wordt de nadruk gelegd op het belang om zich te concentreren op zijn ware ik. Hij zal ontdekken dat zijn opvattingen over en visie op het leven zich ontplooien en dat de mensen die hij aantrekt in zijn leven veranderen. Hij zal de drang voelen om zijn leven vanuit een ander perspectief te bekijken dan dat van zijn eigen persoon.

Zoals dat hoort bij de weldadige aard van deze planeet, duidt dit op een gelukkige tijd, waarin hij meer vertrouwen krijgt in zichzelf en zijn impact op anderen. Hij zal de juiste middelen en mensen aantrekken die hem in zijn volgende levensfase helpen met ontmoetingen die steeds in zijn voordeel zullen werken. Hij zal zonder twijfel aandacht voor de spirituele dimensie van zijn leven krijgen, en de kans krijgen om, in bredere zin, bij de wereld betrokken te raken.

Februari 2006 zal een moeilijkere tijd aankondigen. Veranderende situaties zouden hem kunnen dwingen zaken op te geven die hem dierbaar zijn. Ondanks enorme inspanningen lijkt hij niets te berei-ken. Deze onvermijdelijke beperking van dingen, standpunten en hin-dernissen die hij niet langer werkelijk nodig heeft, zal hem uiteindelijk beter maken, en een verandering van richting forceren op bepaalde terreinen van zijn leven.

Madeleine Moore
2003

Deel 1

Tunstall

1 Zoë en de Artful Dodger (de Linke Glipper)

De eerste keer dat Zoë Hammond optrad als soloartiest, was in een kleine, keurige pub in Hanley. Ze gebruikte haar artiestennaam, Dulcie, ter nagedachtenis aan haar overleden zus. In die tijd was Rob al een grote ster. 'Na het laatste nummer voor de pauze keek ik op en zag wie daar zat in het publiek. Ik dacht: O, mijn god! Zelfs met alles wat er op dit moment in zijn leven gebeurt, heeft hij tijd gevonden om te komen kijken. Aan het eind van het optreden kwam hij op het podium, gaf me een bos rode rozen en zei: "Ik wil graag iets zeggen over dit meisje ..." Hij zei een paar heel aardige dingen. Ik had geen idee dat hij zou komen en dacht alleen maar: Wauw!'

Geluk en toeval in de wereld van de showbusiness zijn bijna altijd verzinsels van scenarioschrijvers in Hollywood of van persagenten. In werkelijkheid is het grootste deel van de entertainers, zangers, acteurs en dansers al van jongs af aan bezig met het vak. Als kind genieten ze van de schijnwerpers en het applaus van de volwassenen en daarna werken ze keihard om door te breken. Het verhaal van Robbie Williams is hierop geen uitzondering. Hij wilde misschien altijd wel bij de stoere jongens in zijn geboortestad Tunstall, Stoke-on-Trent, horen, maar terwijl zijn vriendjes voetbalden in het park, oefende hij zijn tekst in het plaatselijke theater en repeteerde hij de danspassen voor de volgende musical. Hij vertelde hun zelden waar hij mee bezig was, omdat ze hem dan een 'mietje' zouden hebben gevonden.

Rob, zoals hij werd genoemd, had altijd al een duidelijk beeld van zijn eigen toekomst. Op zijn vijftiende ging hij op zondagavond vaak met zijn vriendin Zoë naar de jongerendisco in Ritzy's club in Newcastle-under-Lyme. Op een keer had hij sportschoenen aan en een van de grote, vervaarlijk uitziende uitsmijters wilde hem niet binnenlaten. Rob, die het nooit aan lef ontbrak, ging pal voor de krachtpatser staan en zei: 'Ik zal je eens wat vertellen, het duurt niet lang of ik kan deze hele zaak kopen en ermee doen wat ik wil.'

De eerste keer dat Rob voor publiek optrad was hij pas drie jaar. Zijn vader, de komiek Pete Conway, haalde hem uit zijn bed zodat hij kon optreden op de bar in de Red Lion in Burslem, de pub die hij met zijn vrouw Jan runde. Jan vond het niet leuk. 'Hij is geen aap!' riep ze uit.

Maar Jan was altijd enorm trots op het talent van haar zoontje om mensen te vermaken. Later in dat jaar waren ze met vakantie in Torremolinos en gingen ze naar een talentenjacht. Ze weet het nog precies: 'We hoorden dat "Robert uit Engeland" aan de beurt was. Hij stapte uit de coulissen in de schijnwerpers en deed John Travolta na.' Al op heel jonge leeftijd had Rob een verbijsterend talent voor het imiteren van mensen. Hij had bij de jukebox net zo lang aandachtig naar John Travolta geluisterd, tot hij zijn stem en maniertjes kon imiteren. Al snel begon Rob in de Red Lion geïmproviseerde voorstellingen te geven. Pete Conway weet nog dat zijn zoon Brian Clough en Margaret Thatcher op meedogenloze wijze kon neerzetten.

Op de lagere school in Mill Hill speelde Rob de hoofdrollen in de schoolproducties. Hij speelde onder andere Fagin in *Oliver!* Een van de onderwijzers, Phil Rossiter, vertelt dat hij heel enthousiast was voor alles wat ook maar iets te maken had met dans, toneel en zang: 'Hij was niet erg sportief. Hij was dik en klein en niet populair. Sommige kinderen vonden hem verwaand en opdringerig. Maar hij viel beslist op doordat hij altijd de hoofdrollen in onze toneelstukken wilde. Ik was heel verbaasd toen hij later in Take That zat, omdat ik me hem herinnerde als een klein, dik ventje van negen.'

Aangemoedigd door zijn moeder vond Rob ook buiten school een plek waar hij terecht kon met zijn belangstelling voor podiumkunsten. Zo heeft hij Zoë Hammond ontmoet. Ze traden samen op in een uitvoering van *Hans Christian Andersen* door de amateurvereniging voor opera en toneel van North Staffordshire (ook bekend als North Staffs). Ze hoorden bij de groep kinderen die luisterde naar de sprookjes, maar toch kwam er heel wat dansen en zingen bij kijken, iets waarvan de jonge Robbie nog niet wist of hij dat wel leuk vond. Toen de kinderen voor de eerste keer in de lucht moesten springen en moesten klappen, trok hij een gezicht naar Zoë alsof hij wilde zeggen: 'Wat is dit allemaal voor onzin?' Zoë, een van de weinigen die hem in die tijd al liever Robbie noemde, vertelt: 'Ik zei tegen hem: "Je hebt twee keuzes. Meedoen of niet." Hij wilde meedoen en dat wist hij en hij was heel goed. Het is met iedereen die aan het toneel wil hetzelfde. Ineens sta je daar in een lange rok en met dansschoenen aan en ik denk dat hij als jongetje op die leeftijd dacht: "Jeetje," maar hij deed het wel. Tegen de tijd dat hij had geleerd wat hij moest doen, had hij die hobbel genomen en kon het hem niet meer schelen.'

Zoë was een slimme, levendige babbelkous. Zij en Rob konden het meteen goed vinden: 'Hij was een van de redenen waarom ik zo dol was op toneel. Waar ik was, was hij ook, en andersom.' De verbazingwekkende vriendschap die op de planken van het plaatselijke amateurtoneel ontstond, duurde tien jaar en had veel van een ontroerend liefdesverhaal, alleen zonder seks. Zoë was niet verliefd op hem. Mensen die hen samen zagen, konden niet geloven dat ze nooit wat hadden gehad. Ze legt het uit: 'Als ik hem nu op de televisie zie en iedereen juicht, kan ik dat niet, omdat ik hèm heb gekend als dat dikkerdje met sproeten. Hij was echt dik als kind. Voor mij is hij gewoon Robbie en ik hou van hem.'

De twee kregen hun eerste hoofdrollen toen ze elf waren in een productie van het plaatselijke musicalgezelschap: *Chitty Chitty Bang Bang*. Het charitatieve musical- en toneelgezelschap van Stoke-on-Trent was opgericht voor de plaatselijke jeugd met belangstelling voor muziek en toneel. Carole Banks, de secretaresse van het gezelschap, zette een grote advertentie in de *Sentinel*, de lokale avondkrant, waarin kinderen werden uitgenodigd om mee te doen aan een auditie in een hotel in Hanley. Jan zette Rob af bij de auditie, waar nog dertig andere jongens meededen voor de rol van Jeremy. Hij zong het beroemde nummer uit de musical 'Truly Scrumptious'. Carole vertelt: 'Het moment dat hij zijn mond opendeed, wist ik dat hij de rol had. En de andere kinderen wisten het ook.'

Zoë, die de rol van Jemima kreeg, was niet zo onder de indruk van Robbies zangkunst: 'Hij kon helemaal niet zo goed zingen, maar hij was zo goed in alle andere dingen dat het er niet toe deed. Hij worstelde altijd met "Truly Scrumptious", dat we samen zongen. Ik wil niet zeggen dat het helemaal niets voorstelde, maar het was niet zo dat hij daar stond en het zong en dat het meteen geweldig was. Ik zei altijd: "Je mag zeggen dat ik mijn mond moet houden, maar die regel moet anders." Hij vroeg dan waarom en ik legde het hem uit. Hij luisterde. Ik was vast een bazig dametje, want mijn moeder zei altijd tegen me: "Hij denkt waarschijnlijk: wie denkt ze wel dat ze is!"'

Chitty Chitty Bang Bang was oorspronkelijk een kinderverhaal, geschreven door Ian Flemming, de schepper van James Bond. Het kreeg grote bekendheid door de film uit 1968 waarin Dick van Dyke de hopeloze uitvinder professor Caractacus Potts speelt die een verwaarloosde auto, Chitty, van de sloop redt en toverkracht geeft. In een fictief land helpt de auto Jeremy en Jemima de regering die kinderen haat omver te werpen. Het was een perfect verhaal voor een musical. Eric Tams, die Potts speelde, repeteerde met Zoë en Rob: 'Ze waren zo goed samen. Zoë had een lach van oor tot oor. Je hebt kinderen van die leeftijd die zich ergeren aan elkaar, maar bij hen was daar niets van te bespeuren. Ze waren briljant samen. Als iemand anders aan het repeteren was, zaten ze samen op de trap hun tekst door te nemen.' Zoë en Rob leerden altijd de hele tekst, niet alleen hun eigen rollen, zodat ze konden optreden als souffleur als iemand tijdens de repetitie zijn tekst kwijt was. Ze hadden ook geen tijd voor de 'kleine prima donna's', de kinderen die op audities en repetities kwamen met het idee dat ze het wel even zouden maken. Robert Williams verkondigde dan luid en duidelijk: 'Er zijn hier veel meer mensen zonder talent dan met.'

Zoë werd heel direct met Robs molligheid geconfronteerd toen het scenario vereiste dat ze samen in bed moesten liggen omdat ze broer en zus waren: 'Het was geen echt bed en het was smal en wankel. Hij was een dikkerdje en wanneer hij in het bed lag, kon ik er nauwelijks bij. Iedere avond lagen we tegen elkaar aan geperst en hielden het niet meer van het lachen.'

Rob wist de regisseur, een theaterman uit Bristol met de gewichtig klinkende naam Nicholas D. Florey, op de kast te jagen. De man zag kans zijn eigen naam tweemaal op de cover van het programma te krijgen: 'Nicholas D. Florey, in samenwerking met Albert R. Broccoli, presenteert ...' Robert had de gewoonte om 'niks' in plaats van 'niets' te zeggen. 'Het is "*niets* zal me veranderen", Robert,' zei Mr. Florey dan. Vervolgens moest Robert van hem op een rustig plekje gaan oefenen tot hij de zin goed kon uitspreken. Toen Rob het helemaal onder de knie had, ging hij naar Eric en zei: 'Ik zal helemaal *niets* verkeerd doen, Eric.' Dan kwam hij op en zei zijn tekst: 'En *niks* zal me veranderen ...' Eric kreeg altijd een woedeaanval vanwege het gelach om de streken van zijn jonge co-star. Een andere streek van Rob was om Erics schoenen te verstoppen twee minuten voordat hij op moest, waarop er complete paniek uitbrak in de kleedkamer. Hij was gewoon een kwajongen. 'We noemden hem Rob als hij zich netjes gedroeg en Robert wanneer hij streken uithaalden,' vertelt Eric lachend.

Om aandacht te vestigen op de productie haalde het musicalgezelschap allerlei stunts uit om een artikel in de *Sentinel* te krijgen of om op de televisie te komen. Zoë verscheen op het regionale nieuws, waar ze de presentator vertelde dat ze op zoek was naar een 'broer' om Jeremy te spelen: 'Hij moet in één week een script kunnen leren, liedjes leren en niet verlegen zijn.' In wezen beschreef ze Rob, wat maar goed was ook, omdat hij de rol al had! En dan was er de auto, de originele die in de film was gebruikt. Eric moest doen alsof de auto een lekke band had en ze hem niet het theater in konden krijgen. Het werkte en er kwam een foto van hem met de auto in de krant. Iedere avond maakten Rob en Eric, die een soort vader was voor de kinderen in het gezelschap, de auto schoon en poetsten hem tot hij er tiptop uitzag. Terwijl ze daarmee bezig waren, zongen ze of namen ze hun tekst door, omdat er nog zo veel te leren was. Het was hard werken, maar Rob zei vaak tegen Eric: 'Ik ben absoluut gek van toneel.'

Uiteindelijk brak de avond van de première aan, die werd bijgewoond door de burgemeester, Jack Dimmock. Het was een triomf voor Rob en Zoë, maar niet voor de auto. De geluidseffecten werkten niet op het moment dat hij voor het eerst moest starten en Eric wist niet goed wat hij moest doen. Flitsend snel kwam Rob naar voren en zei: 'Zorg dat je een fatsoenlijke auto krijgt!' Eric had veel bewondering voor zowel Rob als Zoë: 'Tijdens geen enkele voorstelling waren ze hun tekst kwijt. Er was nooit een enkele hapering. Wanneer zij "Truly Scrumptious" zongen, gingen je haren overeind staan. Na de voorstelling kwamen ze samen naar me toe en zeiden: "Is het niet snel gegaan, Eric?"' De burgemeester kwam na de voorstelling achter het toneel om ze alledrie te feliciteren. 'Nou Eric, het enige dat ik kan zeggen is dat het theater in goede handen is bij deze kinderen.' Zoë en Rob stonden erbij te glimmen. Ze waren helemaal in de wolken.

De burgemeester was niet de enige die onder de indruk was. David Ogden, die de speelgoedmaker speelde, vertelt: 'Iedereen vond dat ze beter waren dan de kinderen in de film.' Eric Tams denkt dat ze hun succes te danken hadden aan het feit dat de brutaliteit die ze voor hun rol nodig hadden hun heel gemakkelijk afging. Hijzelf maakte die avond iedereen het hardst aan het lachen toen zijn rolschaatsen er met hem vandoor gingen en hij bijna de orkestbank in schoot. Rob bewees dat hij een betrouwbare collega was toen zijn maag van streek was, maar hij zijn optreden daar niet onder liet lijden, ook al moest hij steeds naar de wc rennen. Een van de meisjes uit het gezelschap heeft nog steeds het programma van die avond, gesigneerd door 'Robert the Toiletman'.

Heel jammer is dat niemand van de acteurs ooit de video van de voorstelling heeft gezien, iets waar vooral Carole Banks kwaad om is. Zij had geregeld dat een professionele cameraman de voorstelling op video zou opnemen, maar Jan Williams stond erop dat haar toenmalige vriend het deed. Carole heeft Jan, die ze toch al niet graag mag, bij diverse gelegenheden gevraagd of ze de video mocht zien, maar zonder succes. Misschien is de opname mislukt.

Gestimuleerd door zijn succes wilde Rob graag meer musicals doen. Hij ging naar het Royal-theater in Hanley om met Zoë mee te doen aan de auditie voor *Annie*, een productie van North Staffs. Ze moest hem vertellen dat er geen jongens zaten in *Annie*. 'Ik kan toch een pruik opzetten,' wierp hij tegen met zijn beste Amerikaanse accent. Het eindigde ermee dat hij Zoë hielp om de voor haar problematische auditie door te komen. Alle kinderen moesten onder een stok door lopen om te laten zien dat ze niet te lang waren. Zoë was echter te lang. Ze ging naar huis om een rijbroek aan te trekken zodat je niet kon zien dat ze door haar knieën moest zakken om onder de stok door te komen. Zelfs al deed Rob niet mee aan de productie, toch kwam hij naar het theater. 'Hij was er gewoon graag,' constateert Zoë. 'Hij vertelde ons altijd spookverhalen en iedereen hing dan aan zijn lippen. Het was net *Jackanory*, maar dan tien keer beter. Zelfs de volwassenen kwamen erbij zitten om naar hem te luisteren. Hij was briljant.'

Rob zorgde ervoor dat op zijn nieuwe school, de katholieke middelbare school St. Margaret Ward, die om de hoek was van de straat waar hij woonde, Greenbank Road in Tunstall, niemand iets te weten kwam over zijn belangstelling voor acteren. Er werd niet aan toneel gedaan en zijn schoolvrienden wisten niets van zijn verborgen talenten. Dit was het begin van de gespleten persoonlijkheid van Robert Williams. Enerzijds was er de gevoelige jongen die Zoë Hammond kende. Die was ook leuk en geestig, maar had het moeilijk met de scheiding van zijn ouders en brandde van ambitie. Anderzijds had je Rob de clown van de klas, die altijd grappen maakten en overal voor in was, een jongen die zich gedurende zijn schooltijd voornamelijk bezighield met kwajongensstreken.

Rob de acteur trad op in *Fiddler on the Roof* en *The King and I*, waarin hij slechts een van de kinderen aan het hof was. 'Hij maakte altijd indruk,' vertelt Zoë. 'Ook al had hij een onbeduidende rol, dan wist hij toch de aandacht op zich te vestigen. Hij wilde de titelrol spelen in *Bugsy Malone*, maar bij uitzondering lukte het hem niet de rol te krijgen. Meer geluk had hij met *Pickwick* bij North Staffs, de amateurvereniging voor opera en toneel van North Staffordshire, het grootste gezelschap in de regio. Op de auditie in het Queen's Theater in Burslem moest hij voor het bestuur van het gezelschap, dat bestond uit ongeveer twintig mensen, een song uit de voorstelling zingen, een stuk uit het script voordragen en laten zien dat hij kon dansen. Nadat hij dat allemaal gedaan had kreeg hij de rol van Fat Boy, die twee regels tekst had. Een rol bij North Staffs was geweldig voor een acteur met serieuze aspiraties, zelfs al was het er een met slechts twee regels tekst. Bij North Staffs ging het er heel zakelijk aan toe. De repetities begonnen bijna meteen en Rob moest er twee of drie keer per week heen, een zware verplichting voor een jongen van twaalf. Het was ironisch dat Rob inmiddels zo dun was geworden dat hij om een realistische Fat Boy neer te zetten opgevuld moest worden. *Pickwick* trok tien avonden een volle zaal in het prachtige, oude Queen's Theater, dat helaas tegenwoordig een nachtclub is, de Jumping Jack.

Het jaar daarop, toen Rob veertien was, deed hij auditie bij North Staff voor wat het hoogtepunt van zijn carrière als acteur tot nu toe zou worden. Hij ging voor de rol van de Artful Dodger (Linke Glipper) in de productie *Oliver!*, de met een Oscar bekroonde musical van Lionel Bart. Deze rol van de leider van de zakkenrollersbende van Fagin is een van de mooiste musicalrollen voor kinderen en iedereen was het erover eens dat Robbie Williams geknipt was voor deze rol. Hij had veel concurrentie, maar Robs uitvoering van 'Consider Yourself' zorgde ervoor dat hij de rol kreeg. Zoë Hammond was erbij en zei tegen haar vader en moeder: 'Hij wordt het geheid.' Ze was ervan overtuigd dat hij de rol van Dodger zou krijgen omdat 'niemand ook maar aan hem kon tippen. Hij schitterde. De rol van de Dodger was hem als geen andere op het lijf geschreven. Het was een godsgeschenk.'

De repetities onder de strenge leiding van regisseur Ray Jeffery werden serieus aangepakt en waren een beproeving. Dit was geen gezelligheidsvereniging, maar ambitieus amateurtoneel. Jeffery was tegen volwassenen en kinderen even hard. Brian Rawlins, die Fagin speelde en nauw samenwerkte met Robert, zoals hij hem noemde, beweert: 'Robert vond het vreselijk als de regisseur hem uitkafferde. Ray was een perfectionist in zijn werk en kon heel streng en scherp zijn tegen mensen. Als je intonatie niet precies zo was zoals hij hem wilde, kon hij je ten overstaan van het hele gezelschap afmaken. Robert kon daar niet goed tegen. Het is verschillende keren gebeurd dat ik hem buiten aantrof en dat hij echt van streek was omdat hij en plein public was uitgefoeterd.' En als het niet de regisseur was die tekeerging tegen de kinderen, was het wel de leidster van het koor. 'Ze was een grote vrouw die schreeuwde tegen de kinderen als ze hun tekst niet goed hadden. Het lied "Be Back Soon" was heel moeilijk voor mij en de jongens. Het probleem was dat als ze zich concentreerden op hun voeten, ze vergaten te zingen. Het was echt moeilijk.'

Zoë Hammond, die het tienerhoertje Bet speelde, zegt dat zij en Rob allebei een hekel hadden aan de regisseur: 'Ik dacht steeds "die klootzak". En ik wilde het hem ook graag in zijn gezicht zeggen, maar dat durfde ik niet. Rob liet het de meeste tijd gewoon over zich heen komen. Ik weet niet meer wat Ray zei, maar op een keer deed Rob zijn sportschoenen aan en hij stapte op. Hij zei: "Dat doet de deur dicht," tegen mij, en ik zei: "Goed, tot ziens." Hij liep weg en ik vroeg: "Wanneer zie ik je weer?" Ik vond het heel erg, maar liet het niet merken want ik dacht: "Je rent toch geen jongen achterna?" Pas bij de deur draaide hij zich om en zei: "Ik heb er genoeg van. Dit pik ik niet." Ik zei: "Ga een kop thee drinken en denk er rustig over na." Ik wist dat hij iemand was die als hij echt kwaad is, er gewoon de brui aan geeft. Hij zou het gedaan hebben. Als hij ermee opgehouden was, zou dat een ramp zijn geweest voor de voorstelling. Toen hij Dodger speelde, was hij in mijn ogen een ster. Hij was gewoon briljant en iedereen vond hem geweldig. Ik ook.'

Of het te danken is aan zijn methoden of niet, Ray Jeffery slaagde erin Rob een schitterende Dodger neer te laten zetten. Hij had de zwierige tred, de bluf, de typische houding van een jongen uit een Londense volksbuurt en hij was een tovenaar als zakkenroller – een vaardigheid waarvoor hij speciale training had gekregen en waardoor hij de portemonnees van zijn collega-acteurs kon jatten. Zoë herinnert zich: 'De manier waarop hij zijn tekst zei was zo aangrijpend. Tot op de dag van vandaag hoor ik het nog.' De première was op 19 oktober 1988. Rob had last van zenuwen. De meeste mensen die hem niet zo goed kenden, waren onder de indruk van zijn schijnbare zelfvertrouwen, maar eigenlijk was het meer 'lef', de moed om door te gaan. Alleen iemand die Robbie zo na stond als Zoë Hammond weet dat diens grootspraak maar schijn was en dat hij even bang was voor een optreden als iedereen. 'Af en toe, wanneer hij zenuwachtig was,' vertelt ze, 'dan zei hij: "Verdomme. Ik weet mijn tekst niet meer. Weet jij hem nog?" Ik zei hem dat hij moest kalmeren en een zenuwtablet moest nemen en dat hij zijn tekst dan wel weer zou weten. Ik zei tegen hem dat hij iedere zin kende, maar dat hij er als hij zo doorging niets van zou bakken: "Ga je er wat van maken, of ga je het verpesten?" En dan zei hij: "Ik maak er wat van." En dan jutte ik hem op: "Nee, je gaat het fantastisch doen!"'

Rob is iemand die mensen nodig heeft die hem aanmoedigen. In zijn jonge jaren was dat Zoë. Zij was altijd degene bij wie Rob zijn hart kon uitstorten. Ze luisterde altijd naar wat hij te zeggen had, in de overtuiging dat hij zich beter zou voelen als hij had gepraat over wat hem dwarszat – het ging vaak over zijn moeder en haar vriendjes – tot hij zich weer beter voelde, zijn spullen pakte en zei: 'Goed, wat zullen we nu gaan doen.' Het was een hechte en ontspannen relatie en ze zagen elkaar ook buiten de repetities om. Ze spraken af in het dichtbijgelegen Newcastle-under-Lyme, ongeveer zes kilometer van Tunstall, waar Zoës familie woonde en waar de moeder van Rob een kleine café uitbaatte. Het was altijd Zoë die voorstelde om iets samen te doen: 'Het was raar dat hij nooit initiatieven nam. Op een vreemde manier was hij onzeker. Als ik opperde om op een zaterdag iets te doen, belde hij me die dag en zei: "Goed, hoe laat gaan we?" Hij was een briljante jongen, maar hij had vaak een zetje nodig.' De twee gingen vaak samen zwemmen in het plaatselijke Jubilee-zwembad voordat ze naar Jans café gingen. Hun haar was dan nog nat en Jan zei tegen Zoë: 'Je moeder wordt nog boos op me.' Eén keer gaf Jan hun een heerlijke taart en Rob begon te jennen: 'We hoeven die goedkope taart helemaal niet.' Zijn moeder, die altijd wilde dat hij beleefd was, zei: 'Pardon, Robert?' Zoë herinnert zich dat als ze hem zo toesprak, hij zijn ogen naar boven rolde.

De avond van de première zou een van de meest emotionele avonden van Robs leven worden. Hij had geen idee dat zijn vader Pete vrij had genomen van zijn zomerprogramma om zijn zoon op diens première te verrassen. Zoë, die maar een kleine rol had, hielp Rob in de kleedkamer. 'Ik pakte al zijn spullen uit en hij trok zijn blauwe jacquet aan. Ik deed zijn haar en zei: "Wat vind je?" en dan antwoordde hij met een cockneyaccent: "Het zit precies goed."' Rob wachtte in de coulissen op zijn wachtwoord. Zoë stond naast hem en fluisterde: 'Laat ze een poepje ruiken,' zodat hij een shot adrenaline kreeg en het toneel op stoof.

Zoë trok zich terug en kon hem backstage via de intercom horen: 'Op het moment dat hij "Consider Yourself" begon te zingen, wist ik dat hij van slag was. Je hoort het als iemand van slag is omdat hij dan niet goed zingt.' De andere kinderen in de productie merkten het niet, maar Zoë, die Rob zoveel beter kende, voelde dat er iets mis was. 'Wat is er met hem?' vroeg ze zich af. Toen Rob het toneel afkwam voor zijn eerste pauze, sloeg Zoë haar armen om hem heen en vroeg wat er was gebeurd. Het antwoord maakte haar aan het huilen. 'Hij zei: "Ik had net mijn arm om Richard (Oliver) heen geslagen en mijn verhaal gedaan en shit, toen keek ik op en daar zit mijn pa op de eerste rij. Ik weet niet hoe ik dat liedje nog kon zingen en me mijn tekst nog kon herinneren. Ik moet mezelf onder controle krijgen voordat ik weer op kan."'

En Rob huilde. Hij mag dan veertien zijn geweest, zoals Zoë opmerkt: 'Maar hij zette zijn vader op een voetstuk. Hij was heel emotioneel. Ik vond het heel mooi dat hij het met me deelde, want hij was een jongen en niet veel jongens zouden zich zo uitspreken. De meeste jongens zouden zich groot houden en er opstandig worden, maar hij niet. Hij was in tranen en ik kneep hem alleen maar even en zei: "Goed, kom op. Hij is er. Hij is gekomen om jou te zien. Dus zorg dat hij trots op je kan zijn." En hij ging weer op en speelde de sterren van de hemel. Ik moest ervan huilen omdat ik toen zoveel van hem hield.'

Een groepje van Robs schoolvrienden kwam naar zijn optreden kijken. Een van hen, Giuseppe Romano, vertelt: 'Daarvoor wisten we helemaal niet dat hij dit soort dingen deed. Ik was echt onder de indruk.' Misschien had Rob zich gerealiseerd hoe goed hij was en wilde hij zijn vrienden dat laten zien. Rob was toen hij jong was al heel zeker over zijn toekomst. Hij spijbelde van school met zijn vrienden, maar terwijl die een onzekere toekomst te wachten stond, zei hij tegen Zoë: 'Wie zal het eerst doorbreken, jij of ik?' Zoë antwoordde altijd: 'Ik.' Dat was een steeds terugkerend gesprek tussen hen in die jaren. Soms was de vraag: 'Wie denk je dat op nummer één zal komen?' Toen ze opgroeiden dachten veel mensen dat Zoë de beste kans maakte om een ster te worden, vooral toen ze bij de laatste drie eindigde voor een grote rol in de Hollywoodfilm van *Annie*. Maar soms is er een bepaald geluk of een juiste keuze op een beslissend moment in een carrière nodig om van een veelbelovend talent een succesvol artiest te worden. Toen ze zeventien waren, zat Rob in Take That en werkte Zoë in een zangduo in het pub- en variétécircuit in de Midlands. Ze traden een keer op in de Mill Hill Tavern, die tegenwoordig Ancient Briton heet, recht tegenover Robs huis in Greenbank Road. 'Het was een doodgewone avond toen hij binnenkwam met zijn vader. Ik zei: "Ik wil echt dat je naar huis gaat!" Hij zei: "Doe niet zo idioot. Ik ben hier om jou te zien, maatje." Het enige dat ik uit kon brengen was: "Dit is niet zoals ik wilde dat je me zou zien. Ik wilde dat je me zou zien als ik iets deed waarop ik een beetje trots kon zijn." Hij lachte alleen maar.'

Hij kwam zingend binnen en ging zingend weg.
Hij was er gewoon dol op.

2   Pa

Toen Pete Conway inwonend ceremoniemeester was in het Holme Lacy House Hotel had hij een kaart, die hem was toegestuurd met een bos bloemen, in de hoek van de spiegel in zijn kleedkamer gestoken. Daarop stond met zwarte viltstift de tekst: 'Pap, ik hou van je, Rob.'

Rob verafgoodde zijn vader Pete Conway. Tenslotte was zijn vader op de televisie geweest en was hij een soort plaatselijke beroemdheid. Hij kon songs van Frank Sinatra zingen, moppen vertellen en een publiek inpakken, of dat nou betaald had om hem te zien of niet. Jaren voordat ze bevriend raakte met Robs moeder Jan, stond Eileen Wilkes in een lange rij van chagrijnige mensen voor een dancing toen een jonge man iedereen begon te vermaken: 'Hij maakte ons allemaal aan het lachen en was zo geestig. Toen de deuren opengingen, wilde niemand meer naar binnen. We wilden naar hem blijven luisteren. Dat was Pete.' Als Pete Conway ergens binnenkomt, is hij meteen het middelpunt. Hij heeft een charisma dat je niet verwacht aan te treffen in een arbeiderskroeg in Stoke-on-Trent. Eric Tams speelde vaak darts met Pete in een kroeg in Hanley: 'We konden heel goed met elkaar opschieten. Als Pete ergens binnenkwam, was hij binnen vijf minuten je vriend. Met Rob is het precies hetzelfde. Hij was een heel beminnelijk kind – dat moet hem met de paplepel zijn ingegoten.'

Een van de populaire verhalen die de ronde doen over het leven van Robbie Williams vertelt dat hij in een pub, de Red Lion in Burslem, geboren is. Rob zelf maakte het verhaal nog mooier toen hij in een televisiedocumentaire vertelde: 'Ik ben geboren in een pub op de verjaardag van Oliver Reed.' Er is alleen niets van waar. Zijn ouders hebben de kroeg korte tijd uitgebaat, maar hun zoon was al twee toen ze hem overnamen. In werkelijkheid is Rob op 13 februari 1974 geboren op de kraamafdeling van het North Staffordshire-ziekenhuis op Newcastle Road. Zijn ouders waren toen bijna vier jaar getrouwd. Het was voor allebei hun tweede huwelijk en Jan had een dochter, Sally, die tien was toen Robert Peter geboren werd. Pete had verkering gekregen met roodharige Jan toen Sally nog maar anderhalf was en – een griezelige voorbode van wat er in de toekomst gebeuren zou – kort nadat hij bij zijn eerste vrouw was weggegaan.

Hun eerste huis was een donker, spookachtig huis op Victoria Park Road, aan de westkant van Tunstall Park. Vanuit het raam van de slaapkamer aan de voorkant keek je op een meer vol Canadese ganzen en zwanen en een muziektent waar in de weekends fanfarekorpsen kwamen spelen. Het is een twee-onder-een-kap uit het begin van de twintigste eeuw met drie slaapkamers en heeft een sfeer die de huidige eigenares, Sam Evans, toeschrijft aan 'griezelige gebeurtenissen', al weet ze niet zeker of Robbie Williams als kind bezocht is door klopgeesten. In de vroege jaren zeventig kwam je in dit deel van de stad eerder mensen tegen zoals dokters, advocaten en jonge stellen die het nog moesten maken in het leven. Pete Conway, winnaar van de talentenjacht op televisie, *New Faces*, was precies zo iemand.

Pete Williams, zoals zijn echte naam luidt, is geboren en getogen in Tunstall, het meest noordelijke van de zes stadjes die in 1910 zijn opgegaan in de nieuwe gemeente Stoke-on-Trent. In 1795 werd het dorp Tunstall beschreven als 'het vriendelijkste dorp in de Potteries', een streek in Staffordshire. In 1829 was er in Tunstall een 'zeer respectabele literaire kring, pretentieloos, maar volhardend in onderzoek'. Dat roept een totaal ander beeld op dan het uitdijende postindustriële gebied van tegenwoordig. Kleinschalige kolenmijnen en ijzerindustrie hebben hun stempel gedrukt op het gebied, maar het specifieke karakter van Tunstall heeft het te danken aan het feit dat het een van de aardewerkcentra was. De straten bestaan uit rijtjeshuizen die werden gebouwd voor de arbeiders in de pottenbakkerijen. Pete groeide op in een dergelijk huis in Newfield Street, ten noorden van de oude markt, die nog steeds gedomineerd wordt door de herberg waar vroeger de koetsen stopten, de Sneyd Arms. Tegenwoordig wordt de kroeg gerund door Maureen Flowers, de voormalig wereldkampioen darts bij de vrouwen, en Pete zit er nog steeds graag aan de bar. Het is geen toeval dat Pete ondanks zijn bestaan als reizend entertainer nog steeds kan worden aangetroffen op vijf minuten afstand van de plek waar hij is opgegroeid. Hij kijkt terug op de jaren van zijn jeugd in Newfield Street als een 'heel gelukkige tijd'. Er is een sterke gemeenschapszin in Tunstall en in Stoke-on-Trent als geheel en Rob heeft, net als zijn vader, een hechte band behouden met zijn geboorteplaats. Tunstall is heel erg 'een dorp' doordat de gezinnen er al generaties lang wonen en je er altijd wel iemand tegenkomt met wie je op school hebt gezeten wanneer je je ochtendkrant gaat kopen. Dat is waarschijnlijk niet *The Times* – de plaatselijke kiosk in High Street heeft die niet eens omdat er geen vraag naar is.

Toen Rob opgroeide was het huis van zijn grootouders in Newfield Street een tweede thuis voor hem en hij speelde er met andere kinderen op straat voordat ze moesten eten. De vader van Pete, Philip, was metselaar en zijn moeder Betty werkte in een aardewerkfabriek. Ze was een populaire vrouw en werd aanbeden door haar kleinzoon. De jonge Pete was voorbestemd voor een carrière bij de politie en toen hij op zijn zestiende van school kwam, ging hij naar de opleiding. Hij droeg het uniform zeven jaar, maar ontdekte dat het leven van wijkagent in het Stoke-on-Trent van de late jaren zestig niet zo tot zijn verbeelding sprak als het applaus van een enthousiast publiek. Hij had een eervolle vermelding gekregen toen hij buiten dienst een bende overvallers van een postkantoor had achtervolgd, maar dat was niet genoeg. Hij werd een bekend gezicht in het kroeg- en clubcircuit in de Potteries en had al snel genoeg succes om zijn uniform aan de wilgen te hangen en te gaan proberen zijn droom om carrière te maken als professioneel entertainer te verwezenlijken. In die tijd bloeide het clubcircuit in Stoke-on-Trent. Pete 'maakte' het niet meteen. Hij vond werk bij een plaatselijk bedrijf in elektrische onderdelen. Hij koos zijn artiestennaam, Conway, door de namen van al zijn collega's te combineren met Peter en te kijken welke combinatie het best klonk. In die vroege dagen deed hij alsof hij uit Liverpool kwam, want 'iedere komiek kwam uit Liverpool. Ik praatte door mijn neus en zei hoe fantastisch het hier was voor iemand uit Anfield, al was ik nog nooit in Anfield geweest.'

De belofte van een langetermijncarrière werd werkelijkheid toen hij *New Faces* won, een alternatief voor *Opportunity Knocks* in de jaren zeventig, waar artiesten in spe hun liedjes zongen of hun grappen vertelden en ofwel gefeliciteerd werden door het panel 'deskundigen' ofwel, vermakelijker, werden 'gehatched' [afgemaakt] door Tony Hatch, een songwriter en de Simon Cowell van die dagen. Pete werd derde in de finale van alle winnaars, net achter een andere aankomend komiek, Les Dennis (uit Liverpool). Eric Tams zegt: 'Hij ging de belangrijkste plekken af, kreeg de smaak te pakken en toen hij dacht dat hij goed genoeg was, gaf hij zich op voor *New Faces*. Pete had een groot komisch talent. Als je iets zei, pareerde hij dat altijd met iets geestigs. Hij kleineerde je nooit en maakte ook nooit een grap ten koste van jou. Hij was gewoon leuk.' Rob heeft dat talent geërfd, vooral in interviews heeft hij altijd iets bijdehands te zeggen. Soms is hij grappig en soms niet, maar hij is nooit saai.

Toen Rob twee was, een jaar nadat hij *New Faces* had gewonnen, besloot Pete dat zijn gezin op de eerste plaats moest komen en hij werd de uitbater van de Red Lion in Burslem, een onaantrekkelijke kroeg vlak bij het voetbalveld van Port Vale, wat handig was, want hij was een enthousiaste supporter. Hij legde uit: 'Ik belde al de agenten en managers op en zei dat ik niet meer geboekt kon worden omdat ik een kroeg ging runnen. Ik stopte niet met cabaret, maar trad alleen nog maar op in Stoke omdat de kroeg nu op de eerste plaats kwam.' Pete kwam er snel achter dat hij zich had vergist: 'Ik werd ongelukkig. Ik was gewoon mezelf niet. Ik miste het gedoe en de sfeer van de showbusiness, zelfs al deed ik het nog een beetje.' Jans droom over een rustig gezinsleventje viel in duigen. Het was ironisch dat ze erop aan had gedrongen dat hij kroegbaas zou worden omdat ze zich zorgen maakte dat hij door het reizen voor de optredens weinig thuis zou zijn. Ze had niet kunnen voorzien dat Pete zijn gezin zou verlaten toen hun zoon drie was. Rob is dus opgegroeid in een gebroken gezin. Alleen Pete kan uitmaken of hij zijn droom echt heeft verwezenlijkt. Als hij alleen een professioneel entertainer wilde zijn, zoals hij zelf heeft gezegd, dan heeft hij zijn ambitie waargemaakt. Maar de werkelijkheid is dat hij het nooit echt heeft gemaakt in de Engelse showbusiness. Hij was een tweederangsartiest, die langs clubs als Butlin's en Pontins reisde of werkte als ceremoniemeester tijdens entertainmentavonden in allerlei grote hotels waar een paar moppen en een liedje het publiek tevreden-stelden. Eén keer stond hij in het voorprogramma van Norman Vaughan (een komiek uit Liverpool) in de televisieklassieker *The Golden Shot*. Maar de grote doorbraak bleef een onvervulde droom.

We kunnen alleen maar gissen naar het blijvende effect van de scheiding van zijn ouders op het leven van Robbie Williams. Robs spottende uitspraak dat zijn vader een of andere kerel was die af en toe langskwam en hem dan mee naar Woolworth's nam en een speelgoed-autootje voor hem kocht, moet zeker met een korreltje zout genomen worden. Na de breuk zag Pete zijn zoon een aantal maanden niet, maar hij vertelt dat toen hij Rob weer voor de eerste keer zag, deze naar *Batman* zat te kijken. 'Hoi pap,' zei hij zonder zijn blik van de televisie los te maken. In die dagen sliep Pete bij een vriend op de vloer en hij beweert met grote stelligheid dat er niemand anders was toen hij wegging bij Jan. Hij was echter altijd een vrouwenman geweest en legde het al snel aan met een jong barmeisje uit Hanley. Samen werden ze een populair stel in de plaatselijke pubs.

Het was onvermijdelijk dat de jonge Rob de glamourkant van zijn vaders leven zag en er een beetje over opschepte tegen zijn vrienden in Tunstall, vooral toen hij zelf ook in de schijnwerpers had gestaan. Hij wilde deel uitmaken van dat leven en natuurlijk wilde hij dat zijn vader trots op hem was. Als Pete in een zomershow zat – hij stond bijvoorbeeld vier seizoenen in Perran Sands, een vakantieresort in Cornwall – ging Rob hem tijdens de schoolvakantie opzoeken, soms wel voor zes weken. Hij keek dan naar alle acts en onthield wat het publiek leuk vond. Petes vriend, de bokspromotor Pat Brogan, herinnert zich: 'Hij keek terwijl zijn vader aan het werk was en zulke ervaringen zijn nergens te koop. Pete was een groot vakman en ik ben ervan overtuigd dat Rob veel van hem heeft geleerd.' Vanaf zijn twaalfde zei Rob tegen zijn vader dat hij op zijn zestiende van school zou gaan om entertainer te worden. Zoals de meeste ouders in die situatie zei Pete dat hij eerst moest gaan studeren, maar de jonge Rob wilde daar niets van horen.

Zijn werk bracht Pete naar de Engelse badplaatsen en Rob, die dol was op dat leven, was erbij in Scarborough, Great Yarmouth en Carmarthen Bay. Soms was het niet zo mooi als Pete had gehoopt. Tijdens een bezoek van Rob aan zijn vader in Cornwall trof Pete de toekomstige multimiljonair in zijn caravan aan terwijl hij met een emmer de regen opving die door een gat in het plafond naar binnen kwam. In Scarborough leerde Pete Rob tijdens een van de vele regenachtige dagen aan de kust backgammon spelen, wat nog steeds een van zijn favoriete spellen is.

Een van Petes mooiste herinneringen bewaart hij aan een avond dat een van de entertainers, Bill Wayne, in hansop, waarmee je altijd de lachers op je hand kreeg, zogenaamd gymoefeningen deed. Toen hij Rob in de coulissen zag staan kijken, wenkte hij hem dat hij het podium op moest komen en hem moest nadoen. Rob stapte brutaal het toneel op en deed precies wat Bill deed, hij imiteerde hem perfect. 'De zaal lag plat,' vertelt Pete trots.

De oma van Rob bleef ook na zijn kindertijd heel belangrijk in zijn leven. Zelfs toen hij bij Take That zat ging hij 's avonds bij haar eten. Paul 'Coco' Colclough, die een straat bij Betty Williams vandaan woonde, vertelt: 'We gingen naar zijn oma om twee pond te lenen om naar de Power House-sportschool te gaan. Zelfs toen hij in Take That zat, ging het er nog zo aan toe. Anderen zagen de artiest op het podium, maar hier was hij de kleinzoon bij zijn oma. Die vroeg altijd of je een koekje wilde. "Je hebt gelijk," zei hij dan. "Ik ga zo naar de sportschool." Ze was je altijd aan het vetmesten. Ze was heel aardig.'

Betty, de moeder van Pete, was een opmerkelijke vrouw. Eileen Wilkes, de moeder van Jonathan Wilkes, herinnert zich dat als Jan aan het werk was, Betty altijd zijn eten klaar had staan na school: 'Ze was een lieve vrouw. De twee jongens hielden van oude mensen. Ze vonden het leuk om met hen te praten en te luisteren naar hun verhalen.' Toen er voor de eerste keer een stuk over Jonathan in de krant stond, belde Robs oma Eileen op en zei: 'O, ik ben zo trots op hem. Doe hem mijn hartelijke groeten.' Betty steunde Rob altijd en reisde zelfs naar Manchester om haar kleinzoon te zien optreden met Take That, al maakte het gekrijs van de meisjesfans haar tijdelijk doof. Rob was al een superster toen zijn grootmoeder in 1998 overleed, maar hij was absoluut radeloos van verdriet. Hij schreef het ontroerende 'Nan's Song' ter ere van haar, dat uitkwam op het buitengewoon succesvolle album *Escapology*. Het is het eerste nummer van al zijn albums waarbij de naam

Robbie Williams als enige schrijver staat. Hij beschrijft erin hoe zijn oma hem de koningen en koninginnen leerde terwijl ze zijn haar streelde. En hoe ze sinds haar overlijden over hem waakt en nog steeds iedere dag bij hem is. Pete vond het geweldig om er in Los Angeles bij te zijn toen zijn zoon de song opnam: 'Ik ben trots op alles wat hij heeft gedaan, maar op dit nummer ben ik pas echt trots. De song over zijn oma, mijn moeder, is een echte tearjerker.'

Terwijl Jan thuis haar best deed om haar zoon te laten helpen in de tuin en met de afwas – 'afwassen en afdrogen vind ik de vreselijkste klusjes' – en hem zijn kamer te laten opruimen, kon zijn vader Pete de afwezige held zijn. Rob vertelde zijn vrienden enthousiast wanneer hij bij zijn vader ging logeren in het resort waar hij op dat moment optrad. Hij was voor het eerst dronken tijdens een optreden van zijn vader in Scarborough, waar hij de barman had overgehaald hem stiekem flesjes Newcastle Brown te geven, al vond hij het niet eens lekker. Door hun gemeenschappelijke liefde voor bier werden Pete en zijn zoon goede vrienden in diens tienerjaren. Pete vertelt: 'Ik kookte en hij waste af en dan ging hij uit en deed ik de afwas nog een keer.'

Door zijn vader maakte Rob ook kennis met de bokssport. Pete was in zijn jonge jaren een enthousiast amateur-bokser geweest en ging nog steeds graag naar de plaatselijke wedstrijden. Hij kreeg zijn zoon zo ver dat hij programma's verkocht voor de promotors met wie hij bevriend was, iets waarmee zijn zoon wat extra zakgeld kon verdienen. Op zijn beurt nam hij vrienden als Lee Hancock en Giuseppe Romano mee om te helpen in de King's Hall in Stoke of de Victoria Hall in Hanley. De jongens verzorgden ook de muziek en het licht wanneer de boksers 'plechtig' de ring betraden. Naderhand gingen ze naar de Wagon and Horses, die werd uitgebaat door een vriend van Pete, waar Rob dan vaak samen met zijn vader een nummer deed. De tweede keer dat Rob dronken was, sloeg hij per ongeluk een foto van Mohammed Ali kapot. Een paar jaar later kon hij hem vervangen door een zeefdruk van Andy Warhol van de meest beroemde sportman ter wereld.

Vrienden blijven wijzen op de overeenkomsten tussen hem en zijn vader, maar dat betreft meestal oppervlakkige eigenschappen, maniertjes die Rob van zijn vader de entertainer heeft overgenomen. Ze zijn allebei heel charmant en hebben ogen die fonkelen. Een vriend van Pete zei ooit over hem: 'Hij heeft een lach op zijn gezicht, zelfs als hij niet lacht.' Eileen Wilkes vertelt: 'Pete is Pete. Hij wordt nooit volwassen.' Kelly Oakes, die Robs vader leerde kennen toen ze met Rob aan amateurtoneel deed, herinnert zich dat ze Pete een beetje egocentrisch vond: 'Ik denk dat hij graag in de schijnwerpers stond.'

Van de dichter Philp Larkin is de beroemde uitspraak: 'Ze verpesten het, je pa en ma, ze willen het niet, maar ze doen het wel.' Robs ouders hebben een immense invloed op zijn leven gehad. Die invloed heeft hij, misschien te uitputtend, kunnen onderzoeken tijdens zijn therapie van de afgelopen jaren. Zo is er zijn vader Pete, een opschepper en een goede vriend wiens persoonlijkheid en stijl duidelijk de schepping van de artiest Robbie Williams hebben beïnvloed. Robs tweeslachtige persoonlijkheid komt heel duidelijk tot uiting in de incoherente beoordeling van de relatie met zijn vader. Enerzijds is er de liefdevolle toon van zijn hit 'Strong' waarin hij zegt dat hij wanneer hij dronken is danst als zijn vader en dat hij zich begint te kleden zoals zijn vader. En anderzijds is er 'My culture' waarin hij tekeergaat dat hij de jongen is wiens vader hem alleen maar deed huilen en die 27 jaar eenzaam is geweest.

Suggereren dat er in de relatie met zijn vader altijd een ondertoon is van bittere wrok is een simplificatie van zijn unieke persoonlijkheid. Het is echter wel het toppunt van aandoenlijkheid dat uitgerekend Pete, die Rob als kind in de steek liet, nu alles doet voor sporadische contacten met zijn zoon. In een televisiedocumentaire uit 2002, *Robbie Williams Is My Son*, werd Pete gevolgd toen hij zonder werk kwam te zitten omdat zijn langdurige contract als entertainer in een luxevakantieoord in Nottingham afliep. Je ziet hem zijn spullen pakken en zich klaarmaken om terug te gaan naar Stoke-on-Trent terwijl hij denkt aan zijn zoon die hij al meer dan een jaar niet gesproken heeft. In Robs nieuwe leven, dat erop gericht was zijn breed uitgemeten problemen met drank, drugs en depressies te overwinnen, was geen plaats voor zijn vader, die eerder onderdeel van de problemen was, dan mee kon werken aan de oplossing ervan. Uiteindelijk, na anderhalf jaar, kreeg Pete een uitnodiging om zijn zoon te bezoeken in Los Angeles, waar hij op dat moment *Escapology* aan het opnemen was. Ze speelden tafeltennis in de garage en herontdekten hun gemeenschappelijke gevoel voor humor. Het is intrigerend dat Pete, die aanvankelijk open en eerlijk was tegenover de cameracrew, te horen kreeg van de 'mensen rond Robbie' dat hij op moest passen met wat hij zei en niet meer over Robbie mocht praten. Hoewel hij dit persoonlijk een beetje 'gezocht' vond, ging hij er graag mee akkoord als dat betekende dat hij regelmatig contact met zijn zoon kon hebben.

De nu achtenvijftigjarige Pete heeft er geen dagtaak van gemaakt de vader te zijn van de beroemdste Engelse popster. Hij heeft zelf meer dan dertig jaar in de showbusiness gewerkt. De eerste en laatste keer dat hij erover heeft opgeschept was in een bar waar hij optrad. De deejay draaide het nummer 'I Found Heaven' van Take That waarop Robbie de leadzanger is. Pete zei trots tegen een paar aanwezige Take That-fans: 'Ik ben de vader van Robbie Williams.' Waarop de meisjes hem sceptisch aankeken en een van hen zei: 'O ja? Nou, ik ben de moeder van de koningin,' en vervolgens liepen ze weg.

Pete en Robert zijn als twee druppels water.

3   Mam

Toen Rob behoorlijk wat geld verdiende met Take That besloot hij zijn
moeder te verrassen op haar verjaardag. Ze werkte in haar bloemenwin-
kel, Bloomers, in May Bank, Stoke-on-Trent, en wist niet dat hij zou ko-
men. Hij liet het alarm afgaan zodat ze de winkel uit kwam rennen om te
kijken wat er aan de hand was. Voor de deur stond een glimmende witte
BMW met een grote strik op de motorkap.

Terwijl Pete altijd een huis aanhield in Stoke en probeerde zijn zoon zo
vaak mogelijk te zien, mocht Robs moeder Jan de ondankbare rol van
alleenstaande ouder spelen. Ze was voor een groot deel afhankelijk van
de hulp van Petes ouders wanneer zij probeerde iets op te bouwen,
eerst een boetiek, toen een koffieshop en uiteindelijk een bloemen-
zaak. Ze was zich altijd bewust geweest van de waarde van geld en was
een slimme zakenvrouw. Toen ze had besloten de koffieshop te verkopen, wachtte ze eerst tot ze een alcoholvergunning had, zodat hij aan-
trekkelijker werd voor potentiële kopers. Eileen Wilkes, die al twintig
jaar met haar bevriend is, vertelt dat Jan nog steeds een paar van de
meubels heeft van toen ze net getrouwd was, ondanks de statige huizen
die ze inmiddels heeft dankzij de betrekkelijk recente rijkdom van haar
zoon.

Niet alleen moest ze twee kinderen in haar eentje opvoeden, maar
ook moest Jan een eigen leven zien op te bouwen. Onvermijdelijk leidde dit tot conflicten binnen het gezin en teleurstellingen bij haar zoon,
hoewel Rob altijd voor honderd procent loyaal is gebleven aan zijn
moeder. Ze verhuisden naar een mooi naoorlogs halfvrijstaand huis in
Greenbank Road, Tunstill, tegenover de Ancient Briton Pub (ooit Mill
Hill Tavern geheten), een droomplek voor een tiener. Achter de pub lag
een grote wijk met gemeentewoningen die doorliep tot Burslem en

Hanley, maar aan de kant van het huis van het gezin Williams waren de huizen particulier bezit. Hun huis werd schoongehouden, maar vrienden vonden het er wel een beetje een rommel – echt een huis van een gezin waar iedereen televisie zat te kijken. Deze stond in een donkerhouten kast in de woonkamer. De driedelige zitcombinatie was groen en in de voorkamer stond een piano waar alleen kerstliedjes en klassieke deuntjes voor één vinger op werden gespeeld. Het was heel gezellig. Rob had zelfs een paar parkieten. Op een ochtend vertelde hij zijn schoolvriendjes dat een van de vogeltjes de avond daarvoor dood was gegaan. Ze hebben hem nooit durven vertellen dat ze het arme beest de dag daarvoor met een potlood hadden geprikt.

Het huis in Greenbank Road was ideaal gelegen zowel ten opzichte van de Mill Hill-basisschool als ten opzichte van de katholieke middelbare school St. Margaret Ward. Het was ook maar een klein eindje lopen naar de Oat Cake Shop op High Lane, een van Robs lievelingswinkels toen hij klein was. Ze verkochten er dikmakende, hartige pannenkoeken gevuld met ham en kaas en andere ingrediënten, die absoluut niet voorkomen op de modieuze menu's van beroemdheden. Rob was er dol op.

Jan heeft altijd geprobeerd betrokken te zijn bij het leven van haar zoon, vooral omdat er niet altijd een vader was die dingen met hem deed. Dus Jan ging golfen toen Rob daar belangstelling voor kreeg en speelde met hem bij de Golf Club van Burslem. Ze was een linkshandige speler en, volgens Tim Peers, die vaak met Rob speelde, 'helemaal zo slecht nog niet'. Ze ging ook bij de plaatselijke amateurtoneelvereniging om haar zoon gezelschap te houden en ze werd drugscounselor toen haar zoon een beetje te veel interesse kreeg voor verdovende middelen. Ze was geen groot actrice en hield meer van de ontspannen, vrolijke sfeer van het ouderwetse variété. Ze betrok Rob ook bij een van haar eigen passies, paardenrennen, vooral toen ze een paar jaar omging met een man die een paard had en die Bryan Robson kende, de aanvoerder van het Engelse nationale elftal en Manchester United, natuurlijk een heel interessant iemand voor een jongen. Rob had veel meer belangstelling voor voetbal dan voor de races, al bracht hij toen hij oud genoeg was met zijn vrienden menige middag door bij een bookmaker in Burslem.

Tim Peers herinnert zich Robs moeder als heel 'nuchter'. Hij voegt eraan toe: 'Ze was heel realistisch over dingen, maar tegelijkertijd hielp ze altijd.' Kelly Oakes vond Jan altijd vreselijk onderkoeld: 'Niets maakte haar van streek.'

'Zijn moeder was een lief, heel gul mens,' zegt Lee Hancock, Robs beste vriend op school. 'Er waren geen regels in het huis, maar ze was ook beslist niet een van de jongens. Ze was heel erg een moeder. Ze was absoluut heel aantrekkelijk in haar tijd.' Ze was in ieder geval aantrekkelijk genoeg om in de loop der jaren een aantal vriendjes te hebben, die niet allemaal de goedkeuring van haar zoon konden wegdragen. En niet iedereen had haar even hoog zitten als Lee Hancock.

Carole Banks, die kindermusicals organiseert, zegt: 'Volgens mij had Jan het hoog in haar bol toen Robert jong was.' Ze herinnert zich dat hij 'in opstand kwam' toen het gezin misschien bij een vriend in Nottingham zou gaan wonen: 'Hij wilde daar niet heen en ik hoorde hem zeggen: "Ik ben jouw vriendjes zat."' Ze herinnert zich ook dat ze Rob bij zijn grootmoeder afzette na repetities en dat zijn óma tegen haar zei: 'O, heb jij hem weer afgehaald!' David en Val Ogden, die ook betrokken waren bij *Chitty Chitty Bang Bang*, zagen Rob vaak in zijn eentje bij de bushalte staan en dan brachten zij hem naar huis omdat zijn moeder het niet redde.

'Zijn moeder liet hem aan zijn lot over,' vertelt David. 'Ze haalde hem soms op, maar vaak was ze te laat. Ik herinner me nog heel goed een gesprek dat ik met hem had over hoe hij thuis zou komen: "Robert, komt je mama je vanavond halen?" "Ja." "En waar is ze dan?" "O, ze is uit met haar nieuwe vriend."'

Zoë Hammond vertelt over een keer dat zijn moeder bij het Queen's Theater in Burslem verscheen: 'Ze droeg een bontjas en ze stond daar met meer lipgloss op dan er bij de drogist te koop was met die gozer te flikflooien, en daar stond Rob – met een blik van "daar gaan we weer".' Zoë was aanwezig bij een hartverscheurende scène tijdens een feestje na een voorstelling toen Rob – dertien was hij toen – zijn grootste triomf als amateur-acteur beleefde als de Linke Glipper in *Oliver!* 'Zijn moeder kwam aanzetten met een papieren zak en zei: "Alsjeblieft, Rob," en gooide de zak naar hem toe. Hij keek alleen, maar ik kon aan de uitdrukking op zijn gezicht zien dat hij van slag was. Hij liep de trap af van de verdieping waar het feest was en ging naar de repetitieruimte. Ik ging hem achterna en vroeg: "Wat is er?" Hij was echt van streek en zei: "Ik vind het zo moeilijk, want ik hou van mijn moeder, maar ik ben het niet altijd eens met haar keuzes. Weet je wat er in die zak zit? Mijn pyjama – ik moet zelf maar zien waar ik slaap vanavond." Ik voelde zo'n medeleven. Ik denk dat zijn moeder ook zocht naar een beetje geluk, op zoek naar de ware, maar hij was het niet altijd eens met wie ze uitzocht, als je begrijpt wat ik bedoel. Hij beschermde haar op een manier die je je niet kunt voorstellen en het kostte hem ongelooflijk veel moeite om me die avond te vertellen hoe van streek hij was. Je weet hoe sommige jongens zijn, maar hij was nooit zo. Hij moest het kwijt, maar zei er nooit iets naars over.

Ik had altijd vreselijk medelijden met hem omdat hij van zijn moeder hield, maar hij zich soms te veel voelde, het gevoel had dat hij haar in de weg zat bij wat ze op dat moment deed en toch, ondanks al die verwarde gevoelens die hij had, werd hij nooit gek van haar. Ik vond dat echt heel vreemd dus ik zei vaak tegen hem: "Als ze mijn moeder was, zou ik er niet mee om kunnen gaan. Ik begrijp niet dat je dat allemaal gewoon kunt aanzien." Hij ging gewoon door met zijn leven, zelfs al was hij vanbinnen gekwetst. Zo was het altijd. Hoeveel pijn ze hem ook bezorgde als kind, hij nam nooit wraak.'

Toen Zoë haar moeder, die ook op het feestje was, vertelde over het voorval met de pyjama vroeg ze waarom ze Rob niet had gevraagd met hen mee te gaan. 'Dat wilde ik niet omdat hij zo van streek was,' antwoordde ze. 'Ik zei alleen tegen hem: "Wat ga je doen?" En hij zei: "O, ik red me wel." Ik begreep dat hij naar zijn oma zou gaan. Hij stond haar heel na.' Rob had het vaak over zijn oma tegen andere leden van het toneelgezelschap. Brian Rawlins, die Fagin speelde, stond versteld van de band tussen die twee: 'Hij had het echt altijd over zijn oma.'

De opmerkingen en herinneringen van degenen die Rob kenden, geven een beeld van de emotionele verwarring in zijn jeugd. Het is boeiend om te zien dat vooral vrouwen de gevoelige kant van zijn karakter opmerkten, zeker waar het zijn vader en moeder betrof. Hij zou er van zijn leven niet over hebben gepraat met de jongens, die dat beslist als teken van zwakheid zouden hebben opgevat. In plaats daarvan kropte hij zijn gevoelens op en hield de schijn van bravoure op tegenover de jongens op school. Onder deze omstandigheden werd een 'goede grap' een vorm van zelfbescherming, van verdediging die hij nog steeds toepast in het openbaar.

Jan heeft nooit gepland dat haar zoon een superster zou worden, dat kan ook niet. Maar ze probeerde hem basiswaarden bij te brengen. Ze kwam uit een sterk, Iers, katholiek arbeidersgezin. Haar overgrootouders waren aan de armoede van Kilkenny in het zuidoosten van Ierland ontsnapt en hadden een beter leven opgebouwd in Staffordshire. Haar vader, Jack Farrel, een bekende figuur in Tunstall, zat in de bouw. Hij was met haar moeder, Janetta, getrouwd in de Heilig Hart-kerk, slechts anderhalve kilometer van waar Rob is opgegroeid. Het zou overdreven zijn om te zeggen dat Rob een strenge katholieke opvoeding heeft gehad, maar hij heeft op een katholieke middelbare school gezeten, waar godsdienst een verplicht eindexamenvak was. Er was een kapel bij de school waar Rob met de andere leerlingen missen bijwoonde op heiligendagen en andere kerkelijke feestdagen. Een van zijn beste vrienden op school, Giuseppe Romano, zegt: 'Het katholieke geloof was een belangrijk onderdeel van het onderwijs.' Het meest concreet werd de religie voor Rob toen ze een weekend in retraite gingen in het zogenoemde Soli House in Stratford-upon-Avon. Het toenmalige plaatsvervangend hoofd, John Thompson, was onder de indruk van Robs bijdrage tijdens een dag waarop gediscussieerd werd over morele issues, waaronder armoede: 'Hij had altijd de leiding tijdens de discussies en hielp bij de toneelstukjes waarmee de onderwerpen werden toegelicht. Hij dacht snel en kon goed improviseren.' De herinneringen van Mr. Thompson aan Soli House wijken nogal af van die van Robs vriend Lee Hancock: 'Het was een weekendje zuipen – twee dagen feesten,' vertelt hij. Phil Lindsay, een andere vriend, bevestigt dat: 'We dronken bier tot we in slaap vielen. Je mocht doen wat je wilde.'

De schoolvrienden, toen vijftien jaar, waren echter wel geïmponeerd door het talent van Rob, dat hij tot dan toe voor hen verborgen had. Op de laatste dag werd er een minitalentenjacht georganiseerd en iedereen moest iets doen. Rob zong heel mooi het nummer 'Every Time We Say Goodbye', de prachtige klassieker van Ella Fitzgerald, waarmee Simply Red in 1987, in een iets minder inspirerende uitvoering, een hit had.

Robert Williams was een van de beleefdste jongens in Stoke-on-Trent. Iedereen zegt dat. Terwijl Rob enerzijds enthousiast meedeed aan de tienercultuur in die dagen met drank, drugs en kwajongensstreken, had hij een verborgen kant, want anderzijds was er de Robert Williams die mensen, vooral oudere mensen, met het grootste respect en heel hoffelijk bejegende. Dat element maakte nooit deel uit van het latere imago van Robbie Williams, een jongen die niet deugde, die van het rechte pad af was, een onbeschaamde schizoïde popster. Deze geheime kant kan niet beter worden geïllustreerd dan door zijn lidmaatschap van de golfclub van Burslem. Lid zijn van een golfclub en je houden aan de regels en tradities van het spel is in de verste verte niet cool en je wordt er beslist geen held mee in de ogen van de 'stoere jongens'.

De golfbaan met negen holes was maar vijf minuten lopen van het huis in Greenbank Road, dus Rob kon er na school en in de vakantie makkelijk naartoe. Soms speelde hij met zijn vader, soms met zijn moeder, maar het vaakst zat hij er met Tim Peers en de andere jeugdleden. Rob was een redelijke speler, maar belangrijker was dat hij in 1989, op zijn vijftiende, gekozen werd tot juniorencaptain. Dat was het jaar voordat hij bij Take That ging. Jim Peers, de vader van Tim, die verantwoordelijk was voor de organisatie van het juniorenteam, vertelt: 'Rob was verantwoordelijk voor het gedrag van de andere junioren en moest ervoor zorgen dat ze zich aan de regels hielden, vooral wanneer ze in competities tegen andere clubs speelden. Hij was altijd heel beleefd en droeg een jasje en een stropdas, net als de senioren na een wedstrijd. Hij hield ook een speech op de captainsdag van de junioren.' Tim bevestigt dit: 'Rob nam het heel serieus. Zijn persoonlijkheid op de golfbaan leek totaal niet op de Robbie Williams over wie we lezen, al hadden we altijd veel lol als we speelden.'

Hoewel er in zijn jeugd geen bergen geld waren die over de balk konden worden gegooid, deed Jan altijd haar best om hem te geven wat hij wilde. Hij had een mooie set golfclubs, een BMX-mountainbike en een Sega-spelcomputer op zijn kamer, de bergruimte aan de voorkant van het huis. Als hij de gordijnen opendeed, zag hij het uithangbord van de pub aan de overkant. Giuseppe Romano merkt op dat Jan hem waarschijnlijk verwend heeft, zoals alle alleenstaande moeders doen, maar voegt eraan toe: 'Als ze hem verwende, was dat niet te zien aan het schooluniform. Hij zag eruit als een schooier.' Rob had een hekel aan huishoudelijke taken, maar Giuseppe herinnert zich een keer dat Rob vreselijke honger had en iedereen probeerde te imponeren door na school een omelet klaar te maken: 'We gingen mee naar zijn huis en hij maakte een gigantische omelet. Ik had kauwgum in mijn mond en op een moment dat hij niet keek, gooide ik die in de pan. Toen de omelet gaar was, deed hij hem op een bord en begon te eten. We bestierven het allemaal van het lachen, dus ik moest hem wel vertellen dat het een omelet met een vleugje spearmint was. Hij stond meteen op en gooide hem in de achtertuin. Hij vond het niet leuk.'

Jan wilde altijd dat haar zoon iets zou bereiken in het leven en daarom leerde ze hem dat goede manieren belangrijk zijn, leerde ze hem netjes Engels spreken en zorgde ze dat hij zijn huiswerk deed (dat gaf ze al snel op). Ze had al snel door dat ze zijn ambities om in de showbusiness te gaan maar moest accepteren en dat het beter was om daar samen met hem aan te werken dan dezelfde strijd aan te gaan die ze in haar huwelijk met Pete had gehad. Toen Rob een jaar of tien was, zaten ze samen televisie te kijken toen Kajagoogoo, de sinistere band uit de jaren tachtig, verscheen. Jan zei voor de grap dat Rob vast ook wel popster wilde worden, maar tot haar verrassing zei Rob dat hij acteur wilde worden en beslist geen popster. Uiteindelijk stimuleerde Jan Rob om meer de kant van de musical dan van het toneel op te gaan.

Allebei zijn ouders hebben een grote invloed gehad op Robs leven, misschien wel des te meer vanwege hun problematische scheiding. Maar zijn moeder Jan, die er elke dag was, heeft altijd de meeste invloed gehad. Dat bevestigt Lee Hancock: 'Hij praatte niet over zijn vader. Het was altijd zijn moeder voor en zijn moeder na. Hij hield van zijn moeder.'

Robs oudere zus Sally is altijd een rots in de branding voor hem geweest. Ze ging rustig door met haar eigen leven terwijl ze hem zoveel steunde als ze kon. Ze was heel populair bij Robs vrienden, in wier ogen zij de – voor altijd onbereikbare – aantrekkelijke grote zus was. 'Sally was aardig,' zegt Lee Hancock zonder omhaal. Rob heeft haar altijd als zijn zus beschouwd en noemde haar nooit zijn halfzus. Zij van haar kant vond het leuk om hem en zijn vrienden te verwennen. Ze is nooit bij het amateurtoneel gegaan, maar ging soms wel naar hem kijken. Zoë Hammond leerde haar echter kennen in Jans koffieshop in Newcastle-under-Lyme, waar Sally parttime werkte. 'Ze was een mooi meisje. Als hij het over haar had, zei hij altijd "mijn Sally" of "mijn mam en Sal". Hij zei nooit dat ze zijn halfzus was. Het was altijd "Sally, mijn zus". Ze was oké.' Soms ging Sally met Jan en Rob een kebab eten in restaurant Tersatolis, om de hoek bij het Royal-theater in Hanley. De eigenaar, Hamid Soleimani, vertelt dat Jan soms een man bij zich had en dat ze altijd heel beleefd en aardig waren. Hij ging vaak even bij ze zitten om te horen hoe het ging. Nooit vergeet hij de avond dat Rob vroeg of hij een song van Frank Sinatra mocht zingen voor de gasten. Hamid is een groot fan van Robs moeder, die hij 'een geweldige vrouw, bescheiden en nuchter' noemt. Het is ironisch dat hij nog steeds af en toe wat gaat drinken met Pete. Hij was zo blij als een kind toen die hem vertelde dat Rob naar het kebabrestaurant had geïnformeerd toen Pete bij hem op bezoek was in Los Angeles.

In de tijd dat Rob in Take That zat, was Sally al uit huis. Ze woont nog steeds in Newcastle, samen met haar partner Paul Symond, een plaatselijke golfprofessional, die mooi de overige familieleden golfles kon geven. Ze hielp met de Take That-fanclub, die 70.000 leden had, maar dat ging niet meer toen Robbie uit de band was gestapt. Met alle nare dingen die er gebeurd waren, was het onvermijdelijk dat iemand het slachtoffer zou worden van de breuk. Ze werd op non-actief gezet met behoud van salaris en werd vervolgens, toen de band het zelf voor gezien hield, ontslagen. Op dit moment is ze fulltimemoeder. Haar favoriete hobby is paardrijden op haar merrie Shannon, die ze een paar jaar geleden met Kerstmis van Rob heeft gekregen. Toen haar zoon geboren werd, vond Rob het zo geweldig dat hij voor de eerste keer oom werd, dat hij een van zijn Brit Awards in 2001 aan baby Freddie opdroeg. Hij zei: 'Je mama kan deze videoband van toen je oom beroemd was voor je afspelen.' In diezelfde tijd had Sally een serieus gesprek met haar broer over wat nu eigenlijk echt belangrijk is in het leven. Ze waren het erover eens dat dat je familie en je vrienden zijn: 'Voor iemand in de muziekindustrie, zoals Robbie, zijn die helemaal belangrijk. Het doet er niet toe hoeveel succes je hebt of hoe beroemd je bent, wat echt telt is je relatie met de mensen die je na staan.'

Jan Williams heeft wel gevaren bij het succes van Robbie. Terwijl Pete in grote lijnen nog steeds dezelfde man is als dertig jaar geleden, schijnen het geld en het prestige in het gezin Jan wel status te geven. De media hebben af en toe wel op zachte wijze de spot gedreven met de nauwe band tussen Rob en zijn moeder, alsof het niet in de haak is dat een volwassen man zo op zijn moeder steunt als Robbie doet. Rob is absoluut onwrikbaar in de waardering voor de rol van zijn moeder in zijn leven. Een van de weinige momenten dat Robbie Williams serieus was tijdens een interview, was toen een journalist suggereerde dat zijn moeder vast aan zijn hoofd had gezeurd toen hij jong was. 'Nee,' was het ontnuchterende antwoord. 'Ze maakte zich alleen zorgen om me.' En er is genoeg geweest waar ze zich zorgen over kon maken!

In het begin was de roem van haar zoon eerder vervelend, iets wat haar leven op zijn kop zette. Ze klaagde over de meisjesfans, soms wel driehonderd, die inbreuk maakten op haar privacy in het huis in Greenbank Road. Ze kwamen van over de hele wereld, zaten buiten op de muur en krasten er liefdesverklaringen in, inclusief telefoonnummers. De dappersten klopten soms zelfs op de deur en eisten dat ze zou vertellen waar hun geliefde idool was. Jan moest een briefje op de voordeur hangen met het verzoek weg te blijven. Maar zelfs op een rustige dag hingen er altijd nog zo'n dertig tot veertig rond het huis.

Soms liep het uit de hand. Bijvoorbeeld die keer dat Rob in de Ancient Briton aan de overkant met vrienden bier zat te drinken. Op een gegeven moment wilde hij een vriendinnetje, dat er beslist 'zin in had', mee naar huis nemen. Het aangeschoten paar baande zich een weg door de menigte fans en ging naar binnen. Net toen ze zich uitgekleed hadden en ter zake wilden komen, werd er hard op de deur geklopt. Rob, die dacht dat het weer een verliefde fan was, riep: 'Lazer op, alsjeblieft!' Vanachter de deur werd er geschreeuwd: 'Robert, ik ben het, je moeder. Laat me binnen!'

Uiteindelijk zette Jan eind 1994 het huis te koop voor £ 57.950 en kocht Rob een huis voor haar aan de chique kant van Newcastle-under-Lyme, waar ze altijd al had willen wonen. Het was niet alleen om te proberen te ontsnappen aan de schijnwerpers van de roem. Jan was zich gaan realiseren dat haar zoon een serieus alcoholprobleem had en ze wilde niet dat fotografen hem makkelijk dronken konden betrappen.

Ze gaf de bloemenwinkel op en wijdde haar leven aan haar zoon, vooral op twee fronten. Ten eerste schreef ze zich in voor een cursus op het Stoke-on-Trent College in Shelton, waardoor ze zou kunnen werken als drugscounselor. Ten tweede werd ze voorzitster en actiefste medewerkster van de liefdadigheidsorganisatie Give It Sum, die was opgezet om een deel van de miljoenen van Robbie Williams terug te laten vloeien naar zijn geboortestad Tunstall. In de loop der jaren werd ze een deskundig en gewaardeerd spreker over beide onderwerpen: Rob en drugs én Rob en liefdadigheid. Voor haar geen oppervlakkige grappen die de gesprekken tussen haar zoon en zijn vader kenmerkten. Give It Sum wordt geleid door Comic Relief en hun deskundigen met hun bewezen staat van dienst vormen de meerderheid van het in Londen gevestigde bestuur. Het is een heel serieuze zaak en in geen enkel opzicht een ijdel speeltje van de moeder van een beroemdheid met te veel geld en te weinig om handen. Een van de grootste projecten tot nu toe is een donatie van een bedrag van zes cijfers aan Robs oude school, St. Margaret Ward. Het idee is om de school te promoten als een centrum voor podiumkunsten voor kinderen uit de regio. Er is veel veranderd sinds de dagen dat Rob erop zat toen er, volgens zijn vriend Giuseppe Romano, alleen blokfluitles werd gegeven.

Jan, op en top politicus, zei tegen de *Sentinel*: 'Robert heeft nog steeds warme gevoelens voor de school en voor Mr. Bannon, het hoofd. Hij bewondert hem en de andere leraren heel erg.' Rob had beslist 'veel bewondering' voor de gymlerares, Mrs. Gittings, wier atletische derrière de fantasie van de jongens prikkelde.

Give It Sum heeft tot nu toe meer dan een miljoen pond gegeven aan diverse projecten, ten behoeve van zowel peuters als bejaarden door heel North Staffordshire. Veel gebieden van Stoke-on-Trent verkeren nog in erbarmelijke staat; sommige huizen, niet zo ver van waar Rob heeft gewoond, hebben nog golfplaten daken. Het lijdt geen twijfel dat de liefdadigheidsprojecten in Robbies naam zijn persoonlijke reputatie in de gemeenschap zeer hebben verbeterd. Het enige dat hij nu nog moet doen, is de voetbalclub Port Vale redden en zijn reputatie als de Messias van de Midlands zou gevestigd zijn.

In werkelijkheid is Give It Sum meer een zaak van zijn moeder dan van hem. Hij woont praktisch altijd in Los Angeles en vertrouwt erop dat Jan hem op de hoogte houdt. Ze zei tegen de *Sentinel*: 'De liefdadigheid is niet iets wat ik doe als Robbie Williams' moeder. Dit is mijn zaak. Het gaat me heel erg aan het hart en ik doe het omdat ik het wil. Het is een manier om mijn ideeën, gevoelens en verlangens in iets concreets om te zetten. Robert is niet hier en ik kan toezicht houden op alles, en hem en het bestuur op de hoogte houden.'

Haar invloed is ook bepalend geweest bij zijn beslissing om beschermheer te worden van de Donna Louisa Trust die geld bijeenbrengt voor een verpleegtehuis voor terminaal zieke kinderen. Donna Louise Hackney overleed op zestienjarige leeftijd aan blaasfibrosis. Een van de bestuursleden van de trust, Keith Harrison, was een politieman die toevallig dicht bij Jan Williams woonde en haar heeft gevraagd of Rob zou willen helpen. 'Het leek me een fantastisch idee als hij ons zou steunen.' Zowel Jan als Rob was voldoende onder de indruk om het Treetops-verpleeghuis in Trenthams Lake in Stoke-on-Trent te bezoeken, waar acht patiëntjes kunnen worden verpleegd. Keith was heel blij dat Rob oprechte belangstelling toonde en duidelijk erg ontroerd was door wat hij zag. Een ooggetuige meldt dat hij 'bijna overweldigd' was door de moed van de zieke kinderen. De trust is al een aardig eind op weg naar het streefbedrag van vijf miljoen pond. Hoewel een kordon van zakenlieden Rob afschermt van het dagelijks leven, is de Donna Louise Trust een van de dingen waar hij persoonlijke interesse voor blijft houden. Toevallig kende de moeder van Donna Louise, Christine Hackney, de oma van Rob en had ze hem ontmoet toen hij bij haar op bezoek kwam in Newfield Street.

Tegenwoordig krijg je de indruk dat Jan Williams makkelijk zou winnen als ze zich kandidaat zou stellen voor het parlement. Sommige zaken in verband met de roem van haar zoon ergeren haar nog steeds. Toen het hoofd, Conrad Bannon, haar introduceerde op de school waar ze namens Give It Sum een cheque kwam brengen, vroeg hij: 'Weten jullie wie dit is?' 'Ja,' schreeuwden de jongeren in koor. 'Zij is de moeder van Robbie Williams.' Het is verrassend dat zij eraan heeft moeten wennen, terwijl Pete Conway, die gedurende zijn hele carrière nooit echt beroemd werd, juist beweert dat het hem niets kan schelen dat hij nu algemeen beschouwd wordt als de vader van Robbie Williams. Jan Williams heeft de waardevolle eigenschap dat ze tolerant is.

Terwijl het leven van haar zoon leek op een op hol geslagen flipperkast aan de speed, leek zij rust te vinden. De laatste keer dat Hamid Soleimani haar sprak, zat ze in haar eentje in een restaurant in Newcastle-under-Lyme een boek te lezen.

Het succes van Robbie heeft het leven van Jan veranderd. Het stelde haar in staat eindelijk haar passie voor reizen in daden om te zetten. Ze is naar India en Cuba geweest en heeft plannen om China te bezoeken. Ze heeft haar vleugels uitgeslagen terwijl het leven van Robbie zich binnen nauwere grenzen afspeelt. Hij koopt nog steeds dure cadeaus voor haar omdat hij zich dat kan veroorloven. In 1999 kocht hij van Jeffrey Archer voor £ 20.000 een portret van Andy Warhol van de knappe Hollywoodster Grace Kelly voor haar. 'Robbie is dan misschien een popster met een slechte reputatie vanwege zijn gedrag, ik vond hem heel charmant en welgemanierd,' zei de schrijver die kort daarna in de gevangenis zou belanden. Dankzij hem woont ze nu in een afgelegen, schitterend landhuis van een miljoen pond in het dorp Batley, vlak bij Newcastle-under-Lyme. Het is vijf slaapkamers, vijf ontvangstkamers en drie badkamers rijk en er hoort bijna tien hectare grond bij waarop landschappelijke tuinen zijn aangelegd. Er is zelfs een eigen meer met een eiland in het midden, ideaal voor boottochtjes en picknicks. En natuurlijk was er een spelletjeskamer voor Rob. Het huis bood Rob de privacy en de gelegenheid om zijn jongensdromen te verwezenlijken. Hier kan hij met een hagelnieuwe Ferrari over de oprijlaan scheuren. Elders mag hij niet rijden omdat hij geen rijbewijs heeft.

Jan mag de druk van Take That dan niet prettig hebben gevonden, noch het feit dat haar zoon afdaalde naar de hel van drank en drugs, maar de grip die ze had op het leven van haar zoon leek daar niet onder te lijden. De manager van Take That, Nigel Martin-Smith, heeft haar ooit een 'niet-aflatende lastpak' genoemd. Toen Rob naar Londen verhuisde, was hun relatie een tijdje gespannen – haar kleine jongen die het huis uit ging – maar Rob heeft gezegd dat toen hij eenmaal zijn verslavingsproblemen onder ogen zag, hun moeder-zoonrelatie zich weer herstelde. Bij wijze van verontschuldiging schreef hij een song voor haar: 'One of God's Better People'. De verandering in Jans eigen leven ging heel geleidelijk. Schoolvrienden van Rob zagen haar vroeger altijd in Tesco in Newcastle-under-Lyme, waar ze iedereen groette en altijd een praatje maakte. Maar door de immense omvang van Robbies roem gaat ze nu eerder winkelen in Notting Hill of Beverly Hills dan in het centrum van Newcastle-under-Lyme, en nooit meer in Tunstall. Toen ze Rob opzocht in Los Angeles, huurde hij een gigantisch huis voor haar. Hij legde ook meer dan een miljoen pond neer voor een huis van vijf verdiepingen voor haar bij hem om de hoek in Londen. In haar exclusieve horoscoop van Robbie schrijft Madeleine Moore: 'Het is mogelijk dat Robbie in de felheid waarmee hij zijn openbare status en carrière beleeft, de dromen van zijn moeder in praktijk brengt.'

Je moeder is je moeder en je hebt er maar één.

4 Willwogs

Op de middelbare school was Robs favoriete drug Lynx-deodorant. Hij en zijn vrienden legden een handdoek of een tissue over de bovenkant van de spray, schudden de bus en lieten het gas langzaam ontsnappen. Dat noemden ze 'ploeteren met je snufferd'.

Robs leven als tiener draaide om wat je het best kunt beschrijven als een 'jongenscultuur'. Hij wilde er wanhopig graag bij horen en lid zijn van de bende schoolvrienden die een houding hadden van 'het leven is een geintje en wij geven nergens om'. Deze levensvisie stond lijnrecht tegenover die van het door vrouwen beheerste huiselijke leven in Greenbank Road en zijn leven 'als acteur', waar hij zijn gevoelens en pijn liet zien aan zijn eerste echte liefde, Zoë Hammond.

Thuis noemde zijn moeder hem Robert. Op school ging hij door het leven met de bijnaam Willwogs, af en toe ook Willywogs, een uiterst politiek incorrecte bijnaam die dan ook niet zijn weg vond naar zijn levensbeschrijving in de Take That-tijd. 'Hij is juniorencaptain op de golfclub en wordt Willywogs genoemd' zijn niet bepaald de weetjes die jonge meisjes enthousiast maken om jouw poster boven hun bed te hangen. Iedereen had op school een bijnaam. Wanneer je ze onder elkaar zette, leek het de aftiteling van de comedyserie *Auf Wiedersehen Pet*. Robs beste vriend Lee Hancock was Tate, Giuseppe Romano werd Gius genoemd, Peter O'Reilly PO2 en Philip Lindsay Lino. Soms noemden ze Rob alleen Will, of, bij andere gelegenheden, Swellhead, omdat hij letterlijk een groot hoofd had, al vonden sommigen dat die naam perfect bij hem paste omdat hij het zo met zichzelf getroffen had.

Rob viel onbedoeld al meteen op toen hij voor het eerst op St. Margaret Ward aankwam, want hij was een paar dagen te laat, wat nooit slim is omdat het veel moeilijker is om geaccepteerd te worden als zich al groepjes gevormd hebben. Hij kon niet op tijd beginnen omdat hij moest optreden in *Chitty Chitty Bang Bang* in het Royal-theater in Burslem. Philip Lindsay vertelt over de eerste keer dat hij hem in de schoolkantine zag met een belachelijk kapsel: 'Hij had zijn haar zeker moeten laten verven voor het toneelstuk, want het was gestreept.' Rob wilde de andere jongens toen liever niet vertellen dat hij in een musical had gespeeld en zei dat hij op vakantie was geweest. De jongens vonden dat een reden om zijn BMX-mountainbike te jatten, waarop Rob begon te huilen en te klagen dat hij hem van zijn oma had gekregen en dat die nu dood was: 'We kregen medelijden en gaven hem terug,' vertelt Giuseppe. 'En hij maakte dat hij naar huis kwam.'

Lee Hancock bevestigt: 'Hij zat vol met dat soort onzin!' Lee en Rob waren eerst niet zulke goede vrienden omdat ze ruzie maakten over een meisje, het eerste op wie de jonge puber Rob echt verliefd was. Ze heette Joanna Melvin, een heel knap meisje met vaalbruin haar: 'We vielen allebei op haar. Ze zat bij mij in de klas. Wij zaten in de beste klas en Rob in de klas met langzame leerlingen. Ik vroeg haar mee uit en ze zei nee. Toen vroeg Rob haar en ze ging even met hem en toen wisselde ze Rob in voor mij. Ze verkoos mij boven Rob. Ik heb van mijn elfde tot mijn veertiende, zo'n drie, vier jaar verkering met haar gehad. Ik herinner me dat zij een van de eerste meisjes op school was met zo'n permanent met heel kleine krulletjes. Rob en ik vochten altijd om haar, we konden elkaars bloed wel drinken! Als ik nu terugkijk denk ik dat we ongeveer even vaak wonnen.' De afwijzing door Joanna bleef de jonge Rob dwarszitten. Jaren later, toen hij al superberoemd was, zei hij tegen Philip Lindsay: 'Ik wed dat Joanna nu wel met me zou willen gaan!'

Het verhaal over Joanna hielp Rob vanzelfsprekend niet bij zijn pogingen om tot het kringetje vrienden te worden toegelaten. Tate, Gius en Peter O'Reilly waren onafscheidelijk, al was er een 'grote bende' van jongens waar ze allemaal bij hoorden. Hij en Peter lagen al snel met elkaar overhoop vanwege een ander meisje, Sharon Fernley. Weer hadden ze het op Robs dierbare fiets gemunt. Giuseppe Romano vertelt: 'We wilden wraak nemen en lieten de banden leeg lopen. Hij ging vreselijk tekeer dat het speciale banden waren met afwijkende ventielen waardoor je ze niet zomaar met iedere fietspomp kon oppompen. We kregen er allemaal van langs van het hoofd en moesten rondjes rennen over het voetbalveld.'

Rob ontdekte dat hij alleen de aandacht van de stoere jongens kon trekken als hij ze aan het lachen maakte. Het gevolg was dat hij al snel de reputatie van clown had. Hij liep altijd naar huis met Phil Lindsay en zijn zus Leah, die vlak bij Greenbank Road woonden. Phil vertelt: 'Hij was altijd aan het klieren, de clown van de klas. In die tijd waren de Rambo-films heel populair. Hij knoopte zijn das om zijn hoofd, net als Sylvester Stalone, en als we bij hem langs de heg liepen, dook hij eroverheen alsof hij Rambo was.' Ook met Phil wist Rob ruzie te krijgen over een meisje, Leanne Cox: 'We hebben niet echt gevochten, maar wel een paar keer flink ruziegemaakt.'

Op die leeftijd kwamen meisjes nog niet op de eerste plaats. 'We hielden ze vaak voor de gek,' herinnert Giuseppe zich. We hingen altijd met een grote groep jongens rond en maakten grappen ten koste van de meisjes. We praten tegen ze en meer gebeurde er niet. Er waren een paar leuke meisjes, Joanna was oké, maar het was echt jongens onder elkaar. Ik kan me niet herinneren dat hij vriendinnetjes had op school. We hadden gewoon een leuke tijd en meisjes kwamen daar niet tussen.'

Misschien deed Rob daarom zo geheimzinnig toen hij voor het eerst met een meisje naar bed was geweest. Hij heeft het Giuseppe en Lee nooit verteld, uit angst dat ze er de draak mee zouden steken. Maar hij bekende het wel aan Phil Lindsay toen ze samen de dag nadat het gebeurd was bij hem thuis zaten te kletsen. 'Hij zei dat ze het na school in zijn slaapkamer hadden gedaan. Ik weet niet of er drank in het spel was, want ze gingen nooit uit of zo.' Rob weet alleen nog dat hij het er niet heel goed van af had gebracht, maar er toch heel blij om was.

Uiteindelijk werd Rob door de jongens geaccepteerd. 'Hij was nog steeds de druktemaker, ook al hoorde hij nu bij de bende,' merkt Lee op. Hun eigen nauwe band werd gesmeed toen ze ontdekten dat ze hetzelfde gevoel voor absurde humor hadden en vooral allebei hielden van de satirische noordelijke band de Macc Lads, een rockgroep uit Macclesfield die nu niet meer bestaat. Lee herinnert zich: 'We zongen al hun songs, waarin veel gevloekt werd en heel denigrerend over vrouwen gedaan werd. We waren er gek op.'

En dan had je Vic Reeves, Robs held toen hij op school zat. Later werden ze hechte vrienden toen Rob optrad in Vics televisieprogramma *Shooting Stars*. In die tijd, eind jaren tachtig, was *Vic Reeves' Big Night Out* heel populair. Willwogs en Tate lachten zich krom terwijl ze het over het programma van de avond daarvoor hadden, en dat ze zin voor zin herhaalden. Lee merkt op: 'We waren Vic altijd aan het herhalen. We hadden net ontdekt dat we hetzelfde gevoel voor humor hadden. We praatten over Vic Reeves, Macc Lads, bier en voetbal, nooit over huiswerk. We maakten ons nooit druk om examens. Het deed er niet toe en het kon ons niet schelen.'

Een van de redenen dat Rob zich niet druk maakte over school, was omdat hij niet bepaald goed kon leren. Hij zat bij de langzame leerlingen en was nooit een uitblinker. Lee zegt: 'Hij was zo slecht in Frans dat degene naast hem voorzei en Rob opstond en zei: "Je suis un jardin," ik ben een tuin.' Hij had slechte resultaten omdat hij de examens nooit serieus nam. Zijn schooltijd was vooral belangrijk omdat hij op school het gevoel kreeg ergens bij te horen. De rode draad in zijn leven is een enorme behoefte aan bevestiging en acceptatie. Kennelijk was zijn vermogen om te communiceren via songs en humor niet iets wat gedijde in een schoolomgeving. Dit blijkt ook uit de opmerking van een leraar die Rob belachelijk maakte en zei dat hij nooit iets zou bereiken. De opmerking is alom bekend geworden omdat Rob de voorspelling met veel genoegen terugspeelde op zijn album *Life Thru a Lens*, in een song met een vernietigende tekst die begint met: 'Hallo Sir, herinnert u zich mij nog?' Zijn vader en moeder moesten accepteren dat hij nooit verder zou leren. Zijn vriend Kelly Oakes, die twee klassen hoger zat, vertelt: 'Ik geloof niet dat hij ooit echt plannen maakte voor zijn toekomst. Hij zou gewoon entertainer worden, punt.'

Rob en Lee werden de Chuckle Brothers van Tunstall. In die tijd had Jan een bloemenwinkel en het stel ging daar vaak heen om te klieren. Eén keer hebben ze met de fax moppen naar alle andere Interflora-winkels gestuurd, waardoor het hele systeem vastliep door de grappen van Bloomers, May Banks, Stoke-on-Trent. 'Hij heeft daar flink voor op zijn kop gehad,' vertelt Lee lachend. Ze gingen babysitten bij een van Jans vrienden: 'We rookten als gekken en draaiden 1471 om te kijken wie er had gebeld. We belden ook altijd mensen op en vertelden ze dan moppen. We belden een keer een erkend accountant en spraken een kwartier lang moppen in op zijn antwoordapparaat, tot het bandje vol was.'

De twee 'likely lads' reageerden ook op advertenties in de krant: 'Eén keer stond er een auto te koop in de *Sentinel*. Het ging om een Lada Estate. We belden op en deden alsof we begrafenisondernemers waren: "Hallo," zegt Rob. "We zijn heel geïnteresseerd in de auto die u te koop heeft. Het geval is dat we een beetje haast hebben, want we zijn begrafenisondernemers en de lijkwagen heeft het begeven. Wat van belang is, is dus dat er een lijk achterin moet passen. Zou dat gaan?" Rob kon fantastisch stemmen nadoen; we hadden altijd grote lol aan de telefoon.'

Hun pièce de résistance was het blijven bellen naar hun slachtoffer. Rob werkte zijn hele repertoire af, inclusief Frank Spencer en een luidruchtige zwarte man, zijn favoriet, herinnert Lee zich. 'Zo iemand nam op en Rob vroeg met een van zijn stemmen: 'Is Pete daar?' De man zei dan: "Nee, ik ken geen Pete." Rob legde neer en belde weer met een andere stem. "Is Pete daar?" "Nee!" Zo kon het vier of vijf keer achter elkaar gaan. Uiteindelijk belde ik dan en zei: "Met Pete. Hebt u toevallig boodschappen voor me?" We haalden altijd malle streken uit.'

Nu hij een volwaardig lid was kon Rob meedoen aan de twee favoriete bezigheden van de jongensbende: voetballen en curry eten. Hij deed mee aan wedstrijden in Tunstall Park, gewoon een balletje trappen na school, maar in de zomer wel drie of vier avonden per week. Een van de jongens die meedeed, Paul Phillips, hoorde Robs echte naam pas toen hij bij Take That zat. Iedereen kende hem als Willwogs. Als een van de jongens jarig was, gingen ze met een groep eten in een Indiaas restaurant in Shelton, Al Sheiks. Lee weet nog: 'We waren met een heel stel. We gingen eerst naar de Norfolk Inn en kochten daar bier, want het restaurant had geen vergunning. We betaalden vijftig pence statiegeld voor de glazen en namen ze mee naar het restaurant. Op het laatst waren we altijd dronken en gooiden met het eten. Ik begrijp niet dat ze ons steeds weer toelieten want we zorgden altijd voor zo veel overlast.'

In het laatste schooljaar begon Rob met de rest van de jongens te roken. Hij wandelde naar een plek achter de watertoren van de school, waar de verstokte rokers hun longen volzogen met hun favoriete sigaretten. Rob rookte in die tijd het liefst Silk Cut Ultra Lights. Zoë Hammond vertelt dat hij rookte toen hij de Dodger speelde in *Oliver!*: 'Je rook het aan hem. Hij was ongeveer dertien toen hij begon rond te hangen en ging roken met zijn maatjes. Hij rookte wat hij kon krijgen, net als iedereen.' Het leek altijd alsof Rob veel minder cool was dan hij graag had gewild. Hij ontdekte de rapmuziek. Zijn platenverzameling liet zich lezen als het menu van een koffieshop: Ice T, Ice Cube en Vanilla Ice. Hij was dol op Vanilla Ice, een band met één wonderbaarlijke nummer-éénhit, 'Ice Ice Baby', die je niet snel zult vinden op een platenlijst waar ook Eminem op staat.

School was een soort vakantiekamp. Rob heeft altijd gezegd dat hij het er leuk vond en het is waar dat hij zelden problemen had, zelfs al had het hoofd, Conrad Bannon, de gevreesde reputatie bij de bende deugnieten dat hij heel streng was. Giuseppe vertelt: 'Hij was eigenlijk heel redelijk, al hebben we allemaal met de stok gehad. We namen veel van de leraren in de maling.' Een favoriete grap van Rob en Lee was bijvoorbeeld om achter de leraar Frans, Mr. Openshaw, die een hoorapparaat had, te gaan lopen fluisteren zodat de man op zijn apparaat begon te tikken omdat hij dacht dat er iets mis mee was. Lee lacht. 'Eigenlijk waren we vreselijk kinderachtig. Rob was dol op klieren.'

Rob heeft beslist ook vaak gespijbeld. Als er een les was waarin ze geen zin hadden, renden ze naar de hekken aan de rand van het schoolterrein waar noodlokalen waren en veel bomen stonden waarin ze zich konden verstoppen en konden roken en kletsen. Slechts heel af en toe hadden ze het over hun ambities. Giuseppe wilde piloot worden, Lee verkeerscontroller op een vliegveld of makelaar en Rob entertainer bij Butlin's (vakantieparken). De leerlingen mochten niet van het terrein af tijdens de lunchpauze; ze aten friet en trapten een balletje in de tuin. Lee en Rob deden vaak een wedstrijdje waarbij ze al hun friet op een vork deden en keken hoeveel ze tegelijk in hun mond konden stoppen.

De 'stoere jongens' waren een stel dombo's op school. Lee en Rob deden zweetwedstrijden. Het idee was te kijken wie het snelst zijn shirt het smerigst kon laten stinken door het dag in dag uit te dragen. Het ging zo ver dat ze de hele dag bij radiatoren gingen zitten om meer te zweten en van die fraaie natte plekken onder hun oksels te krijgen. Op een keer wedden Giuseppe en Rob dat ze hun schaamhaar durfden af te scheren. 'Ik weet nog dat het erg jeukte. De weddenschap ging erom dat we ieder de helft zouden afscheren. We organiseerden het in de kleedkamer na gymnastiek. We hebben het allebei gedaan, maar het rare is dat ik me bij god niet kan herinneren waar we om gewed hadden!' Af en toe namen de meisjes wraak op de jongens, zoals de keer dat ze tegen hen zeiden dat er een groot feest was in het dorpshuis. Toen de jongens erheen gingen en stonden te schreeuwen: 'Hé, we hebben bier!' ontdekten ze dat ze terecht waren gekomen bij een avondcursus karate. De meisjes hielden in de vijfde ook een lijst bij van 'lekkere jongens' om te zien wie het grootste stuk van de school was. Rob won niet, noch Lee, Giuseppe of Phil.

Rond zijn vijftiende nam drank een grote plaats in in het leven van Rob. Veel van zijn leeftijdgenoten gaven feesten en hij en zijn vrienden liepen ze af en werden dronken. Het was makkelijk om aan drank te komen. De langste van de bende, Richard Kirkham, werd aangewezen om naar de plaatselijke slijterij te gaan en in te slaan. Als er geen feest was, slopen ze het gymlokaal in en speelden op alle apparaten. Gym was een stuk leuker na een paar blikjes bier. Op vrijdag en zaterdag draaide het om de disco. Jan bracht Rob met een paar vrienden naar de Zanzibar in Newcastle-under-Lyme of naar Norma Jean's in Hanley. Soms werd er gevochten. Phil Lindsay herinnert zich een vechtpartij in de bus met een paar jongens uit Stoke op de terugweg van Hanley. Hij herinnert het zich nog zo goed, omdat hij de enige was die klappen kreeg. Giuseppe Romano herinnert zich een ander keer dat ze op straat achterna werden gezet door hun rivalen van de middelbare school James Brindley, die plaatselijk bekendstond als Chell-school en die de 'grootste jongen van de stad' in hun kamp hadden. 'In die dagen waren we waarschijnlijk banger voor onze vaders dan voor de achtervolgers, voor als we echt in de problemen zouden komen.' Later, toen hij bij Take That zat, zei Rob dat dat misschien een van de voordelen was van gescheiden ouders: 'Als ik op mijn kop kreeg van mijn moeder, kon ik naar mijn vader gaan. En als ik op mijn kop kreeg van mijn vader, kon ik naar mijn moeder gaan en zeggen: "Ma, mijn vader geeft me op mijn kop."' Rob heeft het geluk gehad dat hij nooit in een knokpartij is beland, want het was vaste prik in Stoke-on-Trent dat jonge mannen en jongens daarin verzeild raakten. Zoals het in het bekende nummer van Elton John wordt beschreven: 'Zaterdagen zijn altijd goed voor een vechtpartij.'

Er werden niet veel drugs gebruikt op school. Naast het snuiven van gas blowden ze en snoven ze amylnitraat (poppers) in de klas. Phil Lindsay vertelt: 'Ik weet niet of de leraren het wisten, maar ze zeiden er nooit iets van. Ze moeten toch wel hebben gezien wat een rode hoofden we hadden. Het was gewoon mazzel dat we ermee weg kwamen, denk ik.' Op de allerlaatste schooldag in juli 1990 glipten ongeveer tien jongens en meisjes, onder wie Rob, weg in de lunchpauze. Ze kropen achter de school een aflopende helling af die hen aan het zicht onttrok en gingen in het gras zitten. Ze rookten samen een 'vaarwel school'-joint. Phil vertelt: 'We werden niet echt stoned. Het was kinderspul, maar het was een leuke manier om afscheid te nemen van school.'

Nu hun schooltijd wachtte Lee tot hij op de universiteit kon beginnen en Rob wachtte op een kans. Ze kregen allebei een baan: het verkopen van dubbel glas. Eerst werkten ze bij een bedrijf, Abacus Windows genaamd, dat om de hoek bij Robs huis zat. Het betaalde 50 pond per week en dat was makkelijk verdiend. 'De baas zette ons 's morgens ergens af en zei: "Probeer het hier maar, jongens." We zaten de hele dag op een muurtje te roken tot hij ons weer ophaalde. We werkten helemaal niet. Ze betaalden je extra als je iets verkocht. Ik heb er ooit één verkocht, maar ik kan me niet herinneren dat het Rob ooit is gelukt. We hebben een paar glasbedrijven afgewerkt, Staybrite onder andere, omdat het zo'n makkelijk baantje was.' Een ander bedrijf was Outlook Windows, waar ook Paul 'Coco' Colclough werkte, omdat hij even zonder werk zat. Coco was een paar jaar ouder. Het was altijd lachen met de chef van de vertegenwoordigers, die van alles verzon om de band tussen de personeelsleden te versterken, teambuilding zogezegd. Eén keer stelde hij voor om naar Lawton Hall te gaan om een seance bij te wonen. 'We hadden allemaal gedronken, dus Rob zei: "Prima, kom op." Het was een oude school en toen we naar binnen gingen, hoorden we een ratelend geluid van boven komen. Meteen daarop hoorden we gestamp en raakten we allemaal in paniek. Het kaarslicht flikkerde en we concentreerden ons allemaal op de deuropening. Op een gegeven moment zagen we een silhouet en verscheen er iemand in een zeventiende- of achttiende-eeuws kostuum. Het was net een griezelfilm en we gingen er als een haas vandoor. Rob was een van de eersten die het raam uit klom. Later bleek dat het een vertegenwoordiger was, Barwick genaamd, met een kous over zijn hoofd, maar we waren er allemaal in getrapt.'

Als ze niet aan het werk waren, plunderden Lee en Rob de drankkast van Jan. Ze namen een lege plastic tweeliterfles en vulden die met alles wat ze konden vinden: gin, wodka, whisky, frisdrank, letterlijk alles. Dan deden ze de dop erop, schudden flink en gingen ermee naar Tunstall Park om in een paar uur 'straalbezopen' te worden. 'We dronken veel toen we van school kwamen,' zegt Lee. Geen wonder dat Jan wanhopig zocht naar een bezigheid voor haar zoon.

Rob heeft vaak gezegd dat hij het gevoel heeft dat hij zijn puberteit heeft gemist omdat hij bij Take That ging toen hij pas zestien was. Dat is zeker niet helemaal waar, want alles wijst erop dat hij een heel gelukkige tijd heeft beleefd met zijn leeftijdgenoten. Hij heeft in het begin misschien de clown uit moeten hangen om geaccepteerd te worden, maar dat hoorde altijd bij zijn karakter. Vanaf heel jong was hij een grappenmaker. 'Een van de stoere jongens' zijn was slechts een deel van zijn dagelijks bestaan. Er was ook de Artful Dodger, de jongen die ervan overtuigd was dat hij het zou maken. Er was zijn vriendschap met Zoë Hammond en Jonathan Wilkes, die in een totaal ander wereld leefden dan die van zweetwedstrijden en schaamhaar afscheren. Hij had een geheime drijfveer die hem zou doen uitstijgen boven de anderen.

Tijdens het ontdekken van de werkelijke wereld van Willwogs was het hartverwarmend om te merken dat de vrienden die hij achterliet nog steeds veel respect en affectie voor hem hebben. Toen ze hem 'Mack the Knife' of 'Every Time We Say Goodbye' hoorden zingen, vonden ze het 'absoluut geweldig'. Ze waren verbijsterd door zijn optreden in *Oliver!* Ze accepteerden hem, zowel op school als in de plaatselijke gemeenschap, wat een van de redenen is dat Robs wortels altijd zo belangrijk voor hem zijn gebleven. Ze halen nog steeds met veel plezier herinneringen op aan de streken die ze uithaalden zonder per se te hoeven zeggen: 'Ik zat op school met een beroemdheid.'

Hoe hecht die band is, blijkt wel uit wat er gebeurde toen Rob al beroemd was en in Take That zat en een keer meeging met Lee, Giuseppe en de jongens op hun maandagse stapavond in Hanley. Lee herinnert zich de avond: 'Maandagavond was studentenavond. Een biertje kostte maar 50 pence en in de meeste tenten kon je gratis naar binnen. Die avond zochten mensen in een van de kroegen ruzie met Rob, alleen om wie hij was. Dus zetten we hem in een taxi naar huis. En daarna vochten we voor hem buiten de kebabtent in Hanley. Wij wonnen!'

Eigenlijk waren we vreselijk kinderachtig.

5   Het prachtige spel

Rob leidde graag het scanderen in Vale Park. Hij riep dan bijvoorbeeld: 'Horen jullie de doelpalen zingen?' en de menigte schreeuwde terug: 'Nee!'

Zeg dat vooral niet te hard op de tribunes van de voetbalclub Port Vale, maar stiekem is Rob een groot fan van Manchester United. Hij is misschien de beroemdste supporter van de Valiant, zoals de bijnaam van Port Vale luidt, maar van de inspirerende Bryan Robson, aanvoerder van United, had hij een foto boven zijn bed hangen. Zijn vriend Paul 'Coco' Colclough legt het als volgt uit: 'Als je in Stoke-on-Trent opgroeit, heb je twee teams. Stoke en Port Vale. Je bent supporter van een van de twee, het is altijd een plaatselijk elftal. Maar daarnaast was je ook supporter van een van de grote, beroemde clubs. Voor Rob en mij was dat Manchester United.'

Rob heeft Bryan Robson ontmoet via een van de vriendjes van zijn moeder. Ze hadden allebei belangstelling voor een paard, Taylormade Boy genaamd, en tot zijn grote vreugde werd Rob op de renbaan Haydock Park aan zijn idool voorgesteld en gingen ze samen op de foto. De jonge Rob ziet eruit als een lid van de Jonge Conservatieven met zijn dichtgeknoopte overhemd en zo'n trui met felle strepen die alleen je moeder je kan laten aantrekken. Het is een enorm verschil met een foto bij een andere gelegenheid een paar jaar later toen Take That Robbo (Paul Robinson) tegenkwam bij een liefdadigheidsfestijn en er foto's met hem werden gemaakt met de beker die Manchester United net had gewonnen. Rob staat er nu cool op in een leren jack en met bakkebaarden.

Rob had nooit foto's van schaars geklede meisjes of van popidolen als Jim Morrison en Jimi Hendrix op zijn slaapkamer. Als jongen was hij alleen geïnteresseerd in voetbalhelden. Er is ook een foto van hem genomen met Neil McNab van Manchester City toen hij met Lee Hancock naar Maine Road in Manchester was gegaan. Dat verklaart ten dele waarom hij zo onder de indruk was toen hij het nieuwe kopstuk van Manchester United, David Beckham, ontmoette. Rob werd knalrood en begon te lopen zoals hij doet wanneer hij zenuwachtig is: met gelijktijdig zijn rechterarm en rechterbeen naar voren en dan zijn linkerarm en linkerbeen. Hij heeft ook veel bewondering voor de manier waarop Beckham omgaat met de druk die populariteit en roem meebrengen. Het is moeilijk om rustig te blijven wanneer mensen je misbruiken omdat ze jaloers zijn op je sterrenstatus en je rijkdom. Rob vond het altijd vreselijk als de fans van Stoke City hem lastigvielen als hij daar uitging. Ze bedreigden hem met allerlei soorten fysiek geweld. Giuseppe Romano vertelt: 'Toen hij in Take That zat was hij een keer uit met een vriend van ons en werd door een groep Stoke City-fans door Hanley achternagezeten. Ik geloof dat dat de druppel was die de emmer deed overlopen wat uitgaan betreft.'

Toen zijn ouders de Red Lion pub in Burslem runden, woonde Rob iets meer dan een halve kilometer van Vale Park. Hij was te jong om dat naar waarde te schatten, al leerde zijn vader Pete hem wel hoe leuk het was om supporter te zijn van een club in de lagere divisie. Petes familie was al heel lang trouw aan Vale. Toen hij jong was droomde hij ervan linksbuiten te spelen in de plaatselijke club en dan het winnende doelpunt te maken in een belangrijke wedstrijd – vaak de derby tegen Stoke. Een paar jaar geleden noemde hij deze droom nog als een van de twee grote dromen die hij altijd had gehad, de andere was het winnen van een Brit. Waarschijnlijk had hij het liefst de voetbaldroom verwezenlijkt gezien. Hij zat urenlang op zijn kamer het Sega-voetbalspel te spelen.

Een van de beste manieren om te zorgen dat je geaccepteerd wordt door een groep jongens is meedoen aan het bijna verplichte potje voetbal na school. Als sportman is Rob altijd al dol geweest op show. Tim Peers, zijn golfmaatje, vertelt dat hij altijd voor de overdreven slag ging tijdens een golfspel. Hij was veel beter in poolen; daar was hij echt goed in. Tim zegt: 'Hij was heel goed, maar hij stootte op de raarste manier ter wereld. Hij liet de keu op zijn knokkels rusten in plaats van op zijn duim.' Maar Rob wilde vooral als voetballer indruk maken en hij oefende in de achtertuin in zijn eentje trucjes die hij later in Tunstall Park uitprobeerde. Paul 'Coco' Colclough bevestigt zijn talent: 'Hij is best goed, maar niet zo goed als hij denkt. Hij probeerde altijd dingetjes uit, kleine tikjes en trucjes zoals de bal opvangen in zijn nek of ermee jongleren met zijn voeten.' Lee Hancock herinnert zich dat Rob, vreemd genoeg, niet in het schoolelftal speelde. Zowel Lee als Giuseppe zat in het elftal met hun leeftijdgenoten, maar ze herinneren zich dat Rob niet werd gekozen. Hij trapte in de lunchpauze een balletje met hen op de speelplaats. De wedstrijden na schooltijd werden nooit georganiseerd, maar er kwamen altijd genoeg jongens voor een spelletje voetbal. Ze werden echt serieus als de jongens van St. Margaret tegen die van de nabijgelegen Chell School speelden. Ze konden elkaar niet luchten of zien. 'Willwogs' nam altijd zijn gebruikelijke positie in op de linkervleugel. Phil Lindsay vertelt: 'Hij was een beetje een uitslover maar beslist niet slecht.'

Rob ging niet naar elke wedstrijd in Vale Park. Hij had het vaak te druk. Hij had zijn verplichtingen bij de amateur-musicals en vanaf zijn dertiende wekte hij op zaterdag bij Signal Radio, het commerciële station van Stoke-on-Trent. George Andrews, een van de bekendste namen in de plaatselijke voetbaluitzendingen, vertelt dat het Robs taak was om koffie te halen: 'Hij was een gewone jongen, altijd beleefd en vriendelijk en heel enthousiast. Hij hield van zijn sport.' Rob begon op zaterdagmorgen om tien uur en was om zes uur klaar, dus hij kon nooit een thuiswedstrijd spelen. George herinnert zich dat Rob even enthousiast was over de uitzending als over de sport op zaterdagmiddag. Hij vertelt: 'Rob was geïnteresseerd in de techniek. Hij zat altijd te kijken hoe het ging. Hij had nog een sterk Potteries-accent en ik denk dat hij nog steeds goed met dat accent kan praten. Soms was hij zelf deejay in de studio en je kon aan hem zien dat hij dat fantastisch vond. Maar wij zagen niet dat hij muzikaal was; hij liep niet zingend door het kantoor!'

Rob bleef een paar jaar bij Signal. Na die periode had hij meer tijd om naar voetbal te kijken. Lee Hancock was een Stoke-fan, maar hij ging met Rob mee naar Vale omdat ze daar altijd lol hadden. Op de tribune vermaakten ze iedereen op natte grijze decemberdagen met verzonnen songs, of preciezer, leuzen van de reclameborden. De favoriet van Lee, die ze iedere keer dat ze gingen deden, was gebaseerd op de reclame voor Langport Fish Bar. De hele menigte haakte in: 'Langport Fish Bar' – klap, kap, klap. 'Langport Fish Bar' – klap, klap, klap. Het moet de tegenpartijen nogal hebben afgeleid. Een andere kreet was: 'High Lane Oat Cakes' – klap, klap, klap.' 'Het was te gek.'

Toen hij in Take That zat, is hij een middag overgelopen en heeft hij de aartsvijand van Vale, Stoke City, gesteund. Hij zou nooit naar een thuiswedstrijd van Stoke hebben durven gaan, maar deze wedstrijd was in Preston North End. Lee reed erheen met vrienden en haalde Rob onderweg op in Manchester: 'Hij leende de Stoke City-kousen en het Stoke City-shirt van mijn vriend en droeg die. Na de wedstrijd gingen we terug naar zijn hotel, een chique gelegenheid met een pianist, en hebben daar snooker gespeeld. We hadden allemaal, ook Rob, onze Stoke-shirts nog aan. Hij heeft mijn vriend zijn shirt nooit teruggegeven. Hij heeft het nog steeds.'

Rob draagt altijd graag voetbalshirts wanneer hij niet optreedt. Zijn collectie omvat onder meer een shirt met de clubkleuren van Brazilië, een van de Glasgow Rangers en een van een lokale club in Silverstone Crescent die Rob steunde door ze te voorzien van kleding. En natuurlijk heeft hij ook een shirt van Port Vale. In Niketown in Los Angeles heeft hij er een van Barcelona gekocht. Voetbal gaf hem inspiratie voor de hoesfoto van zijn derde soloalbum, *Sing When You're Winning*. De foto werd gemaakt op Stamford Bridge, het voetbalveld van Chelsea waar Rob met andere beroemdheden die dachten dat ze een beetje konden voetballen een aantal benefietwedstrijden speelde. Rob zegt altijd dat popsterren voetballers willen zijn en omgekeerd. Het blauwe shirt dat hij op de cd-hoes draagt en een gesigneerd suspensoir brachten £ 2.300 op voor de liefdadigheidsinstelling Give It Sum toen ze werden geveild in Londen. Hij speelt ook voor het elftal van de Stick and Whistle Pub in East End. Ze spelen op zondagmorgen in de Hackney/Leyton League.

Rob lijkt een nog enthousiastere supporter van Port Vale te zijn sinds hij is vertrokken uit Tunstall. Als hij een Vale-shirt droeg tijdens een Take That-tournee, betekende dat bijna gegarandeerd £ 1.000 extra inkomsten in de clubwinkel per week. Hij gaf Port Vale, opgericht in

1876, grote bekendheid. Hij had zelfs een tijdje een stoel met zijn naam erop op de tribune. Jonathan Wilkes is ook een groot fan en toen ze samen een huis deelden in Notting Hill, zaten ze altijd aan de buis gekluisterd tijdens *Final Score*. In de begintijd van Take That wandelde Rob vaak de heuvel af van Greenbank Road naar zijn vrienden die in de Port Vale-winkel en op het publiciteitskantoor werkten. Brian Toplass vertelt: 'Hij kwam vaak langs voor een kop thee en een praatje en daarna gaf ik hem een lift naar huis.'

Rob speelde in drie benefietwedstrijden voor zijn favoriete Valespelers. Iedere keer was er meer publiek dan bij een gewone thuiswedstrijd. De massa meisjesfans die kwam zie je normaal gesproken niet op zaterdagmiddag in Vale Park staan juichen. Zijn debuut bij Vale was in 1995 in een benefietwedstrijd voor Dean Glover tegen Aston Villa. De regen kwam met bakken uit de hemel en halverwege de eerste helft riep een grapjas uit het publiek: 'Kom op, Robbie, doe eens wat leuks!' Vlak na de rust kreeg hij zijn zin toen Vale een penalty kreeg. Rob, met nummer negen op zijn shirt, kwam naar voren en scoorde met een prachtige linkse waartegen de keeper kansloos was. Even later kreeg hij ruzie met de scheidsrechter, die hem een rode kaart gaf vanwege 'grof en beledigend taalgebruik'. Rob maakte een theatrale buiging naar het publiek en liep weg. Het was allemaal van tevoren afgesproken want er stond een witte Mercedes klaar om hem snel terug naar Londen te brengen. Coco Colclough vertelt: 'Het was zo komisch. Er was waarschijnlijk meer politie aanwezig bij die wedstrijd dan ooit voor een Vale-Stoke-derby.' Nadat Rob het veld had verlaten, ging Coco naar de kleedkamer om hem gedag te zeggen en kreeg te horen dat Rob over een paar minuten naar buiten zou komen: 'Op dat moment stonden er een paar meisjes. Ze kwamen uit Crewe en vroegen: "Ken je Rob?" Binnen tien minuten stonden er 500 meisjes. En ik. Rob komt naar buiten en zegt: "Sorry, sorry, hier is iemand met wie ik even wil praten." En ze gingen gewoon opzij voor hem. Hij komt naar me toe en zegt: "Oké, Coke," slaat zijn armen om me heen en zegt dat hij er snel vandoor moet naar Londen. Hij zegt: "Geef me je nieuwe adres en telefoonnummer." En ik zei: "Rob, denk je nou heus dat ik jou mijn adres en telefoonnummer geef met al die meisjes erbij. Dan krijg ik een maand lang honderden telefoontjes per dag van meisjes die vragen: 'Komt hij?"' Hij keek me even zwijgend aan en zei toen: "Ik begrijp het."'

Na de wedstrijd zei de manager van Vale, John Rudge, met de nodige ironie: 'Hij is niet de snelste ter wereld. Zijn agent heeft het over een contract van £ 5 miljoen pond, maar ik moet hem echt eerst nog een keer zien.'

Door zijn roem kon Rob zijn liefde voor voetbal uitleven. Door de jaren heen heeft hij veel getraind en hij is naar ieders mening tegenwoordig een betere speler dan hij als tiener in Tunstall was. Wanneer hij op tournee was, zag je hem vaak backstage ontspannen met het oefenen van zijn voetbaltrucjes, omgeven door zijn 'slaafse volgelingen', de pluimstrijkers die klaarstonden om hem vuur te geven of, in dit geval, de bal terug te schoppen als hij hem kwijt was geraakt. In mei 1999, niet lang na zijn doorbraak als solozanger met 'Angels', kwam hij met het vliegtuig uit Chicago – hij was voor een promotietournee in de Verenigde Staten – alleen om een wedstrijd te spelen voor Vale-aanvoerder Neil Aspin, die al tien jaar bij de club zat en een van Robs favoriete Vale-spelers was. Ze speelden tegen Leicester City. Rob maakte een doelpunt en bereidde er een voor voor een beroemdere voetballende Robbie, de spits van Wimbledon, Robbie Earle, die nu aan een nieuwe carrière is begonnen als commentator op televisie. Paul Gascoigne had moeten spelen maar kwam niet opdagen. Rob had een jetlag, maar wilde het toch doen voor Neil omdat hij 'een held en een topgozer' was. Hij vond zelfs nog tijd om zijn broek te laten zakken voor het publiek. Na de wedstrijd bleef Rob Neil bellen om te weten te komen of hij een video van de wedstrijd had omdat hij zijn doelpunt terug wilde zien. Neil vertelt: 'Hij bleef maar vragen: "Heb je mijn doelpunt gezien, Neil? Het was zo goed." Rob had het echt goed voor me gedaan.' De laatste keer dat hij in Vale Park speelde was in mei 2001, toen een andere clubsupporter, Martin Foyle, de begunstigde was. Jonathan Wilkes speelde ook en ze haalden hun goede vrienden Ant en Dec over om ook mee te doen.

Voetbal is een goed middel om je het gevoel te geven dat je ergens bij hoort. Als je een trouwe fan bent van een plaatselijke voetbalclub, hoor je bij een gigantische familie waarvan de duizenden leden een gemeenschappelijke band hebben. Een echte fan houdt vol, zelfs als zijn geliefde club tien wedstrijden op rij verliest, door een dal gaat waaraan zelfs de beste clubs op hun tijd niet ontkomen. Begin 2003 had Port Vale een schuld van meer dan £ 2 miljoen. Mensen bleven verwachten dat Robbie Williams zich op zou werpen als het beroemde gezicht van de club, zoals Elton John had gedaan in Watford. In artikelen in de *Sentinel* werd gespeculeerd of Rob zich erin zou mengen. Ze lieten buiten beschouwing dat Rob al verscheidene jaren niet meer was gezien op de tribune in Vale Park, niet meer sinds een ruzie tijdens een van de benefietwedstrijden. Op de tribunes gaat het gerucht dat Rob beledigd was door een incident op een borrel na een wedstrijd toen er, naar verluidt, werd gesuggereerd dat hij misschien wat te veel gedronken had en even rustig aan moest doen. Dat viel niet in goede aarde. En wanneer Rob eenmaal kwaad is, kan niets hem van gedachten doen veranderen.

Gezien deze ernstige verkilling is het niet waarschijnlijk dat Rob zich ooit nog in zal laten met een grootse reddingspoging van Port Vale. Elton John heeft hem al gewaarschuwd voor de valkuilen die een beroemde sponsor wachten. De tijd dat hij voorzitter bij Watford was, werd een nachtmerrie omdat iedere keer dat er iets uitlekte over mogelijke belangstelling van de club voor een speler, diens prijs verdubbelde. Coco Colclough zegt: 'Hier zeggen de mensen dat Rob Port Vale moet helpen omdat hij zoveel geld heeft. Deze gewone mensen lezen in de krant dat hij net £ 80 miljoen heeft gekregen, dus dat als hij een echte fan was, hij de club zou komen redden. Ik begrijp best waarom hij geen geld in de club wil stoppen. Het zou aardig zijn als hij overwoog om in ieder geval zo veel geld te geven dat er een bestuur zou komen met mensen die hij kan vertrouwen en dat misstanden binnen de club in de toekomst kan voorkomen.' Rob heeft al meer dan een miljoen terug laten vloeien naar liefdadige doelen in zijn geboortestad. En Port Vale is geen liefdadig doel. Het is niet waarschijnlijk dat hij de benarde toestand van de club in de toekomst zal negeren, al zal hij eventuele betrokkenheid nooit publiek maken. Aanhangers van complottheorieën hebben al opgemerkt dat de club onlangs een donatie heeft gehad van een niet met name genoemde weldoener uit Manchester. Eind april heeft een groep supporters, Valiant 2001, de leiding van de club op zich genomen en met een nieuw bestuur ziet de toekomst van Vale er wat zonniger uit. Een lid van de groep zei: 'Er is één ding dat Robbie Williams als kennelijke supporter voor Vale zou kunnen doen. Als hij één keer per jaar een Vale-shirt zou dragen op het podium of tijdens een concert, zou hij de club al kunnen redden.'

Toen hij opgroeide in Tunstall betekende Robs supporterschap van Vale een uitbreiding van het familiegevoel dat het stadje hem gaf. De gemeenschapszin deed hem goed en hij vond het vreselijk om die op te geven. Jammer, maar onvermijdelijk, verzwakte de band met zijn geboortestad toen hij beroemd werd.

David Beckham heeft kloten.

Deel 2

Take That

6 De prijs van de roem

Toen hij bij Take That ging, gaf zijn vriend Lee Hancock hem een brief en vroeg: 'Wil je dit tekenen, Rob?' Dus hij tekende in het volste vertrouwen. Toen hij hem omdraaide, stond er op de andere kant: 'Ik, Robbie Williams, verklaar bij mijn volle verstand dat ik de helft van mijn verdiensten aan Lee Hancock zal geven.' 'Hij is me veertig miljoen pond schuldig,' zegt Lee lachend.

Je moet kansen altijd met beide handen aangrijpen. Rob had het plan en het lef en de vaste overtuiging dat hij het zou gaan maken in de showbusiness. Maar een dergelijke ambitie is niets waard als je verder niets anders doet dan dagen op muurtjes zitten roken terwijl je eigenlijk dubbel glas moet verkopen. Gelukkig voor Rob geloofde Jan ook in zijn talent en, nog belangrijker, ze begreep dat haar zestienjarige zoon het niet ver zou brengen als hij in Tunstall bleef. Het is niet verbazingwekkend dat het Jan was die het verhaal in de *Sentinel* zag waarin een impresariaat een kandidaat zocht voor een nieuwe jongensband. Ze zette Rob, die in die tijd eerder de achterkant van een pakje sigaretten las dan de krant, ertoe aan een brief te sturen, zijn podiumervaring te noemen en te proberen een auditie te krijgen.

Het bureau in kwestie was van een ambitieuze dertiger, Nigel Martin-Smith genaamd. Eind jaren tachtig had hij de Amerikaanse tieneridolen New Kids on the Block gezien in een televisiestudio en was niet erg onder de indruk. Hij vertelde de popjournalist Rick Sky: 'Ik kon er niets aan doen, maar ik vond ze walgelijk. Ik vond ze heel verwaand, zoals ze in de studio rondliepen alsof die van hen was.' Maar al was Nigel dus niet onder de indruk van de groep, hij was dat wel van hun enorme succes. Bijna op iedere tienerkamer hing een poster van de groep uit Boston, die bestond uit Jordan, John, Danny, Donnie en Joey.

Alleen al in 1990, het jaar dat Take That werd geformeerd, verdienden ze naar men zegt $ 861 miljoen, waarmee ze de best verdienende jongensband aller tijden waren. Dat jaar hadden ze acht toptienhits in Engeland. Geen wonder dat Martin-Smith het idee had dat er ruimte was voor een band van eigen bodem om een graantje mee te pikken van dat succes. Hij had het geluk dat toen Take That langs kleine clubs in het land trok in de hoop beroemd te worden, de New Kids alweer uit waren.

Bepalend voor de toekomstige carrière van Robbie Williams was het feit dat New Kids on the Block uit vijf leden bestond. Als zij met zijn vieren waren geweest, had het allemaal anders kunnen lopen, want Rob werd er pas in tweede instantie bij gehaald. Martin-Smith had al vier jongens toen hij de jongen uit Tunstall op auditie liet komen. Zijn idee was dat de bandleden allemaal nuchtere, gewone jongens moesten zijn, werkloos misschien, aardig en zeker niet verwaand. (Hij wist duidelijk niet dat een van Robs bijnamen op school Swellhead – verwaande kwast – was.) Hij wilde ook een vijfde lid omdat hij wist hoe hard de jongens voor hun succes zouden moeten werken en bang was dat er een zou afvallen omdat hij die druk niet aan zou kunnen. Dus Rob werd aangenomen als een soort verzekeringspolis. Achteraf gezien had Nigel beter op de kleine lettertjes in Robs contract moeten letten. De ironie was dat de andere vier bandleden, Gary Barlow, Jason Orange, Howard Donald en Mark Owen, absoluut gewone jongens waren, terwijl Rob allesbehalve gewoon was.

Bij de beslissende bijeenkomst voor het verhaal van Take That was Rob niet betrokken. Die speelde zich af tussen Nigel en Gary Barlow, een jonge muzikant uit het noorden. Gary, die drie jaar ouder is dan Rob, groeide op in een goedkope gemeentewoning in Frodsham, een stadje in Cheshire, ongeveer veertig kilometer van Manchester. Toen hij tien was, mocht hij van zijn vader Colin voor Kerstmis kiezen tussen een BMX-fiets of een keyboard. Gary koos voor het keyboard, omdat hij Soft Cell bij *Top of the Pops* had gezien met hun nummer-éénhit uit 1981 'Tainted Love' en diep onder de indruk was geraakt van de groep. De zanger, Marc Almond, trok begrijpelijk de meeste aandacht, maar Gary's oog werd ook getrokken door David Ball, die keyboard speelde: 'Ik vond het verbijsterend klinken. Ik dank God dat ik voor het keyboard heb gekozen.' Als Jan Williams Rob voor dezelfde keuze had gesteld, had hij waarschijnlijk de fiets gekozen.

Binnen een paar weken kon Gary liedjes die hij op de televisie hoorde op zijn keyboard naspelen. Zijn vader besloot hem een beter model te geven en offerde zijn vakantiegeld op om er een te kopen van £ 600, een hele investering in een jongen van elf. Gary speelde letterlijk iedere minuut dat hij niet sliep op 'dat klere-instrument'. De afgelopen jaren is het afkraken van Gary Barlow een nationaal tijdverdrijf, maar hij was onweerlegbaar een vroegrijp talent. In tegenstelling tot Rob, wiens ambities vaag waren en die alleen maar wist dat hij de showbusiness in wilde, wilde Gary altijd alleen maar singer-songwriter worden. Toen hij van school af ging, was zijn held George Michael en hij had het vaste voornemen songs te gaan schrijven die even goed waren als 'Careless Whisper' en 'A Different Corner'. Hij was al een volleerd performer met een stijl die niet misplaatst zou zijn in *Peter Kay's Phoenix Nights*. Toen hij twaalf was, ging hij iedere zaterdagavond naar de Connah's Quay Labour Club in Noord-Wales om een medley te spelen van waardeloos niveau. Hij werd derde in een plaatselijke talentenjacht met zijn vertolking van 'A Whiter Shade of Pale'. De voorzitter van de club, Norman Hill, herinnert zich hem als een beleefde jongen, terwijl anderen nog weten dat hij zei dat hij een ster zou worden, de nieuwe Elton John. Klinkt dit bekend? Gary was net als Rob op die leeftijd uitgesproken mollig. Het is ironisch dat Gary en Rob, met alle vijandigheden die zouden volgen, heel erg op elkaar leken in hun overtuiging dat ze succes zouden krijgen en in hun bereidheid daar al op jonge leeftijd hard voor te werken.

Toen hij veertien was, verhuisde Gary van de Labour Club naar de Halton British Legion in Widnes bij Runcorn. Hij deed ieder weekend vier optredens en was pas om twee uur 's nachts klaar, maar hij verdiende er wel £ 140 per avond mee, een heel redelijk loon voor iemand die net jeugdpuistjes begint te krijgen. Dit was precies het soort gelegenheid waar Robs vader Pete Conway optrad. Gary herinnert zich dat Ken Dodd, Jim Davidson en Bobby Davro drie van de 'vaste performers' waren die hij begeleidde. Net als Rob had Gary het geluk dat hij een moeder had die al vroeg besefte waar de ambities en talenten van haar zoon lagen en bereid was hem te steunen. Marjorie Barlow was amanuensis op Gary's school, dus iedere keer als hij in de problemen raakte, werd er gedreigd hem 'naar zijn moeder te sturen'.

Op zijn vijftiende deed Gary mee aan een Pebble Mill-wedstrijd van de BBC, 'A Song for Christmas' geheten. In die tijd was Gary al begonnen met het schrijven van songs en hij deed mee met een ballade met de titel 'Let's Pray for Christmas', die zijn moeder te langzaam en saai vond, maar die Cliff Richard zeker gewaardeerd zou hebben. Tot zijn verbazing kwam zijn song op de shortlist en werd hij uitgenodigd om naar de opnamestudio te komen om de song te zingen met een orkest en achtergrondzangers. Hij kwam weliswaar niet verder dan de halve finale, maar legde wel een paar nuttige contacten, onder andere met Rod Argent die al sinds de jaren zestig in de muziekwereld zat en in de jaren zeventig een hit geschreven had: 'Hold Your Head Up'. Gary stuurde zijn songs ter beoordeling naar Rod en die had daardoor veel invloed op de ontwikkeling van Gary's stijl, die uiteindelijk de sound van Take That zou worden. Het is verbazingwekkend dat Gary al voor zijn zestiende verjaardag twee Take That-hits had geschreven: 'Why Can't I Wake Up With You?' en het gedenkwaardige 'A Million Love Songs'.

Anders dan de Rob en zijn vrienden in Tunstall, die weinig geld hadden, zwom Gary in het geld. Behalve wat hij verdiende met optreden, had hij inkomsten uit de verkoop van zijn piratentapes waarop hij populaire songs zong. Maar zijn pogingen om de aandacht te krijgen van platenmaatschappijen leidden tot niets. Ze vonden hem te jong. En Rick Astley kwam ook uit het noorden en kennelijk dacht men in Londen dat er maar ruimte was voor één zanger met een noordelijk accent in de hitparade. Ironisch genoeg was Astley oorspronkelijk drummer geweest in een band waarmee Gary gewerkt had.

Het probleem voor de ambitieuze Gary was dat hij er op geen enkele manier uit sprong. Hij geeft zelf toe dat hij de oninteressantste tiener ter wereld was: hij was dik, scheel en kon niet dansen. Bovendien had hij een van de minst coole namen uit de geschiedenis van de hitparade, slechts onlangs overtroffen door David Sneddon. Gary Barlow klinkt als de naam van een komiek uit het noorden – Gary 'Chubby' Barlow, vanavond in de Legion Club, Runcorn. Toen hij naar Londen ging en probeerde zijn songs onder de aandacht te brengen, droeg hij een pak en had hij een aktetas bij zich. Bij één maatschappij luisterde de verantwoordelijke persoon naar zijn cassette, stond op en gooide hem zonder pardon het raam uit. Er was echter ook iemand die zijn potentieel onderkende. Nigel Martin-Smith had net als zo ongeveer iedereen in de muziekbusiness een demo van Gary Barlow ontvangen, maar hij besefte dat hier iemand was die muziek kon schrijven voor zijn noordelijke New Kids, en met wie hij dus door de royalty's voor de muziek meer geld kon verdienen.

Toen ze elkaar ontmoetten, liet Nigel Gary een tape van de New Kids on the Block horen – Barlow had nog nooit van hen gehoord – en vertelde hem dat dat ongeveer de sound was waar hij naar op zoek was. Hij zei ook dat hij heel graag wilde dat Gary de zanger zou worden van de te formeren band: 'Ik zei hem dat ik volstrekt niet kon dansen, maar dat ik heel graag een ster wilde worden.' Nigel wist hem ervan te overtuigen dat het nog te vroeg was voor een solocarrière. In eerste instantie was Gary misschien niet zo enthousiast over het idee van een band, maar hij moest en zou in de voetstappen van George Michael treden, die Wham! als opstapje had gebruikt om soloartiest te worden. Dat was de loopbaan waar Gary van droomde. Met hem en vier Andrew Ridgeleys. Het probleem was om de vier juiste jongens te vinden.

Gary en Mike Owen waren al bevriend voordat ze onder de hoede van Martin-Smith kwamen. Ze hadden met elkaar gesproken in de Strawberry Studios in Manchester, waar Gary studiowerk mocht doen als onderdeel van zijn BBC-prijs en Mark vaak rondhing met een vriend of met zijn zus en voor de thee zorgde. Hij en Gary konden het goed vinden en Mark ging vaak mee naar optredens van Gary om spullen te sjouwen en thee te zetten. Uiteindelijk formeerden ze een band, de Cutest Rush, die optrad met een aantal van Gary's eigen songs en een aantal van de afgezaagde nummers uit zijn standaardrepertoire.

Verrassend genoeg nam Mark in die tijd de zang voor het grootste deel voor zijn rekening. De naam van de band was tamelijk flauw, maar heel toepasselijk omdat Mark klein en knap was, wat ook heel belangrijk was bij de ontwikkeling van Take That. Alle meisjes wilden hem optillen en knuffelen.

Mark, die was opgegroeid in een gemeentewoning in Oldham bij Manchester, was maar twee jaar ouder dan Rob en binnen Take That kon hij het best met hem opschieten. Net als zijn vriend uit Tunstill had Mark op een katholieke school gezeten en was hij gek op voetbal. Hij wilde profvoetballer worden, maar oefenwedstrijden bij Huddersfield Town, Rochdale en zelfs Manchester United brachten niet de doorbraak in zijn carrière waarop hij had gehoopt. Een liesblessure maakte een einde aan zijn dromen en hij ging werken in een lokale boetiek en daarna bij Barclay's Bank, waar hij nog werkte toen hij Gary ontmoette.

Een van de redenen waarom Mark en Rob het zo goed konden vinden, was hun gemeenschappelijke achtergrond. Terwijl Gary op zijn orgel oefende, acteerden zij in toneelstukken en speelden voetbal. En in de tijd dat Rob oefende op Frank Sinatra-songs, was Mark gek van Elvis en kleedde zich zelfs als de King, wat er erg grappig uit moet hebben gezien omdat Mark zo'n klein ventje was. Mark was al een knappe jongen van zichzelf en al vond hij het vreselijk als hij zo beschreven werd, toch deed hij in deze pre-Beckhamdagen al van alles aan zijn uiterlijk. Een van zijn leraren op school, Fred Laughton, vertelt: 'Hij kon heel goed voetballen, maar hij was een beetje een uitslover. Hij vond zijn uiterlijk belangrijk en kamde zijn haar voordat hij het veld op ging en als hij er weer af ging.' In de Zuttis-boetiek in Oldham, waar hij werkte, stond hij erom bekend dat hij zo modebewust was en zo veel geld aan kleren uitgaf.

Toen Nigel Martin-Smith Jason Orange en Howard Donald leerde kennen, traden zij al samen op. Ze waren atletisch, gespierd en getraind. Ze waren ook twee van de beste breakdancers van Manchester, een manier van dansen die nu al prehistorisch lijkt, maar een paar jaar geleden wilde iedereen die er een beetje bij hoorde het kunnen. Rob was geen uitzondering. Hij was er gek op. Hij ging in de weekenden met zijn vrienden naar Ritzy's club in Newcastle-under-Lyme om zijn techniek te perfectioneren. Zoë was er vaak ook en herinnert zich: 'Iedereen maakte de dansvloer vrij omdat ze echt keigoed waren. Rob was verbijsterend en ik stond altijd aan de kant naar hem te kijken. Dan zei hij tegen me: "Wat vind je van die beweging, die heb ik net geleerd." En dan zei ik: "Hij is te gek."'

Rob was dus een enthousiaste amateurbreakdancer, maar Jason en Howard waren professionals. Jason was de zoon van een buschauffeur uit Manchester en een van zes broers. School zag hij niet zitten, maar hij was gek op dansen. Toen hij in het kader van een werkgelegenheidsproject voor jongeren als huisschilder werkte, begon hij in het centrum van de stad op straat op te treden als danser. Howard kwam ook uit een groot Manchester gezin. Hij had vaak gespijbeld van school om te oefenen met dansen en toen hij van school af ging, kreeg hij ook een baan als huisschilder via het jongerenproject. De twee leerden elkaar kennen in club Apollo in Manchester toen ze in concurrerende breakdance-clubs dansten, maar ze vonden zichzelf allebei het beste van iedereen. Howard was opgegroeid met dansen, zijn vader Keith was leraar Zuid-Amerikaanse dans en was zelfs op de televisie geweest in *Come Dancing*. Toen Jason en Howard samen de Street Machine vormden, gingen ze meedoen aan wedstrijden, en werden zelfs derde bij de wereldkampioenschappen. Deze achtergrond was van onschatbare waarde toen zij gingen werken aan de danspasjes voor de flamboyante Take That-nummers.

Jason en Howard hadden Nigel Martin-Smith benaderd in de hoop dat hij hen als hun agent op een professionele manier zou willen presenteren. Dankzij zijn goede neus voor mooie kansen kreeg hij de ingeving hen te combineren met Gary en Mark. Op deze manier had hij dansers op de achtergrond die de aandacht af konden leiden van Gary, die hopeloos was op dat gebied, hij had een aantrekkelijke teddybeer in Mark en hij had Gary zelf, een zeer veelbelovend singer-songwriter. Zijn noordelijke Kids waren bijna compleet. Het ontbrekende element was aan het lanterfanten in Stoke-on-Trent.

Jan reed Rob naar Manchester voor de auditie bij de band. De andere vier waren er al en Gary stelde zich voor met een: 'Hoi, ik ben Gary Barlow en ik ben de zanger,' waar Rob niet erg van onder de indruk was. Maar iedereen leek best aardig. Nigel had Rob gevraagd om de song 'Nothing Can Divide Us' van Jason Donovan voor te bereiden, een typisch hitparadenummer van Stock, Aitken en Waterman. Het was in 1988 de eerste hit in Engeland geweest van de Australische soapster en bepaald niet van het niveau van 'Mack the Knive'. Maar Rob had het voordeel dat hij al veel ervaring had met audities en hij wist een aardige vertolking te geven. Het zou in elk geval heel moeilijk zijn geweest om het slechter te doen dan het origineel. Nigel zei dat hij de song had gekozen omdat hij zo moeilijk was om te zingen en hij wilde zien wat Rob ervan zou maken. Intussen ging Jan naar Nigel om uit te zoeken wat nu precies de bedoeling was en wat hij van plan was. Jans zakelijkheid is van onschatbare waarde geweest voor Rob toen zijn carrière en zijn rijkdom een hoge vlucht namen. Vanaf het begin liet ze hem niets tekenen wat riskant was. Nigel gaf toe: 'Ze stelde twintig vragen en legde me het vuur aan de schenen.' Uiteindelijk werd Jan gerustgesteld door het bedrag dat Nigel zelf in de band investeerde: £ 80.000,-.

Rob kon alleen maar teruggaan naar Tunstall en afwachten of hij van Nigel en de rest van de band groen licht zou krijgen. De middag dat het telefoontje kwam, had hij de 'Fantafles-cocktail' gedronken en daarna bowls gespeeld met Lee Hancock. Vroeg in de avond wankelden ze bij Jan naar binnen en zijn moeder vertelde hem opgewonden: 'Nigel belde dat je aangenomen bent!' Lee herinnert zich: 'Zijn zus Sally rende naar Bargain Booze om biertjes te halen.'

Aanvankelijk noemde Nigel de nieuwe vijfkoppige band Kick It, niet bepaald een goede keuze. Rob was de jongste van de band. Met zijn zestien jaar was hij vier jaar jonger dan Jason, drie jaar jonger dan Gary, twee jaar jonger dan Mark en wel zes jaar jonger dan Howard. Er is een wereld van verschil tussen een zestienjarige en iemand van 22. Gary, die vanaf zijn geboorte al van middelbare leeftijd was, beschreef Rob als 'een heel aardig gozertje'. Rob zou heel jonge fans aantrekken voor de groep als het brutale aapje van de band, een goede allrounder zonder speciale talenten; tenminste, dat was het eerste idee, waar iedereen later op terug moest komen. Rick Sky maakte kennis met de bandleden toen ze voor de eerste keer aan de nationale pers werden voorgesteld. Hij was onder de indruk van Gary's talent, Mark was 'heel lief', Howard en Jason hadden 'goede lijven' en Robbie, zoals zijn artiestennaam nu luidde, 'had honderd keer meer charisma dan de rest'. Was er ruimte voor meer dan één ster in Take That?

Doorbreken was niet makkelijk, verre van dat zelfs. Rob was heel blij toen hij hoorde dat hij mee mocht doen. Er is een beroemde foto van hem dat hij uit het raam van zijn slaapkamer in Greenbank Road hangt en luid schreeuwt dat hij een ster gaat worden. Niet iedereen was even overtuigd. De dag voordat hij naar Manchester vertrok was hij met zijn moeder in de vestiging van Tesco in Trente Vale, waar ze Brian Rawlins tegen het lijf liepen, die Fagin had gespeeld naast Robs Dodger: 'Hij vertelde wat er aan de hand was, dat hij wegging om bij die band te gaan. Ik weet nog dat ik zei: "Denk je dat dat verstandig is?" Ik zou hem niet hebben laten gaan en ik weet nog dat ik dat zei. Ik leidde op dat moment een jeugdtheatergroep en ik zag zo veel kinderen vertrekken in de heilige overtuiging dat ze een ster zouden worden. Dat heb ik hem gezegd. Ik werkte in het onderwijs en had liever gezien dat hij op school was gebleven. Ik herinner me dat ik Jan vroeg: "Wat weet je van die mensen aan wie je hem toevertrouwt?" Ze antwoordde dat ze hoopte dat het allemaal goed zou gaan want dat ze er heel wat in geïnvesteerd had. Ze had nieuwe kleren voor hem gekocht en zo. En ze zou zijn onderdak in Manchester moeten betalen.'

Een rode draad in het leven van Rob is zijn behoefte aan bevestiging, zijn verlangen om geaccepteerd te worden en ergens bij te horen. Hij was de laatste die bij de band kwam, net als hij als laatste op de middelbare school kwam. Op St. Margaret Ward wilde hij bij de 'stoere jongens' horen en bij Take That was dat net zo. Zijn vriend uit Tunstall Paul 'Coco' Colclough vertelt: 'Ik denk dat ze een beetje een gesloten groepje vormden in Take That. Rob voelde zich altijd een buitenstaander.' Het is ironisch dat tegen de tijd dat hij volledig geaccepteerd was, hij de groep ontgroeid was. Hij zou Take That ontgroeien net zoals hij Tunstall was ontgroeid. Een van de eerste eisen van zijn nieuwe leven was dat hij zich Robbie moest noemen, iets wat hij niet leuk vond en wat al heel vroeg in zijn carrière betekende dat de entertainer Robbie Williams een alter ego werd van Rob Williams, de jongen uit Stoke-on-Trent. Coco vertelt: 'Zijn manager noemde hem Robbie en ik kan je vertellen dat hij dat vreselijk vond. Het verbaast me een beetje dat hij de naam gehouden heeft. Ik denk omdat hij hem zo'n succes heeft gebracht. Waarschijnlijk kan hij hem nu niet meer veranderen. Al hij je voorbijloopt op straat en je roept Robbie, kijkt hij niet op of om. Maar als je zou zeggen "Oké, Rob," zou hij zich meteen omdraaien omdat hij dan weet dat het een van zijn vrienden is.'

Robbie Williams is echt een naam voor iemand in een jongensband. Hij roept het beeld op van een jongen met een pony en een brede grijns. Er stond nog meer te gebeuren. Plotseling had Robert Peter nog een naam: Maximilian. Deze naam was volkomen uit de lucht gegrepen, maar hij duikt nog steeds op in krantenartikelen als een van de namen die hij bij zijn geboorte zou hebben gekregen. Rob liet alles gebeuren, deels omdat hij een beetje bang was voor Nigel en deels omdat hij, ondanks zijn wekelijkse oefening in Ritzy's club, nog steeds achter was wat betreft zijn danskunst, die eerder het niveau van Gary had dan dat van Howard en Jason. Hij zei hierover: 'Ik was vreselijk. Ik deed steeds alles verkeerd.'

De naam Take That ontstond, zoals het altijd schijnt te moeten gaan met dit soort dingen, bij toeval. Ze zagen een sexy foto van Madonna met het bijschrift Take That en vonden dat meteen geweldig. Mark Owen vertelde: 'We vonden het pittig klinken en het had ook iets verrassends. We wilden per se een originele naam.' Eerste noemden ze zich Take That and Party, maar de laatste twee woorden lieten ze vallen toen ze hoorden dat een Amerikaanse band The Party heette. *Take That and Party* werd toen de titel van hun eerste album.

De danstraining leek eindeloos te duren. Rob had strenge instructies om fit te worden en te blijven. Roken en drinken zoals hij in Tunstall deed was, in ieder geval tijdelijk, uit den boze. Zelfs als hij even thuis was, moest hij zich aan de strenge regels van Nigel houden en naar de sportschool gaan. Coco, die vaak met hem meeging naar Power House Gym op het industrieterrein in Newfield, vertelt lachend: 'Er waren altijd veel bodybuilders. Rob was niet echt groot, al had hij een gespierd lijf. We gingen er vaak heen en zaten tussen al die kerels met hun opgezwollen aderen die zich uitsloofden met al die enorme gewichten. Rob en ik moesten ons best doen er een te vinden dat we op konden tillen!'

Rob maakte zich ook altijd zorgen om zijn gewicht, dat omhoogschoot zodra hij een zak chips at en een paar biertjes dronk. Zoë Hammond herinnert zich dat ze hem een keer tegenkwam nadat hij kennelijk een zwaar weekend in Manchester achter de rug had. Hij vroeg haar klagerig: 'Ik ben toch geen vetzak, hè?' Een andere keer toen hij het heel moeilijk had, zei hij tegen haar: 'Het is niet zo zwaar, maar af en toe ben ik het zat en wil ik gewoon weg.' Zoë gaf hem raad: 'Beloof me dat je eerst tot tien telt voordat je iets zegt of doet wat niet nodig is.'

Een goede raad, maar Rob heeft hem niet altijd opgevolgd.

Uiteindelijk vond Nigel, na zes maanden repeteren, dat de jongens klaar waren voor hun eerste optreden. Zoals het traditioneel bij poplegendes hoort, waren er bij Flicks in Huddersfield maar enkele mensen om de band zich door hun eerste publieke optreden heen te zien blunderen. Hun uiterlijk was die eerste keer heel overdreven. Nigel had ze allemaal in strakke leren pakken gestoken zodat ze eruitzagen als de motorrijder van de Village People. Nigel boekte de jongens in homoclubs door het hele land, wat grote gevolgen zou hebben zowel voor de toekomst van de band als geheel als voor die van Robbie als soloartiest. Met dit nederige, kleinschalige begin was de groep in staat om een aanzienlijk aantal homoseksuele fans enthousiast te krijgen, die Robbie tot de dag van vandaag aan zich weet te binden.

De homoseksuele indruk die Take That had gemaakt werd verder versterkt door de eerste televisieoptredens. Nigel was bevriend met een voormalige journalist van *Smash Hits*, Ro Newton, de producent van het muziekprogramma *Cool Cube* dat korte tijd werd uitgezonden op de zender BSB. Nigel haalde Ro over om een keer naar de jongens te komen kijken en die was zeer onder de indruk van hun danskwaliteiten en hun zangstemmen. Gary schreef een paar nieuwe songs voor hun eerste optreden, maar wat het allerbelangrijkst was, Nigel was vastbesloten om deze kans om opgemerkt te worden helemaal uit te baten. Ze bleken populair genoeg om nog een paar keer gevraagd te worden. In één programma droegen ze rode fluwelen bomberjacks en superstrakke fietsbroeken die weinig aan de verbeelding overlieten. Ro bekende later dat hij er 'zijn twijfels' over had gehad.

Nigel kon geen platencontract voor de jongens bemachtigen, dus besloten ze hun eerste single, een pakkend disconummer met de titel 'Do What U Like', uit te brengen op zijn eigen onafhankelijke label, Dance UK. Het kwam slechts op nummer 82 in de hitparade. Veel belangrijker was de eerste video, die was geproduceerd door Ro Newton en Angie Smith, die bij het culttelevisieprogramma *The Hitman and Her* had gewerkt, dat gepresenteerd werd door Pete Waterman en Michaela Strachan. De beroemde video werd bekend als de 'jelly video'. De jongens deden een adembenemend dansnummer in hun leren outfit.

Oorspronkelijk was het de bedoeling dat de video zou eindigen met een close-up van de blote kont van een van de jongens omgeven door drillende rode gelatine. Het probleem was wiens billen het moesten zijn. De jongens, competitief als altijd, kregen ruzie over wie het meest fotogenieke achterwerk had. Uiteindelijk besloot Angie dat hun derrières op auditie moesten. 'Het was verbijsterend,' vertelt ze. 'Ik heb nog nooit vijf mensen zo snel uit de kleren zien gaan. Robbie wilde heel graag!' Uiteindelijk kwamen ze allemaal met hun blote billen in de video.

De video werd opgenomen in Manchester en na afloop trakteerde Nigel iedereen op een etentje in Bredbury Hall in Stockport. Gary, de jongen met het talent, stond op en zong de gasten een paar van zijn vaste nummers toe, waaronder songs van Barry Manilow en Lionel Richie. Naderhand merkte Angie dat zelfs de obers hem fantastisch vonden. 'Ik besefte toen wat een getalenteerd zanger en muzikant hij was,' dweept ze. Terwijl Gary Meneer Talent was, ging Robbie net als vroeger in de klas de clown uithangen.

De video, waarvan een gekuiste en een ongekuiste versie werd gemaakt, was voor het eerst te zien in *Hitman and Her* in juli 1991, slechts tien maanden nadat de band officieel was opgericht. Sally Williams gaf tegenover Rick Sky toe dat zij en Jan er nogal door geschokt waren. Hoewel de plaats die ze op de hitlijst bereikten met 'Do What U Like' erg teleurstellend was, moet je een en ander in perspectief zien: Rob was pas zeventien en had al een plaat gemaakt, hij verscheen op televisie en meer mensen dan hij ooit had kunnen dromen hadden zijn achterwerk gezien. Radio 1 was, heel typerend, niet geïnteresseerd in de plaat en wilde de jongens ook niet in de *Radio 1 Road Show*. Gelukkig brachten hun andere televisiewerk en hun talrijke optredens geleidelijk een vloedgolf van belangstelling op gang, die voor Nick Raymond, hoofd van A&R Artists & Repertoire bij de platenmaatschappij RCA, aanleiding was om naar Slough te reizen om ze te zien optreden. Het beviel hem. Voor hem was het vooral hun natuurlijke enthousiasme dat het hem deed. RCA bood hun een contract aan, maar ondanks die meevaller was het succes van de groep nog niet gegarandeerd.

In september 1991 werd een platencontract met RCA getekend, een jaar na de officiële oprichting van de groep. Het was een zwaar jaar geweest voor Rob en de anderen. Rob had bij zijn moeder Jan aan moeten kloppen om de treinkaartjes en de hotelkamers te betalen. Ze reisden bepaald niet in stijl naar hun optredens, op elkaar gepropt in Gary's auto, of toen hij die had verkocht om een nieuw keyboard te kopen, in een oude, gammele bestelwagen. Thuis klaagde Rob altijd tegen Coco Colclough en zijn andere vrienden dat hij blut was: 'Hij zei dat hij £ 25 had gekregen voor een optreden. En dat hij alleen iets kreeg als ze een goede avond hadden gehad. Het betaalde niet meer dan een krantenwijk. Vijfhonderd kilometer heen en vijfhonderd kilometer terug, je helemaal geven als danser en wat ook, en dat allemaal voor 25 pond. De helft van de keren dat we uitgingen moesten we zijn taxi naar huis betalen. Ik zei altijd: "Rob, je bent stapelgek!"' Rob had de luxe van een optreden in zijn eigen stad, een openluchtconcert in Stoke, waar het regende dat het goot, waardoor de vloer van het houten podium gevaarlijk glad was. Het werd hilarisch toen de jongens het podium op kwamen rennen toen er hard geapplaudisseerd werd en ze allemaal onderuitgingen.

Hoewel het contract met RCA betekende dat de bestelwagen vervangen werd door een limousine, had Rob nog steeds weinig geld. Door de gemeenschappelijke ambitie het te maken werden alle scheuren in het verenigd front snel gedicht. Hun eerste publiciteitsagent Carolyn Norman weet nog hoe ze op een avond allemaal op Rob zaten te vitten omdat hij een dansstap had verprutst hoewel hij duidelijk zijn best had gedaan. Al vanaf het begin leek al het gemopper tegen Rob gericht.

In 1991 begonnen meisjes Take That te ontdekken dankzij een doordacht mediaoffensief in tienerbladen als *Jackie* en *Just Seventeen*. De bedoeling was de band te promoten als aardig voor fans, altijd bereid interviews te geven, waarbij Rob gewoonlijk iedereen aan het lachen maakte, en mee te doen aan wedstrijden. Een meisje dat in een wedstrijd een dagje met Take That had gewonnen, mocht niet met hen mee van haar vader toen ze voor kwamen rijden in hun gammele gele bestelwagen. Carolyn moest al haar overtuigingskracht gebruiken om haar vader te doen geloven dat het oké was omdat ze alleen maar naar Alton Towers zouden gaan. Het deed de reputatie van de band ook geen kwaad toen meisjesfans een groot raam met spiegelglas in een nachtclub ingooiden in een poging de nieuwe tieneridolen te zien – zo ging in elk geval het verhaal, dat de belangstelling flink warm hield.

Take That ging ernaar streven deze nieuwe doelgroep van meisjes onder de achttien te veroveren. Het eerste dat na het tekenen van het contract met RCA overboord ging, was de Village People-outfit. In plaats daarvan droegen ze nethemden op de promotietournee voor hun tweede single, weer een song van Gary, een overgeproduceerd disconummer met de titel 'Promises'. Hij kwam binnen in de hitparade op nummer 38, beter dan 'Do What U Like', maar niet iets om opgewonden van te raken, al vond iedereen het een goed begin. De week daarna was hij al uit de topveertig. De derde singel, 'Once You've Tasted Love', was een flop die niet eens in de topveertig kwam en slechts een armzalige vijfenveertigste plaats bereikte. Ze boekten gewoon geen vooruitgang. Als ze zo'n armzalige mislukking in 2003 hadden gehad, zou dat hoogstwaarschijnlijk het einde van Take That hebben betekend.

Platenmaatschappijen hebben tegenwoordig weinig geduld; vraag dat maar eens aan Robs vriend Jonathan Wilkes. Daar staat tegenover dat in 1991 een toptienhit een veel grotere prestatie was. Ze hadden ook hun eerste album opgenomen, een aanzienlijke investering van RCA, maar het had geen zin om dat uit te brengen terwijl de band 'niets deed'.

Nigel bedacht een briljante strategie. Hij legde contact met de Vereniging voor Geboorteplanning en stuurde de jongens op de 'Big Schools Tour' tijdens welke ze veilig vrijen propageerden en ondertussen de band plugden. Soms gaven ze wel vier miniconcerten op een dag. Het bleek een enorm succes om de jongens de boodschap onder 50.000 jongeren te laten verspreiden voordat ze hun nieuwe singel uitbrachten, een cover van een song van Tavares uit de jaren zeventig, 'It Only Takes A Minute'. Wederom was het meer *Saturday Night Fever* dan new wave. Hij kwam binnen op nummer zestien, maar deze keer bleef hij stijgen en bereikte uiteindelijk de zevende plaats. Ze vierden het in een restaurant in Fulham, La Reserve. Buiten stond een horde meisjes met hun neus tegen het raam gedrukt, een voorbode van de dingen die komen zouden. Ze waren doorgebroken en vanaf dat moment zou het alleen maar beter gaan.

Rob heeft prinses Margaret ontmoet toen zij als eregast aanwezig was op het Children's Royal Variety Performance. Het was goede publiciteit voor Take That, want ze zei tegen hen dat ze zo genoten had van hun dansen. In juni 1992 kwamen ze voor het eerst in *Top of the Pops*, met een live nummer, waarmee het Take That-tijdperk voor het beroemde popprogramma begon. De producent van het programma, Jeff Simpson, beschreef Take That als een 'buitenkansje': 'Eindelijk gebeurde er weer iets in de muziek. Zij brachten met regelmaat wat het programma zo wanhopig nodig had: sensatie.' Rob was verbijsterd toen de groep voor het eerst in het programma optrad: 'Iedereen zag er zo verveeld uit. Ik begreep niet waarom ze het niet fantastisch vonden om voor *Top of the Pops* te werken. Ik vond dat wel!'

De opwinding en de glans van het bestaan als volwassen popster werden bij Rob enigszins getemperd door wat er op het thuisfront gebeurde. Zijn thuis was nog steeds Greenbank Road, maar zijn pogingen om zijn normale leven in Tunstall voort te zetten werden steeds meer gedwarsboomd. Rob hoorde in Stoke-on-Trent. Hij werd er geaccepteerd en was er gelukkig. Het was zijn stekkie en de gemeenschapszin en vanzelfsprekende vriendschappen waren enorm belangrijk voor hem. Toen dat wegviel, verdween de zo belangrijke basis van zijn persoonlijkheid en geluk. Hij hoorde nu niet meer zomaar bij de hechte gemeenschap in zijn geboortestad, maar men begon hem te zien als een beroemde gast.

In het begin waren het wat onbeduidende dingen. Toen hij wat nummers in de jukebox in de pub de Talisman wilde kiezen, riep iemand: 'Niet van die Take That-troep!' Een keer in een weekend kwam hij de vader van Zoë, Tony, tegen op de stoep van een club in Newcastle-le-under-Lyme: 'Weet u Mr. Hammond, ik heb een probleem. Deze idioot wil me niet binnenlaten. Ze hebben gezegd dat er geen sportschoenen en geen spijkerbroeken binnen mogen. Hij weet heel goed wie ik ben. Hij zit me gewoon te treiteren want hij zei: "Vanavond niet, schatje," nog voordat ik iets gezegd had.' Tony stapte op de portier af en probeerde een goed woordje te doen voor Rob: 'Laat die jongen toch binnen. Hij doet toch niets verkeerds. En hij komt van ver.' Maar de uitsmijter, een ongelooflijke stijfkop, bleef bij zijn standpunt. Tony stelde voor ergens anders wat te gaan drinken, maar Rob zei: 'Nee, aardig van je, maar ik heb het gehad voor vanavond.' En met die woorden deed Robbie Williams zijn jas uit, zwaaide hem over zijn schouder en liep met een 'het kan me geen moer schelen'-huppeltje fluitend weg. Tony Hammond dacht dat het hem wel degelijk dwarszat, dat Rob achter zijn stoere houding eigenlijk dacht: 'Ik kom op bezoek bij mijn moeder en ik kan verdomme niet eens een pilsje gaan pakken.'

Ik ben nog steeds de gewone buurjongen – tot ik verhuis.

7   Aan de top

Onderweg van school naar huis zag Rob op een middag Jims vrouw Joan in de tuin. Hij schreeuwde naar haar: 'Mevrouw Peers, ik ga morgen auditie doen voor een band.' Joan antwoordde lachend: 'Kom maar terug als je beroemd bent geworden om ons een handtekening te geven.' Ongeveer twee jaar later stond Take That hoog in de hitparade en werd er op de deur geklopt. Het was Rob die zijn handtekening kwam brengen en tegen Joan zei: 'Ik hoop dat ik nu beroemd genoeg voor u ben.'

'Hallo Brian,' klonk de vertrouwde stem vrolijk. Brian Rawlins stond in de rij voor koffie en broodjes in de restauratiewagon in de trein van Londen naar huis. Toen hij zich omdraaide, zag hij een jongen met 'een malle wollen muts' op die hij niet kon plaatsen. 'Robbie,' zei de jongen behulpzaam. Toen had Brian door dat het Robert Williams was, die hij voor het laatst had gezien in Tesco in Trent Vale, op de dag voordat hij zou vertrekken op zoek naar roem en rijkdom met een jongensband. Dat was maar een paar jaar geleden, maar hij herkende hem niet en verontschuldigde zich: 'Ik zei dat het me speet, vooral omdat ik net had gelezen dat hij een prijs had gekregen voor het een of ander. Ik weet nog dat ik verbaasd was dat hij zich Robbie noemde. We gingen samen terug naar onze wagon en kletsten de rest van de reis naar Stoke, zeer tot verbazing van de man naast me, die hem duidelijk had herkend en met grote oren meeluisterde.

We hebben het onder andere over geld gehad. Ik vroeg hem hoe het ging en hij zei dat het in ieder geval niet waar was dat hij bakken met geld verdiende. Op dat moment was dat inderdaad duidelijk niet het geval. Hij was al heel beroemd, maar ik had de indruk dat hij het moeilijk had. Hij reisde nog steeds tweedeklas in de trein naar Stoke. Beroemde mensen reizen niet tweedeklas, omdat ze daar de kans lopen lastiggevallen te worden door gewone mensen.'

Op dat moment wist Brian Rawlins niet dat Rob ernaar snakte om gewóón te zijn. Hij ging naar huis, zoals die bewuste middag, om zich te ontspannen en te proberen contact te houden met het gewone leven. Hij ging poolen met zijn oude golfmaat Tim Peers in de Ancient Briton. Tim vertelt over de keer dat hij binnenkwam met Mark Owen voor een spelletje toen ze onderweg waren naar een optreden in een homoclub in Londen. 'Er stond een helikopter voor hen klaar maar ze wilden eerst een potje poolen. Mark Owen was een kleine jongen, maar een goede gozer.' Rob nam zijn vader Pete mee naar de golfbaan in Burslem en ging daarna een pilsje met hem pakken. Hij ging naar karaoke-avonden in de Talisman en zong 'Mack the Knife'. Hij ging skeeleren in de vertrouwde buurt in Tunstall. Hij ging met zijn vrienden stappen in de plaatselijke clubs en cafés. Dat verbaasde Zoë Hammond: 'Hij dook ineens op en ik zei: "Ik denk niet dat ik dat zou durven," en dan zei hij alleen: "Ach, de meeste mensen hier kennen me," omdat het Stoke-on-Trent was, maar ik dacht altijd, er lopen nog steeds eikels rond die je niet met rust laten omdat je beroemd bent. Ik zei: "Je bent dapperder dan ik."' Hij ging graag dansen. Een keer toen zijn vrienden hem ophaalden om naar Shelley's in Newcastle-under-Lyme te gaan waren ze verrast door zijn outfit. Coco Colclough vertelt: 'Hij droeg een zwart hemdje, een zwarte fietsbroek en zwarte Reebok-schoenen met opgerolde sokken. Hij zag eruit als de danser uit *The Hitman and Her*. Hij ging dansen!'

Na al het harde werken kwam de grote roem ineens heel snel in 1992 en die bereikte een hoogtepunt toen de band bijna iedereen van tafel veegde op de Winners Party van *Smash Hits*, terwijl ze toen nog niet eens een nummer-éénhit hadden gehad. Ze wonnen zeven prijzen: de prijs met de bescheiden naam Best Band in the World, Best British Band, Best Album, Best Single en Best Video. Mark Owen won – zoals gebruikelijk zou worden – Best Haircut en Most Fanciable Male. Met zijn gulle lach was Mark, zoals te verwachten was, het populairste bandlid bij de tienerfans. Zijn gemakkelijke overwinning in de *Celebrity Big Brother* van 2002 was een blijk van zijn uitzonderlijke populariteit nog een maar een paar jaar daarvoor. De media vergeten kennelijk veel sneller dan een generatie idolate fans.

Het eerste album *Take That and Party* kwam op nummer twee en de videoclip van het album stond veertien weken nummer één in de videohitparade. Ze gingen op een wereldwijde tournee langs HMV-winkels, maar duizenden meisjesfans zorgden voor gekte en schopten herrie bij de eerste paar optredens. In Manchester, waar 5000 meisjes kwamen om hun idolen te zien, moesten de jongens de winkel uit gesmokkeld worden vermomd als politieagenten om te voorkomen dat ze aan stukken gescheurd zouden worden door de aanbidders. HMV zei de rest van de tournee af om veiligheidsredenen, wat niet slecht was voor de groeiende reputatie van de band. Belangrijker was dat ze de platenmaatschappij zover hadden gekregen 'A Million Love Songs' uit te brengen, een ballade die Rick Sky heeft vergeleken met 'Careless Whisper' van George Michael, tot groot genoegen van Gary Barlow. De song die begint als een soulnummer met een saxofoon had veel meer niveau dan hun dansmuziek en opende de ogen van de critici en het platenkopende publiek, dat tot dan toe Take That te makkelijk had afgedaan als eendimensionale disco.

In bepaalde opzichten vertoont 'A Million Love Songs' overeenkomsten met 'Angels', de hit die later het keerpunt zou worden in de solocarrière van Robbie Williams. Geen van beide nummers bereikte de eerste plaats in de hitparade, maar beide zijn aantoonbaar hun populairste songs geworden. Een klassieke ballade is de beste manier om de publieke opinie te veranderen en je populariteit te vergroten. Gary Barlow erkent dat de song de carrière van Take That heeft veranderd: 'Veel mensen dachten dat het een doodskus zou zijn en er waren veel ruzies, maar uiteindelijk kregen we onze zin en werd het nummer uitgebracht.' In de media werd al snel algemeen bekend dat Gary de song in vijf minuten had gecomponeerd toen hij pas vijftien was, waardoor het vertrouwen in hem en de band aanzienlijk toenam. Tegenwoordig lijkt veel van het Take That-repertoire gedateerd, typisch muziek uit het begin van de jaren negentig. 'A Million Love Songs' is echter een tijdloze klassieker.

Dit was het perfecte tijdstip voor Take That om afscheid te nemen van de homotenten en de scholen en voor de eerste keer echt op tournee te gaan. De tournee begon in Newcastle-under-Lyme. De recensie in de *Daily Mirror* was laaiend enthousiast en vermeldde dat de jongens 'Michael Jackson naar de kroon staken wat dansen betreft'. Vlak voor de tournee begon, raakte Rob zijn stem kwijt en moest hij snel een bezoek aan de dokter brengen. Take That benaderde een concert als een belangrijke voetbalwedstrijd, een houding die Rob als soloartiest nog steeds heeft. Nigel riep de jongens bij elkaar en pepte ze op als een coach die zijn elftal de grasmat op stuurt: 'Samen sterk. Maak ze af!' Soms ging dat enthousiasme te ver, bijvoorbeeld toen Rob met zijn vinger per ongeluk in Howards tepelring bleef haken, vreselijk pijnlijk voor de mooie jongen, die Rob de rest van het concert steeds hard probeerde te schoppen tijdens het dansen. De tournee was een fantastisch succes.

Rob was persoonlijk een rijzende ster. Eerder die zomer was hij voor het eerst als leadzanger opgetreden met 'I Found Heaven'. Met Kerstmis nam hij weer de centrale plaats in bij het nummer 'Could It Be Magic', de eerste topdriehit van de jongens. Rob, compleet met bakkebaarden, trok ook de aandacht op de bijbehorende videoclip. Ten gevolge van deze enorme publiciteit liep de aandacht van de fans in Tunstall snel uit de hand. Nigel had iedereen vanaf het begin gewaarschuwd dat áls ze zouden doorbreken, hun leven zou veranderen, dat ze geen privacy meer zouden hebben en dat ze ervoor moesten zorgen dat ze hun hele leven geheimhielden, niet alleen hun telefoonnummer. Elke paar maanden zijn telefoonnummer veranderen was nog maar het begin voor Rob. Wat moet je doen als de man van de telefoondienst een fan is, of als de vader van een fan politieman is? Het wordt onmogelijk om het geheim te houden. Zelfs zijn oma moest een nieuw telefoonnummer nemen. Vrienden die Rob eerder lekker hadden zien skaten in zijn vrije tijd, zagen hem nu gehaast over straat lopen, achtervolgd door een legertje hysterische meisjes. Hij ontving zakken vol post gericht aan 'Robbie Williams, Stoke-on-Trent', zonder verder adres. Uit heel Europa kwamen meisjes naar zijn huis. Ze zochten in het telefoonboek nummers op en belden willekeurige mensen op met de vraag of ze wisten waar Robbie was. En als dat niets opleverde, draaiden ze het netnummer van Stoke-on-Trent en vervolgens een willekeurig nummer met de oneindig kleine kans dat het dat van Robbie zou zijn.

Eén keer zat Rob in een kroeg in Tunstall, de Cheshire Cheese, toen de telefoon ging. De barman nam op en riep vervolgens naar de tafel waar Rob zat: 'Telefoon uit Italië en ze vragen naar jou, Rob.' Iedereen was verbijsterd dat het Italiaanse meisje het geluk had – een kans van één op een miljoen – toevallig precies de kroeg te bellen waar haar idool een biertje zat te drinken met zijn vrienden. 'Die neem ik niet,' zei hij beslist. Voor taxichauffeurs in Stoke-on-Trent was het een lot uit de loterij als klanten vroegen om ze naar het huis van Robbie Williams te brengen. Soms vroegen toeristen om hen naar Oldham te brengen in de hoop dat ze daar een glimp van Mark Owen zouden zien. Op de muur bij het huis in Greenbank Road zijn nog steeds de 'littekens' te zien: er staan voor het oog van heel de wereld meisjesnamen, liefdesverklaringen en telefoonnummers in het metselwerk gekrast, ongetwijfeld tot grote vreugde van de moeders van de meisjes.

Het kostte Rob moeite om te leren leven met de realiteit dat hij publiek bezit was geworden. Zijn eigen gevoelens werden nog versterkt door die van zijn moeder Jan, die zich een gevangene in haar eigen huis voelde. De manier waarop Rob er toen mee omging, is nog steeds niet veranderd. Als hij Robbie Williams is, aanvaardt hij de roem en de eventuele bijkomende ongemakken. Als hij de simpele oude Rob Williams uit Tunstall is, heeft hij er een hekel aan, vooral als ze hem op de wc om zijn handtekening vragen. Tot zijn verbijstering sloeg een mannelijke fan een keer zijn arm om hem heen terwijl hij stond te plassen. Een bedrijfsleider van een supermarkt sloot zelfs zijn zaak zodat 'Robbie Williams' en zijn moeder boodschappen konden doen zonder lastiggevallen te worden door fans. In dat geval vond Robbie het grappig en poseerde hij zelfs voor een foto voor aan de muur in het kantoor van de bedrijfsleider. 'Het was dolkomisch, want het was maandagochtend en er was sowieso geen kip in de winkel,' zei Rob.

Wanneer Robbie Williams aan het werk is, neemt hij de tijd om met zijn fans te praten, maar als het zijn 'vrije dag' is, maken ze weinig kans op een vriendelijke begroeting. Die houding heeft hij al vanaf het prille begin van Take That toen de meisjes zich voor zijn huis opstelden. Hij negeerde ze urenlang en ging rustig zijn gang in het huis in Greenbank Road. Wanneer hij uiteindelijk naar buiten kwam, weigerde hij te poseren voor foto's of handtekeningen te geven. In plaats daarvan zei hij nors dat hij niet 'aan het werk' was en dat ze weg moesten gaan.

Die terughoudendheid onttrekt de zachtmoedige kant van Rob aan het gezichtsveld. Op een avond zat hij wat te drinken in de Ancient Britton met zijn vriend Tim Peers. Ze besloten om bij Tim, die om de hoek woonde, nog wat te gaan drinken met een paar meisjes die ze kenden. Tim vertelt: 'Rob ging om een uur of één naar huis en de anderen vertrokken kort daarna. Ongeveer een halfuur laten, toen ik net naar bed wilde gaan, werd er op de deur geklopt. Het was Rob. Ik vroeg: "Wat is er, kerel?" en hij zei: "Weet jij een bed & breakfast, Tim?" Ik zei dat ik dacht dat er een aan de rand van de stad was, maar dat ik het niet zeker wist. Ik vroeg hem waarom hij dat wilde weten en hij zei: "Er liggen een paar meisjes op de oprijlaan te slapen en ik wil ze helpen." Hij ging pas slapen toen hij zeker wist dat ze onderdak hadden gevonden. En hij betaalde ervoor. Mensen weten niet hoe hij echt is.' Rob moest deze goede daad heel stilhouden, want anders zouden alle tienerfans van Take That op zijn oprijlaan komen liggen in de hoop dat hij hen zou redden. Hij hield de fans liever op afstand.

Dat was anders voor vrienden en familie. Met veel plezier signeerde hij een grote stapel papieren servetjes voor Jim Peers om ze te veilen voor een liefdadig doel op de golfclub van Burslem. Voor de eerste keer verdiende Rob redelijk wat geld, genoeg om voor zijn moeder een paar cadeautjes te kopen, de rekeningen van zijn oma te betalen en zich zelf te trakteren op wat krankzinnige aankopen. Hij kon ook zijn vrienden aan kostbare kaartjes helpen en een vriend een dienst bewijzen. Lee Hancock vertelt dat hij vrijkaartjes voor een optreden in de Apollo in Manchester bij de ingang had klaargelegd. Eerst konden ze ze nergens vinden, tot hij zei: 'Kijk eens onder Tate,' en ja hoor, Rob had ze op de bijnaam van zijn vriend laten wegleggen. Rob zette zich ook in om Zoë Hammond te helpen als hij wist dat ze optrad. Hij deed vooral zijn best om thuis te zijn voor verjaardagen en feestjes. Een voorbeeld daarvan is zijn memorabele verschijning op het feest ter ere van de veertigste verjaardag van Eileen Wilkes, de moeder van Jonathan, waar hij 'Mack the Knife' zong, hoewel hij de instructie had zijn stem rust te geven als hij niet met Take That optrad.

De ambities die Nigel voor hen had, reikten veel verder dan de optredens in de provincie. Snel na de succesvolle tournee door Groot-Brittannië begonnen ze aan een reeks concerten en promotietournees over de hele wereld. Rob genoot van Japan en Hongkong, maar Amsterdam was voor hem nummer één omdat 'je daar de beste curry van de wereld kunt eten'. Hij zong, weinig verrassend, 'Mack the Knife' voor het Nederlandse publiek in de Bulldog en kreeg een staande ovatie. Toen hun eerste album in Amerika was uitgekomen, ging de band naar New York om te proberen daar voet aan de grond te krijgen. Dat was lastig, omdat de schoolkinderen die zij in Amerika wilden aanspreken vooral geïnteresseerd waren in rapmuziek. In die tijd begonnen ze hun optreden met 'I Found Heaven' (leadzanger: Robbie Williams) dat uitging als een nachtkaars. De groep zou maar één nummer-éénhit krijgen in de Verenigde Staten en wel met de single 'Back for Good' in 1995.

Nog steeds hadden ze geen nummer-éénhit in Groot-Brittannië. Hun zevende single, 'Why Can't I Wake Up With You', kwam heel dichtbij op nummer twee in februari 1993. Diezelfde maand werden de jongens genomineerd voor hun eerste Brit Awards, die voor Best Newcomer en Best Single. Dat was mooi, maar Nigel werd woedend toen de band niet werd uitgenodigd om live op het podium te verschijnen tijdens de uitreiking. Begrijpelijk dat ze gepikeerd de hele avond boycotten en naar de Verenigde Staten gingen voor promotionele activiteiten. De prijs voor Best Newcomer ging naar Tasmin Archer, een typisch voorbeeld van een artiest met één hit. Ze had echter op nummer één gestaan met 'Sleeping Satellite' in september van het jaar daarvoor.

Het punt met de Brits, een grootse show, is dat het een zwendel lijkt van de grote platenlabels, 'de blauwe pakken', zoals Rob ze noemt. Het kan wel of geen toeval zijn geweest dat het label van Take That, RCA, de prestigieuze prijs Best Female Artist in de wacht sleepte met Annie Lennox, waarmee de platenmaatschappij van Tasmin, EMI, het met de veel minder opzienbarende categorie Best Newcomer moest doen. De jongens kregen in ieder geval de prijs Best Single voor 'Could It Be Magic', een publieksprijs, waarvoor gestemd was door de luisteraars van BBC Radio 1.

De zo begeerde nummer-éénhit kwam uiteindelijk met een andere song van Gary Barlow, het opzwepende, up-tempo 'Pray'. Het steeg recht naar de top van de hitparade op 11 juli 1993, toen de band aan zijn tweede uitverkochte tournee door Groot-Brittannië begon in het G-Mex Centre in Manchester. De opzwepende song was door Gary geschreven in een pauze tijdens de repetities voor de tournee van het vorige jaar. Hij ontspande zich door op het keyboard van Mark Owen te componeren. Hij kende het goed, want hij had het aan Mark verkocht voor £ 1.000 zodat hij ook kon leren spelen. Het enige probleem was dat Gary het bleef gebruiken alsof er niets veranderd was. 'Pray' stond vier weken op nummer één, een mooi succes dat de positie van Take That als de beste jongensband van Groot-Brittannië versterkte.

Rob was op zo veel plekken in de wereld geweest dat hij zijn eigen (wel oppervlakkige) Rough Guide van de wereld had kunnen schrijven. Hij en Mark trokken samen op tijdens de tour. Ze voetbalden de ene dag op het strand van Acapulco en de volgende bezochten ze de overblijfselen van de Berlijnse Muur. De weg naar de top geeft zo veel adrenaline dat niets verder nog belangrijk lijkt. Pas als je die top hebt bereikt en even rustig ademhaalt, dringt de enorme omvang van je positie tot je door. Kylie Minogue heeft ooit gezegd: 'Ik heb de ladder naar het succes beklommen. Nu sta ik bovenaan, maar wanneer ik naar beneden kijk vanaf die duizelingwekkende hoogte, is er niemand, alleen ik.'

Maar Rob was pas negentien en het was een beetje vroeg om al bedorven te worden door het succes. De lokale krant de *Sentinel* schreef na het G-Mex-concert van Take That dat 'Robbie zonder enige twijfel de ster van de band aan het worden is. Hij heeft een brutaal, bijna irritant zelfvertrouwen en het charisma dat daarvoor nodig is.' Precies het soort commentaar dat Gary Barlow niet als muziek in de oren zou klinken. De concerten waren openlijker seksueel dan voorheen: aan het einde van hun toegift 'It Only Takes a Minute' bogen de jongens voorover in hun onderbroeken, waarop Take That stond gespeld. Ieder bandlid had twee letters van de naam van de band op zijn onderbroek – Rob had TH – behalve Gary, die in het midden stond en alleen een ster had. Ze waren in ieder geval niet met viltstift op hun blote billen geschreven. In het publiek werden spandoeken omhooggehouden met 'Robbie, ik wil jouw kinderen' en 'Robbie, ik wil jouw schatje zijn'. Robs populariteit was toegenomen sinds hij zich in zijn element was gaan voelen op het podium, zelfs wanneer hij de boel in het honderd liet lopen. Daarbij had hij veel aan zijn theaterachtergrond gehad. Tijdens het Wembley-concert begon hij vol vuur als leadzanger aan 'Everything Changes', het titelnummer van het tweede album, om het vervolgens, tot zijn grote verlegenheid, ontzettend vals af te maken. Hij gaf toe dat het des te beschamender was omdat hij wist dat Elton John in het publiek zat. Op het feestje na het optreden vroeg hij Elton of hij zijn vreselijke afgang gehoord had. Helaas had hij het gehoord.

Rob gaf altijd de beste interviews. De anderen konden niet aan hem tippen. Een journalist vroeg Mark, Jason en Rob naar de videoclip die ze hadden opgenomen voor 'Why Can't I Wake Up With You'. Mark: 'Hij is een beetje dromerig en dromen zijn bedrog.' Jason: 'Hij is heel sensueel en sexy.' Robbie: 'Een essentieel onderdeel van de clip is het vinden van de dode hermelijn in het midden van het meer, denk je ook niet?' Er werd ook gevraagd of een boek of een film ooit hun leven had veranderd. Gary: '*Star Wars.*' Mark: '*The Outsiders*, dat gaat over vriendschap en loyaal blijven.' Robbie: 'Mijn leven als schandknaap door Robbie Williams.' Robbie had de snelle geest van zijn vader Pete en de absurde humor van Vic Reeves, wat een gouden combinatie was.

Eind 1993 verdiende Take That acht *Smash Hits*-prijzen. In februari daarop wonnen ze twee Brits, die voor Best Single en die voor Best Music Video. Deze keer traden ze wel op, met een spectaculair eerbetoon aan de Beatles. Op dat moment werden het succes en de status van Take That vergeleken met die van de Beatles, hoe verbazingwekkend dat nu ook lijkt. Uitverkochte tournees, nummer-éénsingles, krijsende en flauwvallende fans waren de vaste ingrediënten van supersterren. Het was een gouden tijdperk. Take That had vier singles achter elkaar die op nummer één binnenkwamen: 'Pray', 'Relight My Fire', 'Babe' en 'Everything Changes'. In die tijd, voordat Westlife bestond, wat dat een record. De enige kleine hapering kwam met Kerstmis, toen 'Babe' werd verdrongen van de prestigieuze positie aan de top door Mr. Blobby. (Er is roem en er is televisie.) Het enige dat nodig was om de band zijn iconische status te bezorgen was interne verdeeldheid en strijd.

De kans dat je het echte monster van Loch Ness ziet is groter dan de kans dat je de echte Take That ziet.

8 De meloenman

Rob voelde zich niet op zijn gemak toen hij in juni 1995 alleen naar het festival van Glastonbury reisde. Hij had een doos champagne in zijn kofferbak en was onderweg naar een vriend die Oasis kende, maar hij vroeg zich af of de broers Gallagher het leuk zouden vinden om iemand uit een jongensband als Take That, ook nog eens hun enige serieuze concurrent op de hitparade, te ontmoeten. Hij ging naar binnen waar ze iets zaten te drinken. Liam draaide zich om, keek naar Rob en riep: 'Take fucking what?'

Hoe is het gebeurd? Het was allemaal zo snel voorbij. Van het hoogtepunt van zijn succes was Rob ineens diep gezonken. De afgelopen twaalf maanden hadden niet beter kunnen zijn voor Rob en Take That. Zo leek het in ieder geval. De werkelijkheid zag er natuurlijk heel anders uit dan de zoete overwinningsparade die breed werd uitgemeten in alle media. De hoogtepunten zijn makkelijk op een rijtje te zetten. Tussen juli 1993 en juli 1995 had de band zes nummer-éénhits, die allemaal meteen op de begeerde plaats waren binnengekomen. Ze zouden een verhuiswagen nodig gehad hebben om al hun prijzen te vervoeren. Ze hadden voor prins Charles opgetreden op de Royal Variety Performance en voor prinses Diana op het Concert of Hope in de Wembley Arena. Ze waren allemaal miljonair.

Zoals zoveel sensatieverhalen die heel even de voorpagina halen, had het uiteenvallen van Take That een lange voorgeschiedenis. De belangrijkste en duidelijkste factor was geld. Gary Barlow en in mindere mate Nigel Martin-Smith verdienden al het geld, terwijl de andere vier jongens een loon uitbetaald kregen van £ 600 per maand. Dat was echter alleen hun zakgeld en een veel groter bedrag werd beheerd door financiële deskundigen, die nauwlettend in de gaten werden gehouden door Robs moeder Jan. Zijn enige credits als songwriter voor een Take

That-hit kreeg hij als een van de medecomponisten van de nummer-éénhit uit 1994, 'Sure'. Hoewel Jason, Howard, Mark en Robbie allemaal een aandeel hadden in de Take That-franchise, is het niet overdreven om te zeggen dat Gary vier of vijf keer zoveel verdiende. Hij was de belangrijkste songwriter in een groep die tegen de tijd dat het allemaal voorbij was 9 miljoen albums had verkocht en 10 miljoen singles. Gemeten naar de norm in Tunstall had Robbie veel geld verdiend. Maar Gary was, dankzij de albums van Take That, een van de rijkste popartiesten. Achteraf gezien lijkt het ongelooflijk dat Robbie Williams slechts op drie Take That-hits de leadzanger was: 'I Found Heaven', 'Could It Be Magic' en 'Everything Changes'.

Een andere factor was de jaloezie. Rob vond het vreselijk dat Gary al het applaus kreeg en hij nog steeds alleen maar werd gezien als de clown van de band. Gary was degene die vier Ivor Novello-prijzen in de wacht sleepte voor de songs die hij had geschreven. Robbie was degene die in koppen figureerde vanwege de krankzinnige dingen die hij had gezegd: hij zou alle 'Mafste Bandlid van Take That'-prijzen winnen. Hij gaf toe: 'Ik was degene die achteroverleunde en de draak stak met de anderen of de situatie. Er werd niet van me verwacht dat ik iets serieus zou zeggen.' Hij zou veel liever een prijs hebben gewonnen voor het meest getalenteerde, rijkste of beroemdste bandlid. De andere kant was echter dat Rob een bedreiging binnen de band ging vormen. Hij had altijd al de meeste persoonlijkheid gehad en vergeleken met hem hadden de anderen het charisma van een kikkervisje. Rick Sky merkt op: 'Gary Barlow werd beschouwd als de jongen met het meeste talent. Maar Robbie had ook talent, en hij had charisma. Ook had hij iets arrogants.'

De derde factor was spanning. Nigel Martin-Smith had de band met ijzeren discipline geregeerd. Rob heeft meermalen gezegd dat hij het gevoel had dat hij weer op school zat. Het probleem voor Rob was dat hij altijd iets bleef houden van de ondeugende schooljongen die lessen verzuimde, rookte en zich bezatte en zich niet druk maakte om examens. Rob was heel jong toen hij bij Take That kwam en hoewel hij bepaald geen oningewijde was wat seks, drugs en rock-'n-roll betreft, wilde hij van alledrie meer. Rick Sky zegt: 'Robbie Williams is een geboren rebel, net als Liam Gallagher en Keith Richards, die ervan houdt regels te overtreden. Het werd hem heel moeilijk gemaakt binnen Take That.'

Toen Rob achttien of negentien was en de band op tournee was, zag een gewone dag bij Take That er volgens de publiciteitsmensen als volgt uit. Halfacht: opstaan, ontbijten en het optreden van de vorige avond bespreken. Inpakken. Halftien: in de bus naar het volgende hotel, dat een paar honderd kilometer verder kon zijn. Zaken bespreken en kaarten. Drie uur: inchecken en lunchen. Halfvijf: *sound check* in de zaal waar ze gingen optreden. Halfzes: interviews en fotosessie voor de plaatselijke media om het concert te promoten en de plaat die op dat moment uit was te pluggen. Halfacht: begroeten van fans backstage. Acht uur: make-up en omkleden. Halfnegen: Take That op het podium. Kwart voor elf: terug in het hotel, eten en een paar biertjes drinken. Twaalf uur: licht uit.

Wie probeerden ze voor de gek te houden? Rob was jong, vrij en vrijgezel. Vanaf het begin voelde hij zich een geketende gevangene, afgesneden van de buitenwereld. Hij kreeg een harde les toen hij tijdens een promotioneel optreden zijn telefoonnummer aan een knappe actrice gaf die zijn aandacht had getrokken en de hele weg naar huis op zijn kop kreeg als een ondeugende schooljongen. Het is niet zo gek dat hij het benauwd kreeg van het vreugdeloze professionalisme waar Take That zo prat op ging. Omdat hij zo lastig was, kreeg hij tijdens tournees een persoonlijke bodyguard toegewezen om hem in de gaten te houden. In zijn vrije tijd was hij voornamelijk bezig zijn bodyguard van zich af te schudden. Eén keer verstopte hij zich zelfs onder een tafel in een kroeg tot de man het opgaf en vertrok.

Als je het wilt zien, waren er duidelijke aanwijzingen dat Robbie binnen de band werd gemarginaliseerd. Hij zong geen enkele solo op hun derde album, *Nobody Else*, waarvan in de eerste week dat het uitkwam in mei 1995 250.000 exemplaren werden verkocht. Robbie pareerde vragen dapper door te zeggen dat hij zich meer bezighield met schrijven. Volgens Gary Barlow hadden ze Robbie twaalf songs gegeven om te leren, maar leerde hij er geen een. De waarheid was dat Robs ongetrainde stem het had begeven door zijn nachtleven, drankgebruik en roken. 'Ik verpestte mijn stem en daar moest ik de prijs voor betalen,' zou hij later toegeven.

Robs imago als de dissident van de band sloop er bijna toevallig in. Het begon met kleine dingen. De band logeerde in een hotel in Dunadry, bij

Belfast, en zoals gewoonlijk had zich buiten een menigte tienermeisjes verzameld die hun namen schreeuwden en riepen dat ze naar buiten moesten komen. Rob verscheen in een raam op een bovenverdieping, tenminste, zijn blote kont. Wederom verscheen het achterwerk met de minste geheimen ter wereld toen Rob zijn broek liet zakken voor zijn fans. In de pers werd gesuggereerd dat iedereen diep geschokt was, al was dat een beetje erg overdreven. Zijn gebaar bezorgde de fans waarschijnlijk wel een onvergetelijke dag. Een andere keer sprong hij dronken in de fontein in de lobby van een Italiaans hotel en verwondde hij zijn hoofd. Het litteken is nog steeds te zien net boven zijn voorhoofd.

Het vaakst getoonde achterwerk in de geschiedenis van het populaire amusement werd weer ontbloot in mei 1995, twee maanden voor de definitieve breuk. Rob verscheen in het MTV-programma *Most Wanted*, compleet met een nieuw geblondeerd kapsel. De presentator Ray Cokes vroeg de bandleden of ze ooit naakt zouden poseren. Rob antwoordde meteen dat hij het voor een tientje zou doen. Een vrouw in het publiek zwaaide onmiddellijk met een biljet van tien pond om Rob uit te dagen. Mark Owen probeerde nog loyaal de boel in de hand te houden door te zeggen dat Rob het alleen zou doen voor tien biljetten van oude ponden, maar Rob was niet meer te houden en wilde daar niet van horen. 'Nee, ik doe het voor nieuwe ponden,' zei hij. 'Als het er maar tien zijn.' Daarop liet hij zijn broek en onderbroek zakken voor het oog van een paar miljoen kijkers. Hij wilde provoceren, al was het nauwelijks erger dan het gedrag van de 'stoere jongens' thuis in Stoke-on-Trent.

Een van de meest trieste aspecten aan het hele Take That-verhaal is dat Rob oprecht dacht dat ze allemaal vrienden waren. Hij vertelde Piers Morgan in 1993: 'Ze zijn mijn beste vrienden. Er is niemand bij wie ik niet terecht kan met mijn problemen. Ik denk dat dat heel goed is want er zijn veel bands waar er onderling conflicten zijn, en dat soort spanningen zou ik niet aankunnen.' Het is een licht pathetische misvatting van een naïeve tiener. Rob had vrienden nodig, hij wilde kameraden en hij wilde dat die zijn slechte gedrag tolereerden, hem op de schouders klopten en zeiden dat hij zo leuk en maf was. Dat Rob steeds meer in een isolement terechtkwam was in werkelijkheid het gevolg van het feit dat Jason en Howard, de oudste twee, hem weinig te zeggen hadden. De altijd zo verstandige Gary kon beter overweg met het rijpere koppel. Verder bleef alleen Mark over, die aanvankelijk Robs maatje was. Mark had echter zijn eigen problemen, dacht veel na en werd boeddhistisch. Hij had dus minder tijd om mee te doen met Robs streken, die zo leuk waren geweest in de begintijd van de band. Gary merkt op: 'Mark werd volwassen en werd een oprecht en verstandig levend persoon. Hij raakte geïnteresseerd in het boeddhisme en werd een boeiende persoonlijkheid. Ik denk dat hij Robbie achter zich liet en dat Robbie dat verschrikkelijk vond.' Het is veelzeggend dat nadat Take That was opgeheven Rob en Mark elkaar in een halfjaar maar drie keer spraken.

Hoewel er een combinatie van factoren meespeelde bij het vertrek van Rob bij Take That, was de uiteindelijke aanleiding niet zijn nu beroemde, beschamende, dronken optreden op het Festival van Glastonbury in 1995, maar zijn geheime, illegale uitstapje naar het festival een jaar daarvoor. Het rock-, pop- en new age-festival is iedere zomer de belangrijkste gebeurtenis voor de generatie van Rob: drie dagen van buitensporig drinken, drugsgebruik, fantastische muziek en arrestaties. Het was in alle opzichten het tegenovergestelde van alles waar Take That voor stond. Het was de grootste zonde voor een bandlid om daar gezien te worden. Rob had heel duidelijk te verstaan gekregen dat hij er onder geen beding heen mocht. Dus ging hij toch. Maar niemand wist het. Tijdens het hele festival verstopte hij zich in een tent waar hij zich bedronk samen met de Ierse zanger Feargal Sharkey. Hij rook even aan het leven buiten de gevangenis van Take That.

Vanaf dat moment begonnen de ontevredenheid en de rusteloosheid en begon Rob de anderen te laten merken dat hij meer wilde dan Take That. Hij had er genoeg van de hele dag in een kamer te moeten zitten en alleen onder begeleiding van een bodyguard naar buiten te mogen, zelfs al was het maar naar de wc. Hij had andere ambities, misschien acteren of bij de televisie. Hij kreeg altijd aanbiedingen, al had hij geen vastomlijnd plan.

Toen het festival van Glastonbury er weer aankwam, leek hij al zover dat het hem niets meer kon schelen wat mensen dachten en waren er al sterke aanwijzingen voor de decadente uitspattingen die later zouden volgen. Tijdens een bezoek aan thuis was hij met een meisje iets aan het drinken in de Ancient Briton toen Coco Colclough binnenkwam. Coco vertelt: 'Hij was duidelijk al een tijd aan het drinken, want hij was aardig dronken. Ik geloof niet dat hij enig idee had wie het meisje was, want hij keek lodderig uit zijn ogen. Zoals gebruikelijk bood ik hem een drankje aan. Hij brabbelde alleen maar "whisky". Ik keek naar het meisje, dat met haar hand in zijn broek zat, midden in de kroeg. Ik stond even met hem te kletsen en hij zei: "Oké Coke, hoe is het met je?" En ik zei: "Rob, volgens mij ben je dronken." Waarop hij zei: "Met mij gaat het prima." Uiteindelijk zei ik maar tegen het meisje: "Sorry schat, vind je het erg om ons even alleen te laten?" Maar zij was even van de wereld als hij en ging gewoon door met waar ze mee bezig was daar in zijn broek. Ik dacht: "Laat hem toch vijf minuten met rust en kom dan terug."'

Hij werd regelmatig gefotografeerd terwijl hij uit nachtclubs kwam in de vreselijkste toestand, maar nooit zo extreem als zijn nu legendarische optreden op het festival van 1995. Hij hoorde daar gewoon niet. Glastonbury was cool, een smeltkroes van extreme jeugdculturen, van pillenslikkers, blote hippies en papa's en mama's die stoned werden. Het laatste wat je er zou verwachten was een bandlid van Take That dat volledig uit zijn dak ging. Maar daar was Rob. Hij had zijn haar geblondeerd en een voortand zwartgemaakt met tape en sprong stomdronken het podium op waar Oasis optrad en begon met een fles bier in zijn hand te dansen, ongeveer zoals de weergaloze Bez van de Happy Mondays. Liam Gallaghar had hem het podium op getrokken, al zal Rob zich waarschijnlijk nooit meer herinneren hoe het is gebeurd. Het tijdschrift *Face* beschreef het gebeuren op memorabele wijze als de dag dat Robbie Williams 'de sprong maakte van popcorn naar popidool'.

Gary en de andere jongens waren niet zo onder de indruk. De band tussen de vijf New Kids uit het noorden was hun gemeenschappelijke ambitie. In het begin hadden ze lol als ze samen op een kamer zaten in een bed & breakfast. Nu konden ze het nog amper met elkaar in dezelfde kamer uithouden. Vooral Jason had een nauwelijks verholen afkeer van alles wat Robbie Williams deed. Hij vormde een bedreiging voor de veilige, geruststellende cocon waar het succes van Take That uit was voortgekomen. Rob werd gewoon te gevaarlijk voor de band. De verdeeldheid die Rob binnen Take That veroorzaakte was niets nieuws in de popmuziek. Hetzelfde was bijvoorbeeld in de jaren zestig gebeurd toen Brian Jones van de Rolling Stones werd weggestuurd nadat moeilijkheden met drugs en psychische problemen zo uit de hand waren gelopen dat hij een bedreiging werd voor het voortbestaan van de band. Rob dacht dat de rest van de band alles 'cool' vond. Hij zorgde ervoor dat iedereen wist dat hij niet nog twee of drie jaar onder de ijzeren discipline van Take That zou kunnen leven, maar hij zei dat hij tot Kerstmis zou blijven en dacht, met een grote tournee in aantocht, dat hij daarmee iedereen tevredenstelde voor het komende halfjaar. Hij kon er niet verder naast hebben gezeten.

De barakken van het territoriale leger in Stockport vormden het onwaarschijnlijke toneel voor een van de beroemdste gebeurtenissen uit de popgeschiedenis: de dag dat Robbie Williams uit Take That ging. De jongens repeteerden daar voor hun zomertournee om hun album *Nobody Else* te promoten, die over twee weken moest beginnen. Robs hart was misschien nog op een veld bij Glastonbury, maar hij begon serieus aan het instuderen van de danspassen. Na een ochtend oefenen glipte Rob weg voor een gezonde lunch bij McDonald's. Toen hij terugkwam, was het duidelijk dat er iets aan de hand was omdat de band hem wilde spreken. Hij moest voor de krijgsraad komen. Ze vonden het maar niets dat hij zou uitmaken wanneer hij de band zou verlaten. Jason Orange zei tegen Rob: 'Als je gaat, ga dan meteen, zodat wij door kunnen.' Rob reageerde zoals hij altijd deed, net zoals toen hem de toegang werd geweigerd bij een club in Newcastle-under-Lyme. Hij blufte. Hij pakte een meloen van de tafel met de woorden: 'Mag ik deze meenemen?' stond op en liep lachend, met een hupje, weg. Hij ging linea recta naar zijn auto – met geblindeerde ramen, die je wel moet hebben als popster – om naar huis gereden te worden, naar het huis van zijn moeder in Newcastle-under-Lyme. De hele weg hield hij de schijn op. Dit was Robbie Williams. Pas toen de chauffeur hem vroeg hoe laat hij hem de volgende dag op moest halen, zei hij: 'Je hoeft me morgen niet op te halen. Ik kom niet terug. Ik zit niet meer in de band.'

Rob, die, zoals zijn echte vrienden weten, uiterst gevoelig en kwetsbaar kan zijn, wachtte tot hij de voordeur achter zich dicht had gedaan voordat hij in tranen uitbarstte. Met de meloen nog in zijn hand vertelde hij een bezorgde Jan dat hij zijn werk kwijt was en eruit lag. Het was een belangrijke gebeurtenis in het leven van een eenentwintigjarige. Vijf jaar lang had hij Take That gegeten, geslapen en geademd, maar de volgende dag zou hij wakker worden in de wetenschap dat hij er niet meer bij hoorde. Hij bekende dat hij zich 'verlaten en totaal alleen voelde'. Later kon hij erom lachen, vooral omdat hij meloen niet eens lekker vindt.

Door het chaotische geharrewar dat volgde werd het moeilijk om de waarheid boven tafel te krijgen omdat iedereen een acceptabele versie van de gebeurtenissen probeerde te geven. Sommige Take That-fans namen het slecht op. Het verhaal ging dat een vrouwelijke fan in Berlijn zelfs geprobeerd had om zelfmoord te plegen, omdat ze het nieuws zo vreselijk vond. Aanhangers van complottheorieën hadden een fantastische dag. Technisch gezien was hij niet ontslagen omdat dat een juridisch en financieel mijnenveld zou zijn geweest, hoewel advocaten zich nog een aantal jaren konden verrijken aan de juridische afwikkeling van zijn vertrek. In veel opzichten had hij de hand gehad in zijn eigen ontslag door zijn verlangen uit te spreken om een einde te maken aan de relatie met de groep die hem zijn naam en enorme bekendheid had bezorgd. Zijn vertrek, dat de maandag daarop bekendgemaakt werd, haalde zelfs het journaal.

De dag daarop bracht Rob zijn eigen verklaring naar buiten en was de rancuneuze strijd die op de krantenpagina's werd uitgevochten begonnen. Robs verklaringen waren persoonlijk, vriendelijk en vroegen om een sympathieke reactie, of absurd en enigszins geheimzinnig. Dit was een meelijwekkende, alleen-op-de-wereldversie: 'Op het moment ben ik heel bang en verward. Ik heb de verklaringen gisteren in de krant gelezen en ik denk dat het heel belangrijk is dat ik mijn verontschuldigingen aanbied aan iedereen die zich in de steek gelaten voelt door een beslissing dat ik uit de band zou gaan. Ik hou nog steeds van de jongens en ik weet zeker dat er nog veel liefde voor mij is. Maar er is veel veranderd en ik moet iets anders gaan doen voor mijn eigen gemoedsrust en gezondheid.' De kernwoorden waren 'een beslissing dat ik uit de band zou gaan'. Hij zei niet 'mijn beslissing' of 'hun beslissing'. Het werd vaag gehouden.

Jan Williams is op haar best in crisistijden en voordat Rob de tijd had om in zelfmedelijden te zwelgen, zat zij in Londen met advocaten te praten die zijn zaken moesten behartigen. Rob was nog het kwaadst om het feit dat hij de tournee misliep. Als hij die had meegemaakt zou hij later uit de band zijn gegaan, en zijn vertrokken op een hoogtepunt en vanuit een sterkere positie. De gebeurtenissen rondom zijn vertrek lieten hem achter in onzekerheid. Het was vooral irritant omdat Take That op het punt stond door te breken in Amerika met een grote hit en Robbie Williams daar geen deel meer aan zou hebben. Toen het album *Nobody Else* daar werd uitgebracht, was Rob al van de hoes verwijderd.

De concerten in de zomer van dat jaar kregen heel goede recensies. Sommige critici zeiden dat ze als kwartet hun beste optredens tot nu toe gaven. Ze zongen alle vier de partij van Rob op 'Everything Changes' en 'Could It Be Magic' en ook twee covers die voor hem bestemd waren, 'Smells Like Teen Spirit' van Nirvana en 'Another Brick in the Wall' van Pink Floyd.

De tournee in het Verre Oosten, Australië, Japan en de Verenigde Staten was een geweldig succes, maar er was het een en ander veranderd. Het feit dat Rob een deel van de aandacht van hen wegnam had zijn uitwerking en vooral Gary begon genoeg te krijgen van de formule van jongensband. Hij wilde een beter podium voor zijn talent en dat betekende dat hij de jongens achter zich moest laten. Er was ook de complexe financiële situatie waarin Rob doorbetaald moest worden als ze bleven optreden onder de naam Take That. Rob schreef een brief aan de *Sun* waarin hij voorstelde dat ze nog een keer bij elkaar zouden komen voor een liefdadigheidsconcert om op fatsoenlijke wijze afscheid te nemen van de fans. Nigel Martin-Smith wees het idee van de hand en verklaarde dat het een 'goedkope manier was om sympathie en steun van het publiek te krijgen'.

Het einde van Take That werd officieel op 13 februari 1996, toevallig Robbies verjaardag. Op de persconferentie vroeg men Gary: 'Heb je een felicitatie voor Robbie? Hij is jarig vandaag.' Gary antwoordde: 'Is dat zo? O.' Ze moesten contractueel nog twee maanden promotie maken voor hun nieuwe en laatste single, een cover van de hit van de Bee Gees 'How Deep Is Your Love'. De telefonische hulpdienst opende een telefoonlijn om wanhopige meisjes bij te staan.

Ik heb gewoon een beetje pech op het moment.

9 Hetero of homo

Rob was heel vasthoudend, dus Kelly Oakes wist dat ze hem zachtzinnig af moest wijzen. Ze was een paar jaar ouder en op haar zestiende meer geïnteresseerd in kerels met een auto dan in een veertienjarig 'mollig jongetje'. Maar ze mocht Rob graag en hij gaf haar bloemen en chocolaatjes. Hij stuurde haar ook briefjes. In één briefje stond alleen: 'Jij bent mijn zonnetje.'

De liefde die Rob als jongen voor Kelly Oakes voelde, verraadt de geheime romantische kant van zijn persoonlijkheid. Kelly was een sportieve blondine die danseres wilde worden en daarom ook in bijna alle amateurtoneelvoorstellingen zat waaraan Rob meedeed. Ze zat ook op St. Margaret Ward en was daardoor een van de weinige mensen die beide kanten van Rob kenden toen hij jong was. Rob had nooit een echt vriendinnetje op school en het is begrijpelijk waarom niet. Hij groeide op tussen vrouwen, van wie hij zijn moeder Jan op een voetstuk plaatste, een positie die ze vandaag de dag nog steeds inneemt. Hij zag zichzelf, als enige man in huis, misschien ook als haar beschermer die foute vriendjes op afstand moest houden. De andere twee belangrijkste vrouwen in zijn leven tot op heden zijn zijn oma en zijn zus. Hij geeft toe dat hij snakt naar liefde en aandacht van vrouwen en dat hij niets heerlijker vindt dan als ze hun armen om hem heen slaan en hem knuffelen. Die kijk op vrouwen is totaal anders dan de mentaliteit van de jongens op school, die meisjes van dezelfde leeftijd met minachting behandelden. Robs omgang met de andere sekse varieerde tussen deze twee uitersten.

Zijn probleem is nu nog steeds hetzelfde als toen hij voor het eerst belangstelling keeg voor meisjes: hoe kan een vrouw ooit tegen zijn moeder op? Zoë Hammond was een soort miniatuurmoeder voor hem. Ze redderde om hem heen en vertroetelde hem, maar ze hebben in tien jaar nooit gevreeën ondanks de duidelijke wederzijdse genegenheid. Toen ze een keer in hun tienerjaren in Ritzy's club in Newcastle-under-Lyme waren, vroeg een van Robs vrienden hem of ze iets hadden. 'Met haar,' zei Rob. 'Ik zou haar zelfs nooit kunnen zoenen.' Zoë vertelt: 'Ik zei: "Hoezo? Stink ik soms uit mijn mond?" en toen zei hij lachend: "Omdat het zou zijn alsof ik mijn Sally kuste," waarmee hij zijn zus bedoelde. Na al die jaren vond ik dat zo lief van hem. Vanbinnen gloeide ik.'

Robs eerste uitstapjes in de wereld van vrouwen waren bepaald geen succes. Hij haalde bakzeil bij Joanna Melvin die voor Lee Hancock koos en ook bij andere verliefdheden, zoals Kelly Oakes, werd het niets. Dus uiteindelijk verloor hij zijn maagdelijkheid op zijn slaapkamer bij iemand met wie hij, volgens zijn vrienden, nooit uitging. Op dat moment heeft hij er misschien van genoten maar het betekende helemaal niets. Giuseppe Romano merkt op: 'Ik kan me niet herinneren dat hij ooit liefjes had op school.' Rob viel in die dagen niet op als een interessant iemand om mee uit te gaan. Het enige traditionele ingrediënt uit de contactadvertenties waarover hij beschikte was GGVH (goed gevoel voor humor). Hij kon niet autorijden en hij was geen fantastische sporter die iedereen in de schoolteams imponeerde, hoewel hij wel een van de beste was met tafeltennis, niet bepaald een sport die meisjes cool vonden. Pas toen hij LVTT (lid van Take That) erbij kon zetten, begonnen zijn kansen op seks toe te nemen.

Maar hij was nog steeds heel jong en wist nog maar weinig van de andere sekse. Op een avond vree hij met een meisje, een vriendin van Lee Hancocks toenmalige vriendin. Ze vond hem heel leuk en wilde hem meer dan graag. Lee vertelt: 'Hij nam haar, straalbezopen, mee naar huis in Greenbank Road, haalde onderweg een kebab, neukte haar en de volgende dag kon hij zich er niets meer van herinneren. Toen hij de rode vlekken op zijn lakens zag, dacht hij dat het tomatensaus van zijn kebab was.' Rob breidde in die tijd echter heel gretig zijn kennis op seksgebied uit en op een middag nam hij na een lunch in de Ancient Briton een meisje mee naar de wc, waar ze zich zo lieten meeslepen dat de tegels van de muur vielen.

Ongunstig voor Robs seksuele ontwikkeling in de Take That-tijd was dat Nigel Martin-Smith de jongens had verboden serieuze relaties aan te gaan omdat dat mogelijk meisjesfans zou afschrikken. Hij zorgde er heel slim voor dat ieder meisje kon denken dat ze een kans maakte om haar favoriete Take That-lid te versieren. Het gevolg was dat het seksleven van Rob, die op een leeftijd was dat de hormonen door je lijf gieren, in het verlengde lag van het stoere gedoe in zijn schooltijd, waarbij het hoorde om vrouwen te behandelen als sletten en seks liefdeloos werd bedreven in vliegtuigen, in treinen, in auto's en op wc's. Hij had absoluut weinig last van morele bezwaren. Wanneer een groupie hem een kamernummer in de hand duwde, stopte hij dat in zijn zak voor het geval hij later zin mocht hebben. Een keer in het Loew's hotel in Monte Carlo bleek dat de kamer van het meisje op dezelfde verdieping was als de zijne, slechts zes deuren verder. Dus klom hij als een dronken geveltoerist uit het raam van zijn kamer en liep, terwijl onder hem het water op de kust klotste, over de balkons tot hij bij haar kamer kwam, waar hij op het raam klopte: verrassing! De verrassing was voor de jonge vrouw des te groter omdat Rob voordat hij aan zijn klauterpartij begon al zijn kleren had uitgetrokken. Soms had hij niet zoveel geluk, zoals de avond dat Nigel net zijn kamer binnenkwam toen hij een meisje met ontbloot bovenlichaam door het raam naar binnen trok.

In deze ontdekkingsfase was een *one night stand* een lange relatie. Al snel hadden de kranten door dat het seksleven van Rob interessante kopij opleverde en dat bijna niemand nog geïnteresseerd was in wat de andere jongens van Take That deden. Van een gewone puber met een weinig succesvol seksleven was hij een hormonale olifant in een porseleinkast geworden die 'alles kon neuken waar hij zin in had'. Het meest in de buurt van een echte vriendin kwam Rachel, een meisje uit Stoke-on-Trent dat fotomodel wilde worden. Ze showde een paar keer kleding in het televisieprogramma *This Morning* van Richard en Judy, maar niemand wist dat ze zo intiem was met Rob. Ze was een vriendin van Rob, geen schatje van Robbie Williams. Lee Hancock, die hen samen heeft meegemaakt, merkt op: 'Ze trokken met elkaar op wanneer hij niet te druk was met Take That. Het was een heel mooi meisje en ze was ook heel aardig.'

De weinig serieuze veroveringen, om een understatement te gebruiken, in de Take That-tijd en daarna haalden vaak de roddelbladen. Het waren bijna altijd *lapdancers*. Rob wond zich niet op over die publicaties, als de meisjes zich maar complimenteus uitlieten over zijn fysieke kwaliteiten en uithoudingsvermogen. Een van de recente veranderingen in de verslaggeving over seks van beroemdheden is dat het accent anders wordt gelegd. Voorheen vonden kranten het heerlijk om te vermelden dat het allemaal in twee minuten was gebeurd en 'dat hij me een goedkoop gevoel gaf'. Tegenwoordig heeft een beroemdheid meer kans op een uiterst positieve beoordeling (zelfs Angus Deayton) omdat het de kans op juridische vervolging vermindert en iedereen tevreden houdt. Een fan van Robbie Williams wil lezen dat hij een superminnaar is. Een *lapdancer* uit Bournemouth maakte bekend dat Robbie haar had ontmaagd toen ze zestien was. Ze had hem oraal bevredigd, waarbij ze steeds dacht 'jemig, nou niet nog groter worden'. Allemaal voor de gein.

Als vuistregel kun je aanhouden dat als een meisje dat alles vertelt hem Robbie noemt, ze hem amper kent. Een echte vriendin zou hem Rob noemen. En als hij zogenaamd iets heeft met een beroemdheid, is er waarschijnlijk sprake van een dubbele agenda.

In zijn hit 'Old Before I Die' uit 1997 stelt Robbie Williams de vraag: 'Ben ik hetero of homo?' Die vraag moest hij vanaf het prille begin van Take That bijna in ieder interview beantwoorden. Ze waren zo'n nichterige band dat het gefluister over de seksuele geaardheid van de leden al snel op gang kwam. Zelfs tegenwoordig is nog altijd de eerste vraag die iemand over Robbie Williams stelt: 'Is hij homo?' In de loop der jaren heeft hij er heel slim maar een grap van gemaakt. Hij doet alsof het zo is. Een van de grootste fouten die een artiest kan maken is heftig ontkennen dat hij homo is. Jason Donovan maakte de kardinale vergissing om een tijdschrift aan te klagen omdat het had beweerd dat hij homo was. Hij won de zaak, maar zijn carrière heeft nooit meer zulke hoogtepunten gekend als daarvoor. In korte tijd raakte hij zijn homoseksuele fans kwijt, die een solide achterban hadden gevormd die altijd zijn platen kochten en zorgden dat ze hits werden. Justin Timberlake, die even heel populair was in 2003, waagde zich op dun ijs toen hij, naar gezegd wordt, de hoorn op de haak gooide toen een deejay hem tijdens een live radio-interview vroeg of hij ooit een seksuele relatie had gehad met een van de andere leden van 'N Sync. Justin antwoordde: 'Mijn fans zijn niet geïnteresseerd in domme vragen als: "Waaruit bestaan je homoseksuele activiteiten?" Ongelooflijk dat ik mijn tijd heb verspild met jou.'

Madonna, Kylie en Abba, om er maar drie te noemen, zouden nooit zo veel succes hebben gehad zonder hun populariteit onder homo's. Robbie Williams is daar ook een voorbeeld van. Met de combinatie van Kylie en Robbie in de hit 'Kids' in 2000 konden homo's hun geluk niet op. Er is absoluut geen enkel bewijs dat Rob of een van de andere leden van Take That homo zou zijn. De geruchten over Rob gingen altijd over zijn relatie met Mark. Ze waren kamergenoten en elkaars beste vriend binnen de band. Een van de flauwste interpretaties van de song 'Back for Good' luidt: 'Jouw lippenstift, Mark, zit nog steeds op je koffiekop.' Rob plaagt nog steeds als de vraag over zijn seksualiteit wordt gesteld, zowel in interviews als in zijn songteksten. Vanaf de eerste keer dat de vraag gesteld werd was zijn reactie: 'Als iedereen denkt dat we homo zijn, prima. Daar zitten wij niet mee.' Hij begreep echter wel dat jongensbands onvermijdelijk nichterig zijn, met hun gebaartjes en uitbundige uitdossing. Het extraverte, vrolijke imago van Take That stond heel ver af van de introspectie van bands die bij kleine onafhankelijke labels zaten. Het personage dat een van Robs grote helden, Vic Reeves, in het ouderwetse variété neerzette, zou je ook nichterig kunnen noemen.

Als je in het fotoalbum van Take That bladert, kom je ongelooflijk veel foto's tegen waarop ze als krachtpatsers met glanzende, geschoren borsten staan. De fraaiste is een publiciteitsfoto waar ze vrolijke boxershorts en bokshandschoenen aan hebben en macho in de lens kijken. Gary, die in die tijd hard trainde, leek op het kleine broertje van Vanilla Ice met zijn geblondeerde stekeltjeskapsel. Bijna even provocerend was een foto van Gary en Mark die lief lachend samen in hun blote bast in een jacuzzi zitten. Een dunne scheidslijn tussen mannelijkheid en vrouwelijkheid en een subtiel evenwicht tussen seksuele spanning en geruststellende vrolijkheid is altijd een succes bij tienermeisjes. Wie zou ooit de satijnen shorts en geblondeerde haren van George Michael kunnen vergeten waarin hij rondsprong in de tijd van Wham! en zong over 'Club Tropicana' – een droomfiguur voor een miljoen jonge meisjes.

Robs vrienden in Tunstall voelden zich niet helemaal op hun gemak met de homoassociaties. Coco Colclough herinnert zich dat Rob een keer in de kroeg tegen hem zei: "'Je raadt nooit wie er in de wc naar me toe is gekomen." Ik dacht: Ho, wil ik dit wel horen? En hij zei: "Jimmy Somerville kwam naar me toe en zei op dat nichterige toontje: 'O, ik vind je zo fantastisch.'" Rob is nu eenmaal een acteur en hij kan nichterige homo's perfect nadoen als hij in de stemming is. Coco zegt: 'Je moet ze op de een of andere manier warm houden en hij zat daar niet mee. Maar dat wil nog niet zeggen dat hij ook homo is.' Lee Hancock herinnert zich dat Rob hem vertelde dat hij een 'massa homoseksuele fans' had. Hij merkt op: 'Mensen die hem niet kennen vragen altijd: "Is hij homo?" Ik heb hem nooit met een man gezien. Ik weet dat hij meisjes heeft gehad en voor mij was Rob nooit van de verkeerde kant.' Volgens Rick Sky is Rob gewoon een goed acteur als het om dit soort zaken gaat: 'Hij heeft iets geheimzinnigs. Hij neemt tegenover verschillende mensen verschillende gedaanten aan, hij is net boetseerklei. Hij vindt het leuk om de geruchten over homoseksualiteit aan te wakkeren.' Hij is in staat om openlijk naar de Queen Nation-club in Londen te gaan om te provoceren.

Een jaar nadat hij uit Take That was gestapt, gaf hij een interview aan het homoblad *Attitude* en de interviewer, Ben Marshall, vroeg hem op de man af of hij in de tijd dat hij in Take That zat met mannen had geslapen. Hij antwoordde nee 'zonder het gebruikelijke gegniffel dat je vaak ontmoedigt om deze vraag te stellen'. Maar de geruchten blijven hardnekkig bestaan. Mel B. (Scary Spice) beantwoordde een keer op de kindertelevisie een vraag naar de relatie tussen Rob en de Spice Girls met: 'Emma, Victoria en ik zijn allemaal nooit met hem uit geweest. Trouwens, hij heeft toch liever mannen.' Toen tergde Liam Gallagher hem bij de uitreiking van de Q Awards in 2000 met zijn vermeende homoseksualiteit. Hij zei dat de Q in zijn Q Award voor Best Songwriter stond voor 'Queer' (homo), wat een beetje raar was omdat Liams vriendin Nicole ooit zwanger was van Rob.

Mannen vinden Rob beslist aantrekkelijk. Hij geeft toe dat hij aanzoeken heeft gehad van honderden mannen en dat hij het een compliment vindt als een knappe vrouw of man hem probeert te versieren. Hij heeft ook talloze malen gezegd dat mannen hem niet opwinden. Om de een of andere reden is dat citaat altijd alweer vergeten bij het volgende interview. Misschien wordt Rob ooit gearresteerd op een wc in Los Angeles wegens onfatsoenlijk gedrag en dan kunnen tal van mensen trots zeggen: 'Ik zei het toch.' Maar vooralsnog is er geen hard bewijs dat Rob homo is. Er zijn echter genoeg bewijzen dat hij ruimschoots zijn portie seksuele contacten met de andere sekse heeft gehad: 'Ik heb geneukt voor Groot-Brittannië.'

Er gebeurde iets onverwachts toen Rob Williams en Take That ieder huns weegs gingen. Mét hem verdween het sex-appeal. Meisjesfans fantaseren misschien wel over hun favoriet, Mark Owen in de meeste gevallen, maar die fantasieën waren onschuldig en hoorden bij het volwassen worden. Een paar pubermeisjes namen dan wel eens een spandoek mee naar een Take That-concert met onzedelijk voorstellen, Robs favoriet was 'Rob from Stoke, Give Us a Poke', maar naar alle waarschijnlijkheid zouden ze hard wegrennen als hij op hun voorstel zou dreigen in te gaan. De iets oudere meisjes, die wettelijk volwassen zijn, zouden Rob negen van de tien keer uitkiezen voor een avontuurtje. Hij was een spannende, niet een lieve jongen.

Rob moest met de publieke belangstelling voor zijn seksleven leren leven. Als je de nacht met Rob doorbrengt, kan je dat in de toekomst geld opleveren, als je dat zou willen. Rob zelf leek er een gewoonte van te maken zijn seksleven voor een groot deel een tweede leven te laten leiden op de pagina's van de nationale kranten.

Toen hij weg was gegaan bij Take That, stonden er twee jonge vrouwen te trappelen om hun gepassioneerde nachten in de openbaarheid te brengen. Een receptioniste van een hotel in Stuttgart beweerde dat hij het in één nacht van ongebreidelde lust vijf keer had gedaan. Ze zei dat hij 'ongelooflijk gepassioneerd' was nadat hij piña colada's had gedronken, wat niet echt klinkt als een drankje dat Rob zou drinken. Volgens haar had hij haar ook verteld hoe eenzaam hij was en dat hij geen vrienden had. Toen kwam een voormalig model met het verhaal dat hij met haar naar bed was geweest in een hotel in Glasgow, typisch een avontuurtje van een popster op tournee. Ze loofde Rob als een goede minnaar, wat hem toen hij het las enorm opvrolijkte. Wat vooral amusant was aan haar verhaal was dat zé nadat ze het aan miljoenen lezers had verteld zei: 'Mijn moeder vermoordt me.'

Een uitzonderlijker verhaal ging over Rob en een moeder van twee kinderen die meer dan tien jaar ouder was dan hij. Haar ongelukkige echtgenoot beweerde dat hij er pas achter kwam toen hij in een krant een foto van haar en Rob zag terwijl ze samen uit een trendy kroeg in Londen kwamen. Al snel volgde de kop 'Take That-ster heeft mijn vrouw afgepakt', hoewel ze in werkelijkheid tot een groepje mensen behoorde met wie Rob af en toe wat ging drinken.

De eerste bekende vrouw die verklaarde geïnteresseerd te zijn in Rob was Samantha Beckinsale, een actrice die speelt in *London's Burning*, die in Manchester met hem verscheen op een feestje ter gelegenheid van het einde van een tournee van Take That. 'Ik ben dol op hem,' verklaarde ze en Rob schreef een song voor haar. Rob kan zich alle cadeaus veroorloven, maar een song is waarschijnlijk het meest persoonlijke cadeau dat hij kan geven. De song was het indringende 'Baby Girl Window' op *Life Thru a Lens*. Rob, die heel spiritueel is aangaande de dood, had haar vader als onderwerp gekozen, de populaire acteur Richard Beckinsale die overleden was toen ze twaalf was. Rob stelde zich voor dat hij nu trots over haar zou waken.

Rob werd voor de eerste keer echt verliefd kort nadat hij verlost was van de ketenen van Take That. Op het eerste gezicht leek Jacqui Hamilton-Smith helemaal geen type voor hem. Je zou verwachten dat hij met een blonde stoot, een groupie, een ambitieus soapsterretje of de vrouw van een voetballer aan zou komen. Jacqui daarentegen was een grimeuse die werkte bij fotosessies voor tijdschriften en ze was de dochter van een adellijk lid van het Hogerhuis. Dat klinkt altijd indrukwekkender dan het is. Haar vader, Lord Colwyn, was tandarts in Wimpole Street, die af en toe de roddelrubrieken haalde omdat hij trompet speelde in een jazzband die vaak voor de hogere kringen speelde bij speciale gelegenheden. Hij speelde op het feest ter gelegenheid van de eenentwintigste verjaardag van prins Andrew en op de viering van de veertigste trouwdag van de koningin. De lange, elegante blonde Jacqui trok Robs aandacht toen ze elkaar ontmoetten omdat ze het woord 'lovely' zo 'bekakt' uitsprak.

Van veel meer belang was dat Jacqui, die in de verte lijkt op Tara Palmer-Tomkinson, 28 was, zes jaar ouder dan Rob en mans genoeg om het tamelijk onvolwassen, recalcitrante ex-lid van de beste jongensband van het land aan te kunnen. De meerderheid van de belangrijke vrouwen in Robs leven was ouder dan hij en zij konden hem door moeilijke tijden heen helpen, wat in zijn geval bijna alle tijden zijn.

Het wereldje van beroemde mensen is maar klein. Rob en Jacqui werden aan elkaar voorgesteld door een van haar beste vriendinnen, Patsy Kensit, op een feest in Londen dat gegeven werd door platenproducent Nellee Hooper, die weer een ex-vriendje van haar was. Ze hadden veel lol op het feest en hielden telefonisch contact in de weken daarna voordat ze elkaar in Manchester weer ontmoetten. Op dat moment ging het slecht met Rob en zocht hij zijn toevlucht in drank en drugs, en Jacqui was een buitenkansje want ze leek meer geïnteresseerd in hém dan in het in de openbaarheid brengen van hun relatie. Het is een grote verdienste van Jacqui dat ze nooit uit de school heeft geklapt over haar tijd met Rob.

Rob ging met haar mee naar de begrafenis van haar grootmoeder in Cheltenham. Jacqui was opgegroeid in een gegoede familie in een dorp in de Cotswolds en na de begrafenis logeerden Jacqui en Rob bij haar moeder, Lady Hamilton-Smith, en haar stiefvader, John Underwood. Die zei: 'Hij kwam op me over als een heel aardige jongen.' Ze gingen iets drinken in het plaatselijke café maar daar op het platteland herkende niemand Rob, of niemand liet merken dat hij wist wie hij was. Toen de media achter zijn eerste echte romance kwamen, werd het idee bevestigd dat ze nog lang over hem zouden kunnen schrijven. De rauwe popster uit de arbeidersklasse en het bekakte tutje: dat is smullen voor de roddelbladen.

Ze gingen op vakantie naar Barbados en de rest van de wereld kon getuige zijn van het duidelijke plezier dat ze beleefden aan elkaars gezelschap toen de foto's in de *Sun* verschenen. Niemand trapte in hun list om in hun hotel in te checken onder de namen Lord en Lady Tunstall. Alle cynisme aangaande foto's van beroemdheden terzijde geschoven is het overduidelijk dat Rob heel gelukkig en blij is met Jacqui. Ze wrijven met hun neuzen tegen elkaar, spatten elkaar nat in het zwembad en knuffelen en zoenen elkaar de hele tijd zoals normaal is voor een verliefd stel. De rest van de wereld bestaat niet meer voor hen. Voor de eerste keer kon Rob tegen een andere vrouw dan zijn moeder zeggen dat hij van haar hield. Rob vond de relatie heel bevrijdend nadat hij tijdens zijn Take That-periode geen relatie had kunnen hebben.

Jacqui woonde een tijdje bij hem, maar het was zijn ergste periode wat betreft drank- en drugsmisbruik. Soms verdween hij voor drie of vier dagen zonder te zeggen waar hij zat. Sorry was bij deze gelegenheden het makkelijkste woord, maar het was al snel niet genoeg meer toen duidelijk werd dat hij niet van plan was zijn gedrag te veranderen. Hij nam haar mee naar Tunstall om kennis te maken met zijn oma, die haar heel knap en beleefd vond. De twee dronken cola en kletsten gezellig met de oude dame in haar woonkamer. Betty Williams, die haar kleinzoon aanbad, zei: 'Het meisje dat Rob krijgt boft.'

Rob en Jacqui bleven het grootste deel van 1996 bij elkaar, maar zij had de pech dat op een moment dat zij toe was aan stabiliteit in haar leven, Rob zijn 'verloren jaar' wilde meemaken, de periode na Take That toen zijn eigendunk op zijn laagst was en hij de belangrijke zaken des levens uit het oog had verloren in een mist van drank, drugs en depressie. Jacqui drong bij Rob hard aan om hulp te zoeken en zich te laten behandelen voor zijn problemen. Maar aan het eind van het jaar waren ze uit elkaar. Jacqui kreeg al snel verkering met Sean Pertwee, acteur en zoon van Dr.Who-acteur John Pertwee, en binnen anderhalf jaar waren ze verloofd. Een jaar later trouwden ze in het House of Lords, een societyhuwelijk dat werd bijgewoond door twee mensen met wie Rob later ruzie zou krijgen, Noel Gallagher en Nellee Hooper.

Het was misschien anders gelopen als Rob ouder was geweest, maar Jacqui was eraan toe een gezin te stichten. Het is ironisch dat ze hem tijdens de vakantie in Barbados gevraagd had of hij met haar wilde trouwen. Het was schrikkeldag en dan mogen vrouwen traditioneel een man ten huwelijk vragen. Ze deed het voor de grap, maar Rob was ervan overtuigd dat ze het door had gezet als hij ja had gezegd. Wat zou er van Robbie Williams zijn geworden als hij ja had gezegd?

Na Jacqui ging Rob om met Anna Friel, een heel aantrekkelijke voormalige soapster op wie de media dol waren. Beiden hadden net een belangrijke, langdurige relatie achter de rug: Rob met Jacqui en Anna met televisiepersoonlijkheid Darren Day. Ze hadden plezier samen en hadden het heel leuk met elkaar, maar dit was een romance tussen beroemdheden waardoor hij veel meer ruimte in de pers kreeg dan hij verdiende. Het verschil tussen Anna en de andere jonge vrouwen met wie Rob omging na de breuk met Jacqui was dat zij nieuwswaarde had. Ze waren een mooi stel en allebei beroemd, maar ze waren helemaal geen echt paar. De meeste tijd van de twee maanden dat zij verondersteld werden een relatie te hebben was zij in Ierland voor de opnamen van een film. Rob kreeg een slechte pers terwijl zij weg was omdat hij op feesten werd gesignaleerd, drie dagen en nachten achter elkaar aan de boemel ging en naar beweerd werd vertrok met een blonde dame die een tatoeage van een zeepaardje op haar borst had. De kranten kopten hysterisch: 'Hoe kan Rob die arme Anna bedriegen?'

Anna was pas twintig en ging in Dublin uit en maakte er plezier, net als Rob (al deed ze niet aan boemelpartijen van tweeënzeventig uur). Rob was in die tijd vooral bezig met zichzelf. Hij nam voor het eerst de enorme stap om naar een ontwenningskliniek te gaan.

Als ik geen drugs had gebruikt en niet met talloze meisjes naar bed was geweest toen ik in een popband zat, zou ik abnormaal zijn.

10 Drank, drugs en depressie

Drugs vielen nooit goed bij Rob. De eerste keer dat hij LSD nam was hij met zijn vrienden in Shelley's nachtclub in Newcastle-under-Lyme. Op het laatst zag hij de duivel in de spiegel van het herentoilet, wat hem vreselijk deed schrikken.

Robbie Williams en drank lijken bij elkaar te horen. Toen hij uit Take That was gestapt, werd hij een onmogelijke artiest: hij was altijd dronken, viel en maakte heibel. Alcohol was een fundamenteel onderdeel van de jongenscultuur waarin hij opgroeide. Zijn vader hield van een biertje en zijn vrienden ook, maar Rob kon zich niet beheersen. Na tien biertjes keek hij om zich heen om te kijken wie er aan de beurt was voor een rondje. Maar alcohol was de acceptabele kant van Robs problemen. Een arbeider kan bekennen dat hij van een slok houdt, maar zal niet makkelijk opbiechten dat hij een gigantisch drugsprobleem heeft. Maar het waren de drugs, en één drug in het bijzonder, die Robs hersenen aantastten. Terwijl de hele wereld dacht dat hij 'gewoon' alcoholist was, was hij in werkelijkheid verslaafd aan cocaïne.

Toen hij een tiener was in Tunstall was er geen geld genoeg om verslaafd te raken aan dure drugs. Zijn schoolgenoten snoven lachgas en probeerden een jointje en af en toe een pilletje, maar coke was zeldzaam. Zelfs toen hij bij Take That zat was Rob altijd blut. Hij heeft nog steeds een schuld van £ 80 bij een plaatselijke dealer die hem aan wat dope had geholpen toen hij een keer een weekend thuis was. Dat wordt niet vergeten. Een vaste klant van de kroeg waar dit soort zaken werden afgedaan vertelt: 'Als hij terugkomt, wordt hem beslist om dat geld gevraagd. Men nam aan dat Robbie Williams wel zou betalen.'

Rob was aan de coke overgeleverd toen hij in de onzekere periode zat na zijn vertrek bij Take That. De schattingen over zijn vermogen op dat moment lopen uiteen van een tot vier miljoen pond. En al zou er heel wat aan de strijkstok van de advocaten blijven hangen als hij zich uit het juridische spinnenweb van de band had bevrijd, er zou nog meer dan genoeg geld overblijven om zich te buiten te kunnen gaan. Zijn moeder Jan deed haar best om hem in de gaten te houden, maar ze kon weinig meer doen toen hij eind 1995 naar Londen verhuisde. Dat was een heel andere wereld dan die uit zijn schooltijd in Stoke-on-Trent en dan die van honderden hotelkamers tijdens de tournees met Take That. Hij had de tijd om zich over te geven aan een nieuwe cultuur, die veel wereldser en mondainer was dan die welke hij gewend was. Hij was ook heel ongelukkig. Drank, drugs en depressie vormen een slechte combinatie.

Rob had het genot van cocaïne al leren kennen toen hij nog in Take That zat. Hij nam het voor de eerste keer vlak voor hij het podium opging tijdens hun tournee door Engeland in 1993. Thake That had een antidrugsimago en van Rob werd verwacht dat hij dat zou ondersteunen en de fans zou adviseren geen drugs te gebruiken. Hij gaf echter toe dat hij ze gebruikte en zei dat hij de kinderen niet kon adviseren ervan af te blijven. Zijn groeiende belangstelling voor cocaïne was een van de redenen voor zijn vertrek die het minst in de publiciteit kwam. Tijdens de rechtszaak tegen Nigel Martin-Smith in juli 1997 zei de advocaat van de manager van Take That dat Robbie Williams een 'voorkeur had ontwikkeld voor opzichtige en flamboyante mensen, alcohol en drugs'. Jan had in de gaten wat een puinhoop haar zoon ervan maakte en werd drugshulpverlener om te leren hoe ze er het best mee om kon gaan wanneer hij bij haar zou komen voor hulp.

Rob kan volstrekt niet alleen zijn. Dat geeft hij toe. Na het vertrek uit Take That leed hij aan een chronisch minderwaardigheidscomplex. Hij kwam bijna acht kilo aan door zijn dieet van Guinness en kebab, al liet hij soms de kebab achterwege. Op feesten zette hij vijf glazen Guinness op een rij en sloeg ze allemaal met één walgelijke beweging achterover. Er wordt beweerd dat hij een keer 25 halve liters van het donkere spul op één dag dronk. Hij was erbij als er een portemonnee openging en stond al snel bekend als de grootste klaploper van de stad. Hij snoof genoeg cocaïne om de Colombiaanse economie draaiende te houden. Een manager van een platenmaatschappij herinnert zich de toestand van Robbie Williams in 1996: 'Hij was een vette schizofreen – helemaal aan lager wal geraakt.'

Veel mensen vonden het moeilijk te begrijpen waarom Rob, die zo jong zoveel succes had en nog zijn hele leven voor zich had, zichzelf als een mislukkeling beschouwde na Take That. Het was misschien slap, maar dat maakt het niet minder waar. Hij wilde zo wanhopig geaccepteerd worden door de band en het feit dat ze hem lieten vertrekken was een enorme afwijzing. Nicole Appleton herinnert zich dat hij in huilen uitbarstte toen ze op een avond op zijn dakterras in Notting Hill over Take That aan het praten waren. Rob is heel openlijk over zijn verdriet maar toch is de buitenwereld verbaasd als hij niet de komiek uithangt. Tegen het einde van zijn tijd bij Take That verscheen hij op de televisie in een T-shirt met de leus 'Mijn drankhel' en toonde zo letterlijk zijn alcoholisme aan de wereld, maar niemand nam hem serieus.

Robs afgezaagde excuus voor zijn gedrag in het jaar nadat hij Take That verliet, is dat hij heel zijn puberteit in één jaar moest proppen omdat hij die had gemist door zijn tijd bij de band. Take That was vanaf zijn zestiende zijn leven geweest. Dat klinkt goed, maar in Tunstall had hij een heerlijke tijd en kon hij voetballen, drinken, streken uithalen, met meisjes dollen en lol trappen. Voor de grote meerderheid is dat genoeg 'puberplezier'. Maar Robs karakter laat geen enkele beperking toe. Het is alles of niets. Hij kan geen genoegen nemen met één pilsje of één lijntje. Hij zei gekscherend dat hij op de 'universiteit van het uitgaansleven' zat. Hij kon naar de Met Bar gaan en het echt gezellig hebben met mensen uit de showbusiness. Hij raakte bevriend met voetballers als David James, Jamie Redknapp en Phil Babb. Hij ging ook om met de held uit zijn tienerjaren, Vic Reeves. Rob ging vaak logeren op de boerderij van Vic in Kent en op een roemruchte en dronken avond zongen ze samen een versie van 'Lady Metroland' voor de prijsvarkens van Vic. De varkens waren volstrekt niet onder de indruk van de landelijke karaoke en vielen hen aan. Hij ging graag drinken met zijn nieuwe vrienden van Oasis en het Geordie-duo PJ en Duncan, tegenwoordig beter bekend als Ant en Dec, die net als hij voor het eerst de vrijheid van Londen proefden. 'Topgozers uit het noorden', noemde Rob hen. Met een groepje van de mensen die bij Oasis hoorden sloot hij zich aan bij de stakende metrowerkers en samen zongen ze 'We

Shall Overcome'. Vrienden uit Tunstall herinneren zich dat hij mee-deed aan de plaatselijke derby tussen Stoke en Port Vale en dat hij 'de andere kant uitkeek'. Eén vertelt dat hij 'heel langzaam was en slecht speelde. Je kon zien dat hij erg veranderd was.'

Het is alom bekend dat toen hij zijn eerste album *Life Thru a Lens* maakte, hij het grootste deel van de tijd onder de mixtafel lag met een blikje Guinness. Hij was al dronken voordat hij aankwam. Zijn nieuwe platenlabel, Chrysalis, zond een taxi om hem op te halen in Notting Hill en hem naar de studio in Chelsea te brengen. Hij liet de chauffeur onderweg bij de ene na de andere pub stoppen. Rob dook naar binnen, dronk een pint, kwam naar buiten en keek al uit naar de volgende kroeg. Het was een kroegentocht per taxi. Tegen de tijd dat hij bij de studio aankwam was hij 'volkomen lazarus'. Hij liet gewoon alles over aan de muzikanten, zijn partner-songwriter Guy Chambers en coproducent Steve Abbot. Terwijl hij niet bepaald 'one-take Williams' was, kon hij ook niet de concentratie opbrengen voor meer dan vier takes van één song. Dan ging hij zich vervelen en trok hij zich terug op zijn plekje onder de geluidstafel. Hij vertelde: 'Als ik weer aan de slag moest, was ik totaal vergeten hoe ik moest ophouden met drinken.'

Rob heeft maar één keer heroïne gebruikt. Het beviel hem niet en hij sprak zich ferm uit tegen de drug, tot grote vreugde van de drugsbestrijders van de overheid. Hij verklaarde: 'Heroïne is slecht – niemand zou zich ermee in moeten laten. Het was de naarste ervaring van mijn leven en ik zal het nooit meer nemen.'

Robs 'verloren weekend' duurde tot oktober 1996, toen hij zich er door een bezorgde Elton John en zijn vriendin Jacqui Hamilton-Smith van liet overtuigen om naar Beechy Colclough, hulpverlener voor sterren, te gaan. Beechy, die Elton John, Michael Jackson, Kate Moss en Paul Gascoigne heeft behandeld, is niet van mening dat beroemdheden anders moeten worden behandeld dan gewone mensen: 'Het zijn gewoon mensen met een verslaving.' Hij werd niet genezen, zelfs niet half, maar het was een begin. Hij betaalde zijn toegang voor de ontwenningsachtbaan. Een maand lang bezocht hij Beechy iedere dag en in die tijd zei hij dat hij 'enorm' geholpen werd. In ieder geval kon hij zich genoeg in de hand houden om zijn eerste album af te maken en, door een tijdje niet te drinken, een aantal kilo's af te vallen. Rob had het geluk dat hij mensen in zijn omgeving had die hem konden laten profiteren van hun eigen slechte ervaringen terwijl hij nog zo jong was. Sir Elton had twintig jaar van ernstig drugsgebruik achter de rug voordat hij eindelijk met zijn problemen naar een kliniek in Amerika ging. Toevallig voerde hij ook een eeuwig strijd met zijn gewicht en leed hij ook aan een gebrek aan eigendunk, gefrustreerd door zijn overgewicht, zijn bril en het feit dat hij kaal werd. Ook hij had een moeilijke verhouding met zijn vader en aanbad zijn moeder. Rob wist, als altijd, tussen de introspectie door zijn gevoel voor humor te bewaren. Zo vertelde hij dat hij het huis van zijn moeder op oudejaarsavond 1995 had verlaten met de uitspraak dat hij elders zou slapen. Met dezelfde tas ging hij op nieuwjaarsdag 1997, een jaar en een dag later, naar zijn moeder: 'Dat was me het feest wel, mam,' schreeuwde hij terwijl hij binnenkwam.

In juni 1997 nam Rob de belangrijke beslissing dat hij serieus moest afkicken en liet zich opnemen in de Clouds-kliniek bij Salisbury, in het hart van het landelijke Wiltshire. Hoewel zijn moeder en zijn management er bij hem op hadden aangedrongen dat te doen, erkent hij dat hij alleen zelf de keuze kon maken. Zijn drugsgebruik had zulke vormen aangenomen dat hij het meubilair rond zijn bed zag rennen. Hij gaf toe: 'Ik heb geen schakelaar in mijn hoofd die ik aan of uit kan zetten. Ik geloof niet dat je regelmatig drugs kunt gebruiken en er dan nog verstandig mee om kunt gaan.' Dronken en met vier flessen Moët in zijn handen meldde hij zich bij Clouds. Hij was naar een feest van de groep Sleeper geweest en nadat hij het grootste deel van de avond nuchter was gebleven, had hij besloten dat hij net zo goed in een dronken roes naar de ontwenningskliniek kon gaan.

Clouds is geen zachtzinnig vakantiekamp voor beroemdheden waar ze kunnen herstellen van een nachtje drinken. Er zijn geen luxe penthouses. Rob moest een slaapkamer delen met twee andere verslaafden, maar vond de kameraadschap prettig. Hij moest samen met de anderen koken en afwassen, geen zaken waar hij dol op was. Hij mocht geen boeken hebben (hij las toch zelden een boek), geen tijdschriften, zelfs geen radio of televisie en op het tijdstip dat hij normaal gesproken naar bed ging, was hij nu al op om zijn rondje te rennen. Rob reageerde goed op de regelmaat in zijn leven. Deze versterkte zijn gevoel dat hij ergens bij hoorde, iets wat altijd heel belangrijk voor hem was geweest. Hij moest de vernederende ervaring van groepstherapie ondergaan, waar zijn status buiten de kliniek niets te betekenen had. Hij maakte ook kennis met het 'programma', het twaalfstappenplan voor het leven dat bekendstaat als de Minnesota Methode en die wordt gehanteerd door de AA. Stap één is dat je moet toegeven tegenover jezelf en tegenover anderen dat je verslaafd bent: 'Ik heet Rob en ik ben alcoholist.' Stap twee is dat je moet geloven dat er een hogere macht is die je kan genezen. Dat kan God zijn, maar dat hoeft niet. Ondanks dat hij was opgegroeid in een rooms-katholiek gezin ging Rob nooit naar de kerk en zegt hij dat hij atheïst is. Hij is echter bereid aan te nemen dat er een 'hogere macht dan jezelf is waaraan je moet toegeven'.

Hij bleef zes weken in de kliniek en kwam er zowel geestelijk als lichamelijk fit genoeg uit om zijn eerste album te promoten. Hij had nog niet alle twaalf stappen genomen, die onder andere inhouden dat je het goed moet maken met mensen die te lijden hebben gehad onder jouw verslaving, maar hij erkende wel twee belangrijke aspecten van zijn probleem. Ten eerste dat zijn verslaving hem heel egoïstisch had gemaakt. En ten tweede dat hij nooit verder moest kijken dan één dag clean blijven. Beechy Colclough merkt op: 'Ik denk wel dat ontwenning moeilijker kan zijn voor beroemde mensen omdat zij onder de extra druk staan dat ze bekend zijn. Ze vinden het moeilijk iemand te vertrouwen tijdens de behandeling omdat ze bang zijn dat het in de krant zal komen.'

Gedurende de jaren daarna zou Rob heel af en toe weer terugvallen in zijn verslaving. Deze braspartijen waren altijd spectaculair. Hij werd geen kluizenaar in de showbusiness. In plaats van rustig het resultaat van Clouds te overdenken, en misschien een tweede therapie te overwegen, was hij weer helemaal Robbie en presenteerde hij *Top of the Pops*. Tijdens de eerste periode van zijn herstel ontmoette hij Nicole Appleton, hij werd verliefd op haar en zijn carrière kwam weer op gang. Een van Robs problemen was dat hij niet erkende dat zijn verslaving aan alcohol niet los kon worden gezien van zijn verslaving aan cocaïne. Hij kon niet rustig drinken en denken dat alles in orde was omdat hij niet ook een paar lijntjes wit poeder opsnoof. Nic heeft later verteld dat de eerste keer dat zij en Rob samen waren, ze bewusteloos raakten na een marathondrankgelag.

Een waanzinnig losbandige nacht in Dublin laat zijn behoefte zien om tot het uiterste te gaan. Op een feestje na een optreden was hij volgens een ooggetuige 'door het dolle heen' en 'absoluut krankzinnig'. Hij maakte iedereen wakker door op de deuren van hotelkamers te bonzen op zoek naar drugs terwijl een paar 'meisjes van plezier' op zijn kamer de 'popster' gezelschap hielden. Een van de mensen die ook op het feest waren, vertelt: 'Uiteindelijk kroop hij met het schuim op zijn mond over de vloer van de hotellobby.' Na de uitreiking van de Brit Awards in 1999 bekende hij dat hij zo dronken was geweest, dat hij pas de volgende ochtend toen hij wakker werd besefte dat hij drie van de begeerde prijzen had gewonnen. Hij had een song op zijn eerste album gezet, getiteld 'Clean', maar bedierf het effect door te zeggen dat hij dronken was toen hij hem schreef.

In september 2000 kwam Rob aanzetten bij de première van de documentaire over de Sex Pistols *The Filth and the Fury* op een openluchtscherm in Islington. Dat was het begin van een nacht om nooit te vergeten (of juist wel). De altijd wel geestige Rob was in topvorm toen hij aankwam. Een journalist klampte hem aan en vroeg wat zo'n popidool als hij deed op een punkpremière. Rob – hij blijft altijd een acteur – keek hem verward aan en zei: 'Ik kwam voor *Toy Story 2*, o jee.' De journalist vroeg hem vervolgens of er ooit een film over Take That zou komen. 'Ze zijn er een een aan het maken,' zei hij met een stalen gezicht. 'Het wordt zoiets als *Absolute Beginners*. We denken erover hem *Absolute Shit* te noemen.' Na de film plaste hij tegen een muur en ging vervolgens met acteur Nick Moran naar het trendy Soho House in West End. Rob ging naar binnen voor één drankje, maar belandde aan het einde van de avond gehavend in Stringfellows, zonder kleren.

De beroemdste, bijna rampzalig beschamende avond vond plaats in Stockholm, op het feest van EMI na de uitreiking van de MTV-Awards 2000. Er deden al geruchten de ronde dat Robbie in een neerwaartse spiraal zat sinds de opnames voor de videoclip van zijn single 'Supreme' bekort moesten worden omdat Robbie, volgens de woordvoerder, vreselijk uitgeput was en aan buikgriep leed. Uitputting betekent in het circuit van beroemdheden altijd dat een bepaalde ster weer aan de drank of dope is. Rob reisde toch naar Zweden, misschien tegen verstandige adviezen in, en zong een duet met Kylie Minogue op de uitreiking van de Awards. Op het feest erna kreeg hij ruzie met de legendarische Nellee Hooper. De platenproducent en miljonair is een eigenzinnige man die geen stommeriken verdraagt. Hij had zijn eigen circuit, een hechte 'crew' waar Robbie beslist niet bij hoorde. Een vriend verklaart: 'Nellee had klasse en verfijning en hield ervan zich te omringen met mooie meisjes en rijke vrienden uit de bovenlaag van de samenleving, zoals Lucas White en Nat Rothschild. Hij houdt er ook van in het middelpunt van de belangstelling te staan en kon Robbie absoluut niet waarderen als die in een opgefokte stemming was en zich hufterig gedroeg.'

Men zegt dat Nellee toen hij Rob op het feest zag hem een paar harde waarheden voorhield. Uiteindelijk sloeg Robbie hem in zijn gezicht. Nellee, die een stuk kleiner is dan Robbie, reageerde met een schop in diens kruis. Er volgde een worstelpartij op de grond waarbij Rob het shirt van Nellee scheurde voordat hij door zijn bodyguard werd weggetrokken. Als een echte kerel die denkt dat een vechtpartij een goed begin van de avond is, dronk Rob veel te veel sambuca tot hij naar bed werd geholpen. Er werd zelfs gezegd dat aan het eind van de avond het schuim op zijn mond stond, maar dat werd de volgende dag in alle toonaarden ontkend door de woordvoerder van zijn platenmaatschappij, die beweerde dat hij 'uitgeput' was en dat het hele incident met Nellee een 'simpel misverstand' was.' Rob werd naar een hotel op Barbados afgevoerd om uit te rusten. Later gaf hij toe dat hij dronken was geweest, maar hij zei ook dat hij griep had gehad.

Nellee Hooper schreef vervolgens een brief aan Robbie Williams. Niet om zich te verontschuldigen, maar om zijn afschuw en woede te uiten over het feit dat hun handgemeen in de kranten had gestaan. Hij had een hekel aan publiciteit, bijna in dezelfde mate als Rob ervan genoot. Dat is een van de boeiende aspecten van Robs verslaving aan drank en drugs. Bijna alle details van zijn problemen werden door de media gepubliceerd, maar dat deed hem volstrekt geen kwaad. Rob is niet opportunistisch genoeg om zijn verslaving publicitair uit te buiten, al had dat goed gekund. Zijn aanzien bij het grote publiek nam in geen enkel opzicht af – integendeel zelfs, omdat Rob aan iedereen interviews gaf en geeft over het onderwerp. Hij heeft onder andere zijn hart gelucht bij *The Big Issue*, de *Guardian*, *Top of the Pops*, *Eve*, de *Dai-*

ly Telegraph, Q, Select, Vox, de *Face, Sky* en *Melody Maker.* Dan heb je ongeveer wel iedereen bereikt.

Iemand van de platenmaatschappij die in de loop der jaren getuige is geweest van een aantal van Robs uitspattingen en die de rol van drugs in muziek begrijpt, merkt op dat drugs, en cocaïne in het bijzonder, de grenzen van acceptabel gedrag steeds verder oprekken. Volgens hem ligt de wortel van het cocaïneprobleem in de bewieroking: 'Wanneer je op het podium staat en zingt voor duizenden mensen die letterlijk "van je houden", is dat een ongelooflijke kick. Hoe kun je dat gevoel oproepen?

Ik heb Robbie live "Angels" horen zingen in Knebworth. Iedereen in het publiek zong mee en Robbie stond er met de microfoon in zijn uitgestrekte arm en huilde tranen met tuiten. Wanneer je zo veel lof en waardering hebt gehad, wat kun je dan nog doen? Het seks-, drugs- en rock-'n-rollcliché is gewoon waar. De drugs halen de scherpe kantjes eraf zodat je je onoverwinnelijk voelt. Ik heb gezien dat voor concerten het ene meisje na het andere zijn kleedkamer inliep om hem te pijpen tot vlak voordat hij op moest. Robbie wil altijd in alles zo ver mogelijk gaan. Hij houdt van zichzelf, maar hij gaat gewoon te ver.'

Voor iemand die een ontwenningskuur heeft gedaan, lijkt Rob buitengewoon snel te bezwijken voor verleidingen. Hij boft echter dat hij nu mensen om zich heen heeft die de problemen van het herstel begrijpen. Met zijn huidige managers, David Enthoven en Tim Clark, heeft hij het geluk gehad twee mensen te treffen die alles in de muziekindustrie hebben meegemaakt. Het zijn overlevers. Vooral David heeft een diepgaand inzicht in de steun die de Narcotics Anonymous kan geven en hij is een vaderfiguur geweest voor Rob op een manier zoals zijn echte vader Pete dat in dit speciale geval niet had gekund. De band die Pete en Rob hadden toen hij volwassen was, was er meer een van drinkmaatjes dan een tussen vader en zoon. Ze konden samen lachen onder het genot van een biertje, maar dat was geen steun voor Rob toen hij probeerde zijn problemen aan te pakken en verklaart misschien, tot op zekere hoogte, waarom hij en zijn vader gedurende meer dan een jaar van elkaar vervreemd raakten toen Rob naar Los Angeles ging. Zijn managers begrepen echter dat terugvallen hem niet kwalijk genomen moest worden, maar dat het het belangrijkste is om de volgende dag met frisse moed opnieuw te beginnen. Dat is een opvatting die Jan Williams deelt door haar werk als drugshulpverlener. In de slechte oude tijd probeerde hij zijn moeder er zelfs van te overtuigen dat het een goed idee zou zijn als zij cocaïne zou proberen, zodat ze wist hoe het was. Ze zei hem dat hij niet zo dom moest doen.

Tegenwoordig zijn drugs verboden tijdens Robs tournees en iedereen die erop betrapt wordt, wordt op staande voet ontslagen. Dat is puur om Rob te beschermen. Als hij bezwijkt voor drank, is het waarschijnlijk dat hij zijn zelfbeheersing verliest en overal op zoek gaat naar drugs. Het is dus logisch om ervoor te zorgen dat niemand iets heeft om hem te geven. In het verleden waren drugs te makkelijk beschikbaar in Robs omgeving en het is gewoon niet zo simpel om de 'ster' iets te weigeren als hij moet optreden en iedereen zijn loon moet betalen. Deze onbestendige kant van zijn leven is nu tenminste op orde.

Niemand lijkt Rob zijn zwakte kwalijk te nemen. Hij wordt in overdrachtelijke zin over zijn bol geaaid omdat hij zo'n brave jongen is en meegenomen voor een fijne wandeling. Af en toe ontsnapt hij aan de riem, al schijnt zijn nieuwe leven in Californië hem te hebben gekalmeerd. Enige tijd verkeerde Rob ten onrechte in de veronderstelling dat als hij 'genezen' was, hij weer uit zou kunnen gaan en als een volwassene een glaasje, of misschien twee, zou kunnen drinken, en dan na een gezellige avond weer naar huis zou kunnen gaan. Dat is geen optie voor een verslaafde. In april 2001 gaf hij in het programma *Parkinson* toe dat hij de vier jaar daarvoor had geprobeerd nuchter te blijven en dat hij steeds bleef 'terugvallen'. Sinds zijn verhuizing naar Los Angeles is de situatie heel erg verbeterd. Zijn chronisch verslaafde persoonlijkheid moet het doen met urenlang kaarten en andere spelletjes. En het roken van zestig Silk Cuts per dag.

In november 2002 vertelde hij: 'Ik lijd aan een ziekte die depressie heet.' In het interview met de gerespecteerde popjournalist Chris Heath in de *Daily Telegraph* werd ook bekendgemaakt dat hij al een halfjaar antidepressiva slikte en dat de medicijnen een goede uitwerking hadden. Het verhaal werd overgenomen door andere nationale kranten, waaronder de *Sunday Times* van 10 november.

Rob verklaart zijn drank- en drugsuitspattingen graag met een analogie met het bonnenboek. Hij gelooft dat je geboren wordt met een bonnenboek voor alle belangrijke zaken in het leven, zoals drank, drugs, seks en liefde. Hij 'ging veel te vroeg van start' en gaf zijn bonnen dus te snel uit, tot hij alleen maar de controlestrookjes over had. Hij zou zo willen zijn als Keith Richard, die 'het boek van iemand anders gejat heeft'. Wat hij nodig heeft zijn natuurlijk bonnen voor liefde, maar daar krijg je er maar een paar van in je boek.

Ik ging naar binnen voor één drankje en dat was het.

De man van £ 80 miljoen tijdens de uitreiking van de NRJ Music Awards in Cannes, januari 2003.

Links: Zoë Hammond als Jemina in *Chitty Chitty Bang Bang*, een productie van het plaatselijke musicalgezelschap.

Rechts: Robbie als Jeremy in dezelfde productie, tijdens welke Zoë en Robbie voor het eerst samenwerkten.

Als veertienjarige Artful Dodger in *Oliver!*, een productie van North Staffs. Het hoogtepunt van zijn carrière als amateurtoneelspeler.

Klas van 1990. Robbie zie je meteen op de achterste rij, de vierde van rechts. Lee Hancock, Robs beste vriend, is de tweede van links in de vierde rij. Phil Lindsay staat rechts naast hem. Giuseppe Romano staat in de rij voor hen aan de linkerkant en Peter O'Reilly staat rechts van Robbie. Joanna Melvin is de tweede van rechts in de tweede rij.

Robbie hangt uit het raam van zijn slaapkamer nadat hij het contract had getekend met Take That in augustus 1990 om iedereen te vertellen dat hij beroemd gaat worden.

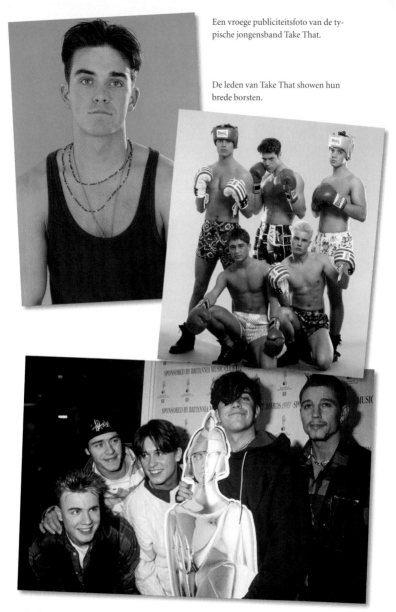

Een vroege publiciteitsfoto van de typische jongensband Take That.

De leden van Take That showen hun brede borsten.

Take That tijdens de uitreiking van de Brits in 1993, waar ze hun eerste award wonnen voor Best British Single.

... op het podium met Lulu tijdens het feestje voor de winnaars van Smash Hits.

Tijdens een lunch ter gelegenheid van de Nordoff Robbins Awards in 1995. De 'echte' Robbie Williams begint te voorschijn te komen.

Ontmoeting van Robbie en Liam... Het Glastonbury Festival 1995 was een keerpunt in zijn leven.

Een bijna onherkenbare Robbie op een persconferentie (rechts) en voetballend (1996). De gevolgen van zijn hedonistische levensstijl worden zichtbaar.

Met zijn moeder tijdens een liefdadigheidslunch in 1998. Voor Robbie is zij de belangrijkste persoon in zijn leven.

Met zijn vader in de studio van *Top of the Pops*, november 2002.

Nigel Martin-Smith, manager van Take That, en Robbie op weg naar de rechtszaal in 1997.

Robbie en Kylie Minogue op de uitreiking van de MTV Europe Music Awards 2000. Hun optreden met een sexy uitvoering van 'Kids' was een gigantisch succes.

Met Jacqui Hamil-
ton-Smith, zijn eer-
ste serieuze vrien-
din, 1996.

Met Anna Friel. Hun relatie duurde slechts twee maanden maar
kreeg veel aandacht in de roddelbladen.

Met Tania Strecker, de
stiefdochter van Robbies
manager David Enthoven.

Robbie en Nicole Appleton. De relatie met Nic was de hartstochtelijkste van zijn leven.

Een wandeltocht voor UNICEF, waarvoor hij sinds 1998 optrad als ambassadeur. Met van links naar rechts: Melanie Blatt, Robbie, Nicole Appleton, Jamie Theakston, Natalie Appleton en haar dochter Rachel.

Boven: Op het podium met Tom Jones tijdens de uitreiking van de Brit Awards in 1998, een van de hoogtepunten in zijn carrière.

Links: Met Geri Halliwell en entourage op vakantie in St. Tropez.

Optreden tijdens de uitreiking van de Brit Awards 1999 toen hij de eerste van zijn vier (een record) Best British Male Solo Artist-awards won.

Met prins Charles en Geri Halliwell nadat ze die had verrast met een uitvoering van Happy Birthday à la Marilyn Monroe.

Met zijn beste vriend Jonathan Wilkes, die tevens fungeert als zijn broer en beschermer.

Op bezoek bij Jonathan in Edinburgh waar hij optrad in een productie van *Godspell*. De twee vrienden proberen elkaar altijd bij te staan bij hun optredens.

Met zijn beroemde
Maori-'gebed' op zijn
linkerarm, dat 'een ge-
bed is om me tegen
mezelf te beschermen'.

Op de veiling bij Sotheby voor de liefdadigheidsinstelling Give it Sum ten dienste van Comic Relief, april 2001. 'In deze broek heb ik Geri geneukt.'

Boven: Robbie duidelijk dolgelukkig
met een MTV Europe Music award
in Spanje 1998.

Rechts: Met Chris Briggs nadat deze
een British Music Roll of Honour
Award had ontvangen, 2001. Briggsy
was een onschatbare steun voor
Robbie bij EMI/Chrysalis.

Neemt via de satelliet zijn
derde Brit Award for Best
British Male Solo Artist in
ontvangst in 2002. Zijn
dankwoord deed menigeen
zijn wenkbrauwen optrek-
ken.

Weer in kilt, deze keer op
het podium in Sydney,
Australië, tijdens de zeer
succesvolle *Sing When
Your Winning*-tournee.

Optreden in *Later with Jools Holland*, november 2000.

Buiten bij een bijeenkomst
van de AA in Los Angeles.

Met Rachel Hunter onderweg
naar een avondje bowlen in
Los Angeles.

Marilyn Manson, Ozzy Osbourne en Robbie na-dat Ozzy een ster op de Hollywood Walk of Fame had gekregen in april 2002.

Het uitlaten van zijn honden is Robbies favoriete manier om zich te ontspannen.

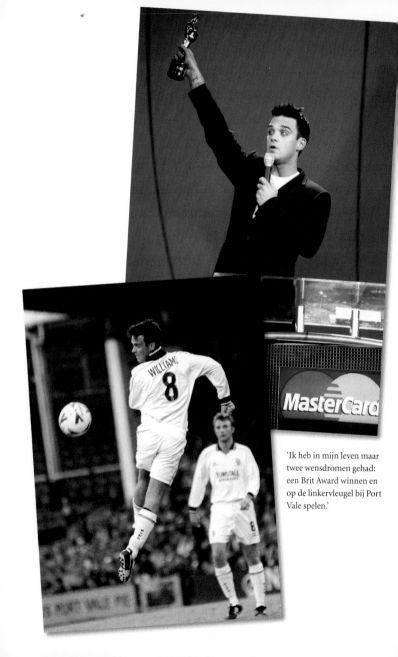

'Ik heb in mijn leven maar twee wensdromen gehad: een Brit Award winnen en op de linkervleugel bij Port Vale spelen.'

Deel 3
Robbie Williams

11 Het ontstaan van Robbie Williams

Het platenlabel van Robbie Williams stond op het punt hem te laten vallen. Het was een publiek geheim in de muziekbusiness en zelfs de kranten zinspeelden erop dat het afgelopen was met hem. De lancering van zijn solocarrière, waarover de verwachtingen zo hooggespannen waren, was ondermijnd door het succes van Gary Barlow, door de teleurstellende verkoop van zijn eerste album en door zijn eigen reputatie als de feestende Blobby Williams. Op de persconferentie over de resultaten van EMI in de herfst van 1997 zong hij een paar songs voor een publiek van ongeïnteresseerde journalisten En toen zong hij 'Angels'. Een voormalige manager herinnert zich het moment: 'We stonden op het punt hem te laten vallen. Maar iedereen zei: "O, mijn God! 'Angels' is een enorme hit!"'

Tot dat beslissende moment in zijn carrière bestond Robbie Williams niet, hij had geen bekende naam als popster. Hij was net als de feniks verrezen uit de as van zijn eerste leven als de brutale jongen in Take That en uit zijn tweede leven als de dikke klaploper uit Londen. Dit was de derde Robbie, de rijpe, volwassen popster. En het was een enorme verrassing. Maar in de ongelooflijk wispelturige wereld van de muziekbusiness kan één fantastische song alles veranderen.

Iedereen was ervan overtuigd dat Gary Barlow soepel zijn carrière zou voortzetten en snel tot grote hoogten zou stijgen met een George Michael-achtige stijl, terwijl de arme Robbie Williams rond zou blijven dobberen zonder reddingsvest. Rob was verbitterd en boos en verstrikt in een juridisch mijnenveld waarin hij dreigde al het geld van Take That te verliezen. Gary was de oogappel bij RCA en het was alleen een kwestie van tijd voordat zijn solocarrière zou beginnen. Het hele verhaal ontvouwde zich als een hedendaagse versie van de fabel over de slak en de haas. De haas (Gary) schoot vooruit in de richting van zijn eerste nummer-éénhit, terwijl de gedrogeerde schildpad (Robbie) in cirkeltjes bleef ronddraaien. Iedereen in de muziekindustrie zat ernaast, zelfs degenen die een bewezen staat van dienst hadden in het beoordelen van popmuziek. Tilly Rutherford, indertijd algemeen directeur van PWL, het label van Pete Waterman, zei vlak nadat Robbie Take That had verlaten: 'Gary heeft heel veel talent en hij is de enige die kan zingen.'

Gary's eerste single kwam uit in juli 1996 en stond meteen nummer één. Het was een beetje een saaie ballade die extreem goed werd verkocht, maar misschien niet bij iedereen in de smaak viel. Rob gaf er bij iedere gelegenheid stevige kritiek op. De problemen waarmee Gary geconfronteerd zou worden, waren niet meteen duidelijk voor zo'n bejubelde songwriter. Tenslotte had hij al vier prestigieuze Ivor Novello Awards gewonnen voor 'Pray' en 'Back for Good' en hij had de sound en het imago van Take That bepaald, dat drie jaar aan de top had gestaan, wat heel lang is voor een jongensband met een publiek dat voornamelijk bestond uit tieners en nog jongere kinderen. Rob merkte een keer tamelijk grof op dat hij als soloartiest optrad voor een publiek mét schaamhaar.

Het andere grote probleem waarmee Gary te kampen had, was Robbie Williams. Die weigerde gewoon uit zijn leven te verdwijnen. De voortdurende vergelijking zou nooit in Gary's voordeel werken. Terwijl hij in interviews vertelde dat hij leerde tennissen en gek was van *Star Wars*, ging Robbie dronken op zijn bek, verloor de strijd tegen de cocaïne, had affaires met diverse smakelijke dames en vrolijkte de ontbijttelevisie op. Rob werd een popster, en Gary? Hij was altijd even saai. De ommekeer in de publieke opinie bleef nog even uit terwijl Gary zich koesterde in zijn aanvankelijke succes en Rob er ellendig aan toe was.

De eerste opmerkelijke prestatie in de eerste maanden na zijn leven bij Take That was als gastpresentator in *The Big Breakfast*, het inmiddels verdwenen ochtendprogramma op Channel 4. Rob was aanvankelijk aangenomen om de interviews met sterren op het Big Bed te doen, die beroemd waren geworden met Paula Yates. Zijn optreden was spannend en vaak hilarisch en geleidelijk trok hij het hele programma naar zich toe, louter door zijn sterke persoonlijkheid. Hij vroeg Gary

Lineker of hij er, toen hij de beroemdste voetballer van het land was, ooit van had gedroomd reclame te maken voor chips. Hij probeerde de acteur Stephen Baldwin zover te krijgen dat hij hem zou helpen om zijn schoonzus Kim Basinger te versieren. Hij zette Dr. Spock-oren op tijdens een interview met Star Trek-fans. Volgens de kijkcijfers zorgde hij voor 600.000 extra kijkers. In die fase leek een carrière bij de televisie een goede zet voor een geboren showman en echt geestige jongen. Toen hem werd gevraagd of hij ooit weer zou gaan presenteren, antwoordde hij: 'Alleen als ze de naam veranderen in *The Big Dinner*.'

Na een promotietournee in Nederland die al contractueel was vastgelegd, stopte Take That officieel met de activiteiten op 3 april 1996. Op 4 april begon Gary te werken aan zijn eerste soloalbum, *Open Road*. Eigenlijk moest hij veel meer bewijzen dan Rob, omdat iedereen aannam dat hij grootse dingen zou gaan doen, terwijl men van Rob niet meer verwachtte dan dat hij af en toe zou optreden als entertainer. Een maand later moest Gary, zoals gebruikelijk, vragen over Robbie beantwoorden. Het was een vertrouwd patroon en het leverde Robbie onbedoeld veel publiciteit op, die hij nooit gehad zou hebben zonder de publiciteitscampagne die voor Gary was opgezet. Zijn commentaar op Rob was altijd hetzelfde: 'Ik ben heel teleurgesteld in de manier waarop hij zich ontpopt heeft.'

In het volstrekt openbare leven van seks, drugs en rock-'n-roll dat Rob in het jaar na Take That ging leiden, ontbrak één cruciaal ingrediënt: de rock-'n-roll. Robbie maakte geen muziek vanwege zijn contract met RCA, de platenmaatschappij van Take That. Twee weken nadat Take That wereldkundig had gemaakt dat de band uit elkaar zou gaan, moest Rob in de rechtszaal verschijnen om onder dat contract uit te komen. Het argument was dat er sprake zou zijn van belangenverstrengeling als de maatschappij, die onder leiding stond van BMG, zowel zíjn belangen zou moeten behartigen als die van de andere leden die nu aan solocarrières bezig waren. Hij trok zich terug voordat de zaak voor was gekomen en liet het aan zijn nieuwe manager Tim Abbott over om tot een overeenkomst te komen. Zijn carrière stond een halfjaar volledig stil terwijl de besprekingen gaande waren en onderhandelingen plaatsvonden met nieuwe platenmaatschappijen.

Wie zou er met die 'vette schizofreen' in zee willen gaan? Abbott had een bedrijf, Proper Management genaamd, en behartigde Robbies belangen sinds Rob begin 1996 afscheid had genomen van zijn eerste manager als soloartiest, Kevin Kinsella. In deze verwarrende periode leek alles wat Robbie deed juridische consequenties te hebben. Kinsella bleef hem vier jaar vervolgen voor onbetaald honorarium, in totaal £ 184.000,-, tot ze in 2000 eindelijk tot overeenstemming kwamen. Nadat de zaak afgehandeld was, zei Kinsella: 'Toen Robbie bij me kwam, ging het slecht met hem en ik zei tegen hem dat ik zou zorgen dat het weer goed zou gaan met zijn carrière.'

De rechtszaken zouden gedurende de rest van de jaren negentig doorgaan. Geen van alle waren van wezenlijk belang tenzij hij een platencontract zou krijgen. Een ridder in glanzende uitrusting verscheen om Rob te redden uit deze ongewisse periode in de gedaante van een non-conformistische manager bij EMI/Chrysalis, J.F. Cecilion, in de platenwereld beter bekend als JF. Een kenner van het bedrijf verklaart: 'Hij nam Robbie onder contract toen maar weinig mensen in de business iets met hem te maken wilden hebben. Hij zag iets in Robbie, die brutale kwajongen, en wilde het risico nemen. JF vocht voor Robbie, die dat altijd is blijven waarderen.' De andere belangrijke persoon was Chris Briggs, die verantwoordelijk was voor Rob bij EMI: 'Briggsy was een belangrijke factor omdat hij zich gigantisch inzette om Robbie clean te krijgen.' Briggsy stond altijd klaar om zijn grootste ster te verdedigen: 'Er is een groot verschil tussen een nietsnut die de popster uithangt en een getalenteerd, gevoelig persoon die de vernieling ingaat.'

Eind juni werd er een persconferentie georganiseerd om het contract met EMI/Chrysalis wereldkundig te maken. Rob was nog steeds bezig aan zijn 'verloren jaar', dus het was een riskante onderneming. Wat Rob zei in het Royal Lancaster Hotel maakt kort en bondig duidelijk hoe belangrijk de overeenkomst was: 'Ik heb een nieuwe familie. Dank je wel JF en iedereen bij EMI/Chrysalis.' In het contract met BMG stond een clausule dat Rob ermee instemde dat hij niets naar buiten zou brengen over de voorwaarden in het contract en dat hij zich zou onthouden van verder commentaar over de breuk met de bazen van zijn voormalige platenmaatschappij. Zijn moeder was daarna bij alle interviews aanwezig om te proberen te voorkomen dat haar zoon zijn mond voorbij zou praten en zich dus niet zou houden aan de voorwaarden. Rob moest BMG betalen om onder het contract uit te komen. Hoewel het bedrag nooit is bevestigd, deden hardnekkige geruchten de ronde dat het iets van £ 100.000 was, wat aan de lage kant is en misschien een aanwijzing dat Robbie niet werd gezien als een erg waardevolle investering. Er werd ook gefluisterd – maar dat is nooit bewezen – dat er in het contract stond dat Robbie Williams geen solosingle mocht uitbrengen vóór Gary Barlow. Het enige bedrag dat Robbie wel bekend mocht maken, was het bedrag dat hij zijn advocaten moest betalen: £ 400.000.

Robs eerste single was een cover van het nummer 'Freedom' van George Michael, dat een kleine hit was geweest in 1990. Rob vierde de vrijheid op vele gebieden met het nummer: bevrijding van BMG en het contract, van Take That en van de regels van Nigel Martin-Smith, de vrijheid om te feesten, de vrijheid in feite om te doen wat hij wilde. De song was een verklaring, zij het een weinig subtiele. Rob verklaarde, met een toespeling op een tekst van Oasis, dat hij nu 'vrij [was] om te doen wat ik wil en om te doen wat ik kies'. Een van de dingen die hij verkoos te doen was het neersabelen van Gary's single met het commentaar dat hij 'verschrikkelijk!' was. Hij noemde Gary 'egoïstisch, inhalig, arrogant, verwaand' en een 'domme rukker'. Hij bewaarde zijn beste geschut echter voor Jason Orange. Toen hem werd gevraagd hoeveel leden van Take That succes zouden hebben, antwoordde hij: 'Dat hangt ervan af waarin. Jason wordt vast een briljante schilder en behanger.' Gary was totaal verbijsterd door alle goedkope beledigingen die hem om de oren vlogen en zei dat hij gewoon niet begreep hoe Rob de dingen kon zeggen die hij zei. Hij vond Rob heel erg veranderd in de betrekkelijk korte tijd dat hij uit Take That was.

Uiteindelijk kwam Robs single uit slechts acht dagen nadat 'Forever Love' op nummer één de hitparade was binnengekomen. Gary's plaat bleef maar een week nummer één staan, en werd toen verdrongen door de eerste hit van de Spice Girls, 'Wannabe', die dat jaar bijna de best verkochte cd was. De vijfkoppige meidenband zorgde er ook voor dat 'Freedom' niet verder kwam dan de tweede plaats, hoewel er 270.000 exemplaren van verkocht werden, wat meer dan aanzienlijk is. Na de gigantische hoeveelheid publiciteit rond de beide singles van de voormalige Take That-leden was het misschien teleurstellend dat ze werden weggevaagd door 'girl power'. Zouden de Spice Girls zo veel succes hebben gehad als Take That nog steeds de lieveling van het tienerpubliek was geweest? 'Freedom' was nooit bedoeld voor Robs eerste album, maar alleen om een mijlpaal aan te geven in zijn leven en carrière. De keuze voor een nummer van George Michael was des te toepasselijker omdat George een rolmodel was voor Rob, niet als soloartiest, maar vanwege de manier waarop hij zich tegen zijn platenmaatschappij had verzet en zijn artistieke integriteit had bewaard.

Het was vreemd dat Rob kort nadat hij het contract van £ 1 miljoen voor drie albums had afgesloten met EMI wegging bij Tim Abbott en naar IE Music ging, dat gevestigd was in West-Londen, niet ver van zijn nieuwe label. Hij zei dat hij het gevoel had dat hij verder moest en dat hij 'volledige artistieke vrijheid voor de creatieve richting van mijn album' wilde. Het was een beslissend stukje in de legpuzzel van het ontstaan van Robbie Williams, de grootste entertainer van zijn generatie. Tim Abbott was er helemaal niet blij mee en de volgende rechtszaak begon. Alles bij elkaar had Rob vier verschillende managers in ruim een jaar als je Nigel Martin-Smith van Take That meetelt. Uiteindelijk moest hij veel geld betalen aan de eerste drie. Abbott deponeerde zijn eis in oktober 1996 en de zaak duurde bijna twee jaar voor ze tot overeenstemming kwamen zonder rechtszaak. Hij eiste meer dan £ 1 miljoen voor onbetaalde commissie en nam uiteindelijk genoegen met een compensatie van een paar honderdduizend pond. Het zou een ingewikkelde rechtszaak op het verkeerde moment zijn geweest voor EMI. Rob had beweerd dat hij het contract met Proper Management had getekend toen hij dronken was en zonder goede adviseurs.

IE Music was ideaal voor Rob. Het bedrijf, gevestigd in Shepherds Bush, werd gedreven door twee heren die op particuliere kostscholen hadden gezeten, David Enthoven en Tim Clark. Ze waren bepaald geen snelle jongens die het nog moesten maken, maar oudere, gerespecteerde figuren in de muziekindustrie, waarin ze beiden al meer dan dertig jaar machtige posities bekleedden. Het zijn verstandige en redelijke zakenlui die Robbie Williams vakkundig in het centrum van de Britse muziek hebben weten te plaatsen. Toen hij Rob voor het eerst ontmoette, vond David Enthoven hem op een paard lijken dat zo mishandeld was dat het ieder vertrouwen in zichzelf en iedereen had verloren.

Hij probeerde hem te laten zien dat er een betere plek was, zonder parasieten die alleen maar mee wilden liften op zijn succes.

Enthoven – een slimme, hoffelijke oud-leerling van Harrow – is een vaderfiguur geweest in Robs leven. Een vriend omschrijft hem als volgt: 'Hij kleedt zich een beetje als een Californische popster maar in werkelijkheid zou hij niet uit de toon vallen in een herenclub in St. James's. Hij is heel aardig en geliefd bij zijn personeel. Hij kan zakelijk keihard zijn, maar je vervolgens mee uit eten nemen in een uitstekend restaurant.' Hij heeft veel ervaring in de muziekbusiness, onder andere als manager van King Crimson, Roxy Music, Emerson, Lake and Palmer en T Rex. David was degene die met de gebruiksvriendelijke naam T Rex kwam omdat hij Tyrannosaurus niet kon spellen. Maar belangrijker was dat hij de gevaren van drugs en alcohol in deze wereld kende omdat hij er zelf bijna aan ten onder was gegaan, met als gevolg dat hij al meer dan vijftien jaar geheelonthouder was en kon optreden als een rustige mentor toen Rob de problemen met zijn verslaving probeerde te overwinnen. Net als Robs moeder oordeelt hij niet en neemt hij het Rob niet kwalijk als hij terugvalt. Integendeel, hij zal er zijn met een lekker kopje thee en een pak kaarten om te proberen Rob af te leiden. Hij was de ideale man om Rob te begeleiden op zijn weg van Blobby Williams naar zijn nieuwe imago als Robbie Williams, superster. Zijn partner Tim Clark deed de marketing en alle zaken die verder kwamen kijken bij wat niet anders beschreven kan worden dan als het fenomeen Robbie Williams. Hij is directeur geweest van Island Records, waar hij Bob Marley, Steve Winwood, Free en vele anderen onder contract had.

Gary Barlows tweede song, het snellere nummer 'Love Won't Wait', kwam ook meteen op nummer één in mei 1997, maar het stond maar negen weken in de hitparade, veel korter dan de zestien weken van 'Forever Love', een teken dat alleen de harde kern van de fans van Take That de plaat kocht. Deze keer was Rob hem een paar weken voor met 'Old Before I Die', de eerste song met zijn naam bij de songwriters. Maar net als 'Freedom' kwam de plaat niet verder dan nummer twee. Er hing veel af van de ontvangst van hun eerste albums, Gary's *Open Road* en Robs *The Show must Go On*, dat later omgedoopt werd in *Life Thru a Lens*, een veel minder flauwe naam, al zou *Life Thru the Bottom of a Beer Bottle* toepasselijker zijn geweest. Mark Owen had ook een nieuwe manager en produceerde zijn eerste twee solosingles, 'Child' en 'Clementine', met teleurstellend resultaat. Ze kwamen beide slechts op nummer drie, zodat de strijd om de belangrijkste plaats gestreden kon worden tussen Gary Barlow en Robbie Williams.

Gary was letterlijk in uitstekende conditie voor de strijd. Tegen de tijd dat hij met de promotie van zijn tweede single begon, zag hij er meer uit als een Hollywoodacteur die in actiefilms speelt dan als het dikkerdje van Take That. Gary en Rob, de meest gedreven leden van Take That, waren tevens de twee met het slechtste imago wat hun lijf betreft en worstelden altijd met hun gewicht. Achteraf gezien zou Gary zijn album waarschijnlijk beter hebben kunnen uitbrengen toen 'Forever Love' in de hitparade stond, maar hij besloot het voor het grootste deel opnieuw op te nemen in de Verenigde Staten, waardoor hij goeddeels uit het zicht verdween. Rob was echter de nieuwe lieveling van de media.

Een van de eerste taken waarvoor David Enthoven en Chris Briggs van EMI gesteld werden, was het vinden van een muzikant met wie Rob songs kon schrijven. Rob is, met Jans hulp en onder haar invloed, heel geslepen in zaken. Er was echter geen financieel genie voor nodig om in te zien dat het geld verdiend werd met schrijven. Hij had gezien wat Gary aan royalty's had verdiend bij Take That en hij wilde die goudmijn niet aan zich voorbij laten gaan. Het was niet zo makkelijk als het leek en Rob zou een paar keer zijn neus stoten voordat hij de juiste toon vond en, belangrijker, de juiste man om hem te helpen. Hij begon eerst te schrijven met Owen Morris, de producer van Oasis en een vriend van Tim Abbott. De samenwerking hield op toen Rob en Abbott uit elkaar gingen, hoewel een door gitaar begeleid nummer de B-kant van een van Robs eerste singles, 'South of the Border', haalde. Daarna ging hij samenwerken met Anthony Genn, de voormalige bassist van Pulp, die Rob in 1995 in Glastonbury had ontmoet. Terwijl Rob zijn benen uit zijn lijf danste op het podium waar Oasis speelde, sprong Genn nadat hij zijn kleren uit had gedaan het podium op tijdens een optreden van Elastica. Ze hebben samen zeven songs geschreven, maar tot op heden is geen enkele daarvan uitgekomen.

Daarna volgde een slecht doordachte trip naar Miami om samen te werken met twee gevestigde Amerikaanse songwriters, Desmond

Child en Eric Bazilian, die beiden een onberispelijke staat van dienst hadden in de popwereld en hadden gewerkt met Bon Jovi en Aerosmith. Rob realiseerde zich toen dat Amerikaanse muziek geen 'ironie' had, een cruciaal bestanddeel van de uiteindelijke sound van Robbie Williams. Hij voelde zich ook niet op zijn gemak bij de materialistische waarden. Hij vloog terug naar huis met verscheidene songs, waarvan er echter maar één, 'Old Before I Die', hem echt beviel, al wilde hij hem opnieuw opnemen met meer Brits popgevoel. Eind 1996 had Rob met vier medeschrijvers gewerkt en dat had slechts twee mogelijke platen opgeleverd. Het eerste album leek een beetje ambitieus.

Rob kon snel teksten schrijven, zijn poëzie kwam naar buiten in een monologue intérieur. Een groot deel van de teksten voor *Life Thru a Lens* schreef hij in één week. Het was een serie bespiegelingen over zijn leven op dat moment, en ging vooral over zijn houding tegenover beroemd zijn en zijn strijd met alcohol en drugs. Rob werd aan verscheidene medewerkers voorgesteld, maar het klikte alleen met Guy Chambers, die begin jaren negentig een paar hitjes had gehad met zijn band de Lemon Trees. Door een gelukkig toeval had Rob nooit van de band gehoord, tot de toenmalige vriend van zijn moeder hem zijdelings noemde. Toen Guys naam werd genoemd, dacht Rob meteen dat dat een teken was. David Enthoven gaf Guy twee adviezen voordat hij Rob zou ontmoeten die iedereen in de oren zou moeten knopen: noem hem geen Robbie en probeer niet om zijn vriend te zijn.

Guy ontmoette Rob voor het eerst bij de Capital Radio Road Show, waar zijn band ook in optrad. Rob trilde, was veel te zwaar en zag eruit als een levend lijk. Ondanks dit slechte begin klikte het tussen de twee. Toen Rob langsging bij Guy in zijn flat in Londen luisterde hij naar een van zijn songs met de Lemon Trees en vond de melodie erg goed. Met een aanpassing van de tekst werd dat 'Lazy Days', Robs derde single. Chris Briggs zei tegen *Music Week* dat de vroege demo's van Guy en Rob heel bemoedigend waren: 'Ze bevestigden dat we op de goede weg waren. Maar het moest niet geforceerd worden.' Guy bekende dat hij zijn twijfels had over wat er ging gebeuren en vroeg zich zelfs af of Robbie het einde van het jaar wel zou halen.

Het mooie van het feit dat zijn debuutsingle een cover was, was dat Rob daardoor de tijd had om zijn eigen sound te ontwikkelen. Hij had met alles kunnen komen, van de Monkees tot Motorhead. Peter Lorraine, indertijd uitgever van het tijdschrift *Top of the Pops*, bevestigde dat niemand het flauwste idee had wat voor soort muziek Robbie zou gaan maken. Uiteindelijk, toen hij het album hoorde, zei hij: 'Robbie gaat het helemaal maken, want zijn muziek is briljant. Hij was altijd de enige van Take That met enige geloofwaardigheid.'

Helaas deed het album weinig in de hitparade toen het uitkwam. De onvermijdelijke bestemming leek eerder de bakken met goedkope aanbiedingen dan de schappen met bestverkochte cd's. De haas, ofwel Gary Barlow, racete weg met de verkoop van *Open Road*. In een mum van tijd had het de nummer-éénstatus en waren er 350.000 van verkocht. Maar vreemd genoeg stagneerde het ineens, alsof iedereen die geïnteresseerd was in Gary Barlow de plaat had gekocht en er verder niemand meer was. *Life Thru a Lens* haalde amper de toptien voordat het uit het zicht verdween. Volgens Chris Briggs kwam dat onder andere omdat Rob niet in staat was een single van het album te promoten vanwege zijn ontwenningskuur. 'Lazy Days' bleef op een teleurstellende nummer acht hangen. Maar dat was nog sensationeel vergeleken met 'South of the Border' – dat hij op een perron van het station van Stoke had geschreven – dat eind september bleef steken op nummer veertien, en waarvan een schamele 40.000 exemplaren werden verkocht. Het ging helemaal niet goed: drie singles van het album die het steeds slechter deden. Er bleef niets van Robs zelfvertrouwen heel terwijl hij probeerde de ontwenningskuur te voltooien.

In de eerste acht weken nadat *Life Thru a Lens* was uitgekomen werden er maar 33.000 exemplaren van verkocht voordat het uit de hitparade verdween. Het was rampzalig voor het contract voor drie albums met EMI/Chrysalis. Het zag er niet naar uit dat de twee andere ooit het licht zouden zien. En toen kwam 'Angels', een keerpunt in het verhaal van Robbie Williams. Het was meteen een klassiek nummer, al was het bijzonder *middle of the road*. Zelfs Pete Conway had meteen gehoord dat het een fantastisch nummer was. Rob had het op een middag voor hem in de auto gezongen. Pete zei dat het een meer dan bijzonder nummer was en ging meteen naar al zijn vrienden: 'Wacht tot "Angels" uitkomt.' Pete was ervan overtuigd dat het even goed was als 'Yesterday' van Paul McCartney. In werkelijkheid klonk het meer als een klassiek nummer van Elton John, al klonk Robs stem nu Amerikaanser dan voorheen. Sommige van Eltons belangrijke songs, zoals 'Candle in the Wind' en 'Sorry seems to Be the Hardest Word' zijn echter qua tekst een beetje somber. 'Angels' is voor zo'n introspectieve ballade vrolijk en, wat heel essentieel is, iedereen kan er zijn eigen betekenis aan geven. Voor Rob beschreef het zijn gevoelens over de dood van de zus van zijn moeder, tante Jo, die was overleden toen hij vijftien was en ook over de dood van zijn grootvader Phil Williams, de vader van Pete Conway. Het thema dat iemand over je waakt is een rode draad in alle teksten van Rob. 'Nan's Song' op *Escapology* is een recenter voorbeeld.

'Angels' ging over wakende geesten en persoonlijke redding en was in die zin toepasselijk omdat het Robs carrière redde. Je zou zelfs kunnen zeggen dat het het begin was van de carrière van de Robbie Williams zoals we hem tegenwoordig kennen. In de videoclip, die bijna even belangrijk was, is Robbie afgekickt en sterk, maar toch nog kwetsbaar. De beroemde ogen zijn aanwezig en hij heeft een nieuw kort kapsel met een geschoren scheiding. Hij is gehuld in een veel te grote overjas die eruitziet alsof hij hem in een dumpwinkel van het leger heeft gehaald. De blote billen met gelatine van Take That zijn lichtjaren verwijderd van dit nieuwe imago.

Life Thru a Lens kwam door de aantrekkende werking van 'Angels' meteen terug in de hitparade en er werden uiteindelijk meer dan een miljoen exemplaren van verkocht. Binnen een jaar zou Robbie Williams de best verkopende artiest van Engeland zijn. Ironisch was dat zijn volgende single 'Let Me Entertain You' aanvankelijk vóór 'Angels' uitgebracht zou worden, maar Rob had nog onvoldoende zelfvertrouwen om een song op de markt te brengen met zo'n brutale titel. Tegen de tijd dat hij in de winkel kwam, maart 1998, was al de oude bravoure weer terug. Een paar jaar later traden Rob en Jonathan Wilkes op als gastpresentatoren bij Capital Radio in Londen en draaiden ze, weinig verrassend, onder andere 'Angels'. Rob kondigde het aan met de woorden: 'Zullen we de song draaien die een einde heeft gemaakt aan mijn imago van drankzuchtig, dik ex-jongensbandlid en mijn carrière een nieuwe wending gaf?'

Een jaar nadat Take That officieel was opgeheven, schreef een bijdehante journalist dat de huidige stand in de wedstrijd tussen Barlow en Williams 2-0 voor Barlow was, die twee nummer-éénhits had gehad terwijl zijn voormalige bandgenoot er nog geen een had. De huidige stand is 2-5 voor Williams, waarmee hij de ander een vernietigende nederlaag bezorgde. Gary Barlow heeft als man van middelbare leeftijd een loffelijke, pragmatische houding tegenover roem: 'In de platenindustrie is het letterlijk zo dat als een plaat naar de montagekamer gaat, je al met de volgende aan de slag moet. Ik heb echt genoeg van alle hysterie. Ik verheug me erop een gezin te hebben en in het huis te wonen dat ik heb gekocht en in mijn auto's te rijden.' En dat is precies wat hij heeft gedaan. Rob heeft echter tot op heden nog slechts twee van die drie doelen bereikt.

Je moet je gewoon gedragen als een arrogante zak, dan word je gerespecteerd.

12 Nic

Rob wilde weg van de trendy kroegen en nachtclubs in Notting Hill en zijn Canadese vriendin en popster het gewone Britse leven laten zien waar hij zo van hield. Hij nam haar mee naar het noorden om zijn moeder op te zoeken en een paar van zijn oude stamkroegen in Newcastle-under-Lyme en Stoke-on-Trent. 's Avonds haalden ze Chinees om de hoek en keken televisie met zijn vrienden.

Robs tweede album *I've Been Expecting You,* is bijna onverdraaglijk ontroerend als je het beschouwt als een herinnering aan het einde van zijn belangrijkste liefdesaffaire, zijn relatie met de zangeres van All Saints, Nicole Appleton. Van de titel zelf tot de nummers, waaronder 'No Regrets' en 'Phoenix From the Flames', is het een hartverscheurende reis door de moeilijkste tijd van Robs leven. Nic, zoals ze door haar vrienden genoemd wordt, heeft zelfs één regel bijgedragen aan het begin en einde van 'Win Some Lose Some'. We horen haar aan de telefoon zeggen: 'Love You Baby'. En dan heb je 'Grace', een song over de baby, Robs kind, dat Nic liet aborteren. Ze zouden het kind Grace hebben genoemd als het een meisje was geweest.

In mei 1997, voordat hij Nic ontmoette, werd Rob tijdens een interview gevraagd of hij dacht dat hij ooit een gezin zou stichten. Hij antwoordde dat hij dat heel belangrijk vond en er zelfs een song over had geschreven, het nooit uitgekomen 'If I Ever Have a Son'. Hij voegde eraan toe: 'Ik wil ophouden met mijn krankzinnige leven, want ik wil een goed voorbeeld zijn voor mijn kinderen.'

Nicole Appleton bracht het beste naar boven in Robert Williams. Ze waren allebei uit 1974, Nic was geboren op 7 oktober en dus een weegschaal, terwijl Rob een waterman was. Net als hij kwam ze uit een gebroken gezin. Haar ouders gingen uit elkaar toen ze vijf was en haar

– ook beroemde – zus Natalie, zeven. Ze waren de jongste twee van vier meisjes. Het was een vreselijke tijd omdat het gezin letterlijk in tweeën werd gedeeld. Nic ging met haar zusje Lori bij haar vader, een autoverkoper, in Londen wonen, terwijl Natalie met de oudste, Lee, bij hun moeder in Canada bleef. Na twee jaar kwam hun moeder naar Londen en hervatten ze een relatief normaal gezinsleven, maar dat duurde maar een paar maanden. Toen ging ze terug naar Canada met achterlating van alle vier haar dochters. Het was een heel verwarrende tijd, vooral toen hun moeder binnen een jaar weer naar Londen kwam, en ze probeerden er het beste van te maken in een kleine flat in Kilburn.

Het werd steeds duidelijker dat Nic en Rob bij elkaar pasten, omdat ze beiden hadden ervaren hoe eenzaam en verwarrend het is als je ouders scheiden en beiden droomden van de wereld van de showbusiness als een manier om te ontsnappen. Ze kon prachtig dansen als kind en deed met succes auditie voor de kort daarvoor geopende theaterschool van Sylvia Young in Camden Town, samen met Denise van Outen, die later ook met Robbie uit zou gaan, en Emma Bunton, een van de drie Spice Girls die nooit iets met hem hebben gehad. Haar zusje Nat voegde zich daar bij haar, maar na vier jaar vertrok hun ongelukkige moeder weer, deze keer om in New York te gaan wonen. Nic en Nat gingen met haar mee omdat ze nu eenmaal deel uitmaakten van het onrustige leven van hun moeder, die steeds vergeefse pogingen deed zich ergens te vestigen, in Londen, New York of Florida.

Hun nieuwe stiefvader werkte als entertainmentmanager in een groot hotel. Hij was bijna een Amerikaans equivalent van Pete Conway. De zusjes deden hetzelfde als de meisjes in de rode uniformen bij Butlin's: ze hielpen gasten bij de entertainmentactiviteiten en bedronken zich 's avonds. Als Nic en Nat in Tunstall hadden gewoond, waren ze ereleden geweest van de vriendenclub, want ze dronken tot ze moesten overgeven of bewusteloos raakten. Nicoles carrière in de muziek kwam langzamer op gang dan die van Rob. Ze sloot zich aan bij Melanie Blatt en Shaznay Lewis van All Saints toen ze twintig was, de leeftijd dat Rob serieus aan het nadenken was over zijn leven na zijn tijd bij de beroemdste jongensband in die jaren. Rob kon begrijpen wat Nic doormaakte toen ze grote problemen kreeg binnen All Saints. Hij wist wat voor een inspanningen het kost om dat eerste platencontract te krijgen en hij wist ook dat de opinie over meidengroepen ongeveer hetzelfde was als die over jongensbands: ze worden zelden serieus genomen. En net als bij Take That was het de bedoeling dat er één bandlid met talent was; Shaznay was de Gary Barlow van All Saints.

In het begin hielden Rob en Nic hun verhouding geheim. Ze ontmoetten elkaar tijdens een televisieprogramma waarin All Saints optrad met hun beroemdste song, 'Never Ever', geschreven door Shaznay. Rob was beleefd en complimenteus tegen Nic over haar muziek. In *Together*, de autobiografie van haar en haar zus Nat, beschrijft ze hoe hij 'heel beroemd' leek. Die observatie getuigt van inzicht. Robbie Williams heeft niets sulligs, introspectiefs, onnozels of verdedigends. Hij is een vierentwintigkaraats ster met bijbehorend charisma. Ze ontmoetten elkaar weer bij de repetities voor het Concert of Hope voor de Princess Diana Trust, en dat was de eerste keer dat Rob en Gary Barlow elkaar zagen sinds de opheffing van Take That. Gary was nog steeds even goedkoop en lonkte iedereen naar de piano voor een meezinger. Maar Nic vond juist Rob bijzonder omdat hij niet om aandacht vróeg, maar die éiste.

Wat de autobiografie van de zussen Appleton zo boeiend maakt, is dat ze zo veel vertellen over hun kwetsbaarheid en persoonlijke onzekerheden. Nicole Appleton is een beroemdheid, hoewel ze toen ze Rob ontmoette minder beroemd was dan hij, maar ze gedroeg zich als een onzeker schoolmeisje wier knieën beginnen te knikken als ze de aanvoerder van het voetbalelftal ziet. Ze bleef oogcontact zoeken en dan weer snel wegkijken. Ze wilde met hem praten maar was bang dat ze in het nadeel zou zijn als ze liet merken dat ze hem leuk vond. Ze nodigde hem uit voor haar verjaardagsfeest en was in alle staten toen hij als eerste binnenkwam. Ze koestert een polaroidfoto die ze samen hebben genomen. En was boos, al hield ze dat voor zichzelf, toen ze in de krant las dat hij uit was geweest met Denise van Outen. Tijdens hun eerste afspraak – misschien onvermijdelijk als je het levensverhaal van Rob kent – werden ze zo dronken van de Guinness dat ze bewusteloos raakten. Een zorgwekkender voorproefje van de dingen die tijdens hun relatie zouden gebeuren, was dat Rob haar in een vreselijke toestand vanuit een huis in Noord-Londen belde met het verzoek hem te komen halen. Het was de ochtend na vele nachten doorhalen en Rob was in die uiterst depressieve, kwetsbare, schuldbewuste stemming die volgt op euforie.

In veel opzichten vonden Rob en Nic elkaar in een spannende tijd waarin het voor beiden erop of eronder was. Nic genoot voor de eerste keer succes met All Saints, terwijl Rob zich in een beslissende fase van zijn solocarrière bevond. Zijn eerste soloalbum *Life Thru a Lens* kwam uit in oktober 1997, dezelfde maand dat hij naar Nicole Appletons verjaardagsfeest ging. Toen hij 'Angels' uitbracht, de plaat die een keerpunt in zijn carrière zou betekenen, steeg de tweede plaat van All Saints gestaag in de hitparade.

Nic beschrijft een mooie scène in Robs slaapkamer op een zondagmorgen kort na nieuwjaar 1998. Zijn manager belde hem de nieuwe plaats van 'Angels' in de hitparade door. Hij klonk blij en opgewonden, legde de telefoon neer en zei: '"Never Ever" staat op nummer één.' Het is verbazingwekkend dat er 777.000 exemplaren van verkocht werden vóórdat de plaat die plaats bereikte; dat is een record. Rob belde zelfs zijn moeder op om het goede nieuws te vertellen. Jan mocht Nic altijd graag.

De relatie tussen Rob en Nic werd openbaar op 2 januari 1998, toen zij door fotografen werd gezien toen ze zijn huis in Notting Hill uitkwam. De paparazzi waren bijna zeker getipt dat als ze een paar dagen het huis van Robbie Williams in de gaten zouden houden, ze daar Nicole Appleton zouden aantreffen. Of misschien verwachtten ze wel dat ze Denise van Outen zouden betrappen. Of gewoon een of andere *lapdancer* met wie Rob al dan niet oudjaar had gevierd. De volgende dag hadden de kranten hun verhaal en Rob en Nic zouden hun eigen persoonlijke tragedie moeten doormaken tegen de achtergrond van oppervlakkige mediabelangstelling. De hartverscheurende ironie dat ze na de abortus beiden tegen de pers zeiden dat ze graag kinderen wilden, maakt terugkijken wel heel pijnlijk.

Een tijd ging alles goed. All Saints werd steeds meer gezien als tegengif tegen de Spice Girls. Ze waren cooler, minder lawaaierig en maakten betere muziek. Rob en Nic waren samen op de uitreiking van de Brit Awards waar All Saints er twee won voor 'Never Ever' en hij met lege handen moest vertrekken. Hij was vier keer genomineerd, de eerste erkenning na Take That, maar al was er niets aan hem te merken die avond, Nic wist dat hij erg teleurgesteld was. Hij had echter de show gestolen met zijn medley van drie songs met Tom Jones.

De week daarop verscheen een exclusief interview in de *Sun*, waarin zij voor de eerste keer over hun relatie sprak en vertelde hoe hij haar aan het lachen maakte, al zei ze ook dat ze nog veel te jong waren voor een vaste relatie. Nic was steeds aanwezig tijdens de opnames van een BBC-documentaire over Rob, getiteld *Some Mothers Do 'Ave 'Em*. Rob is zichtbaar gelukkig en geniet duidelijk van zijn relatie met Nic. Hij zegt voor de camera dat de relatie hem veel zekerheid geeft en veel liefde en geluk brengt en dat hij leert omgaan met goede en slechte tijden. De moeilijke tijden, waar hij niet over praat, begonnen in maart 1998 toen Nic uit Vancouver belde om te vertellen dat ze zwanger was. Het is ongelooflijk als je bedenkt in wat voor een glazen huis ze beiden leefden, maar ze wisten het geheim te houden.

Rob was opgewonden en dolblij met het vooruitzicht dat hij vader werd. Hij begon plannen te maken en kocht een nieuwe flat die groot genoeg was om er een babykamer in te richten. Hij nam Nic mee naar Tunstall om haar voor te stellen aan zijn geliefde oma Betty, die toen 83 was en ook heel blij was met het nieuws dat haar kleinzoon een kind kreeg. In haar boek vertelt Nic dat Rob zijn hand op haar buik legde en zei: 'Deze baby redt mijn leven.'

Toen ze vier maanden zwanger was, onderging Nic een abortus in New York, terwijl Rob in de kamer ernaast zat te wachten en haar zo veel mogelijk tot steun was. In haar versie van de gebeurtenissen geeft Nic de schuld aan de enorme druk van iedereen die met All Saints te maken had. Ze houdt vol dat ze het voor de band gedaan heeft, al liet Melanie Blatt, die in diezelfde tijd zwanger was, haar baby gewoon komen. Mensen hadden ook laten doorschemeren, zegt ze, dat Rob geen goede man was. Later werd ze verteerd door schuldgevoelens dat ze Rob had laten vallen.

Tot de dag van vandaag weet Nic niet of – of in welke mate – Rob haar kwalijk neemt wat er is gebeurd. In de maanden erna werd hij steeds lastiger en kon hij haar niet meer het luisterende oor bieden dat ze nodig had vanwege de problemen binnen All Saints, en hij zei alleen maar dat ze uit de band moest stappen. Daarentegen ging hij weer wel met haar naar alle afspraken bij de dokter na de operatie. Het was alsof hij geen tijd had voor de wereld van de roem, van entertainment en van 'Robbie Williams', maar alsof hij zijn best deed om de juiste dingen te doen in de wereld van Rob Williams, een gewone jongen uit Tunstall die het belang van persoonlijke loyaliteit en familie inzag.

Rob vroeg Nic in juni 1998 ten huwelijk. De kranten noemden het een stormachtige romance, maar daarbij zagen ze over het hoofd dat het paar in een halfjaar meer had meegemaakt dan menig koppel in een heel leven. De romantische aard van Rob zal het vaker wel dan niet winnen van de stoere jongenshouding en korte affaires. Hij was er trots op dat hij een echte, volwassen relatie had en wilde alles goed doen. Hij ging op zijn knieën zitten om haar te vragen en gaf haar een prachtige, antieke diamanten ring. Iets minder conventioneel aan het aanzoek was dat het plaatsvond om vijf uur 's morgens toen Rob had liggen slapen en Nic thuiskwam van een optreden met All Saints in Japan. Rob moest opstaan om te kunnen knielen. In tegenstelling tot de zwangerschap en de abortus werd het goede nieuws, zoals het echte beroemdheden betaamt, een paar maanden geheimgehouden. Robs ouders kwamen allebei kijken toen Rob een belangrijk soloconcert gaf in de Royal Albert Hall. Ze waren opgetogen over het nieuws. Als ze niet in Londen waren geweest, hadden ze er de volgende dag alles over kunnen lezen in de krant. Nics uitspraak dat ze in de wolken was werd geciteerd. Jan, die normaal gesproken niet graag over haar zoon praatte, was even blij: 'Ik ben heel trots op hem en zijn keuze, ze is een lieve vrouw. Ik wist dat de verloving eraan kwam, ze waren zo verliefd en gelukkig.' Relevanter misschien was dat ze eraan toevoegde dat er nog geen datum voor het huwelijk was vastgelegd omdat ze het zo druk hadden met hun carrières.

Het grootste probleem van relaties tussen beroemdheden zijn de perioden van afwezigheid. Acteurs, actrices en popsterren ontmoeten elkaar op vip-feestjes, beleven een 'stormachtige romance' en moeten dan voor een week, een maand of een halfjaar afscheid nemen omdat ze op tournee gaan of een film gaan opnemen in de jungle van Peru. Dat is heel moeilijk. Aan de relatie van Kylie Minogue en haar grote liefde Michael Hutchence kwam een einde toen ze ieder aan de andere kant van de wereld aan het werk waren. Robs vriendin Patsy Kensit heeft een keer gezegd dat zelfs zoiets onbenulligs als de toon waarop iemand hallo zegt martelende twijfel kan veroorzaken als je duizenden kilometers van elkaar verwijderd bent. Een groot deel van de zomer van 1998 waren Nic en Rob niet bij elkaar omdat zij met All Saints de wereld over vloog om hun eerste album te promoten en Rob aan zijn tweede album werkte in Londen. Hij worstelde ook met de verwerking van een traumatische gebeurtenis: de dood van zijn geliefde oma.

De eerste keer dat Nic en Rob het uitmaakten, gebeurde dat telefonisch toen zij een week weg was. Hij was thuis in Notting Hill en zij was in een hotel in Rio de Janeiro. Toen ze incheckte, lag er een boodschap van Rob op haar te wachten. Hij vroeg alleen of ze wilde bellen, maar ze voelde meteen dat er iets mis was, wat de juistheid van Patsy Kensits opmerking bevestigt. In haar versie van het gesprek zei hij dat ze een einde moesten maken aan hun relatie omdat ze te veel gescheiden leefden. Als je tussen de regels door leest, kun je daaruit opmaken dat het jongetje Rob meer aandacht en genegenheid wilde. Hij vindt het vreselijk om alleen te zijn en wilde waarschijnlijk alleen dat zij zou zeggen dat ze alles zou ópgeven en naar huis zou komen om hem te knuffelen. Maar dat gaat nu eenmaal niet bij beroemde mensen.

De kranten schreven dat het Nic was die er een punt achter wilde zetten en dat Rob wanhopig was. Hij zag er beslist ongelukkig uit op de foto die van hem werd genomen toen hij om halfdrie 's nachts uit de Groucho Club in Soho kwam, nadat hij eerder op de heropening van de Heaven-club was geweest en vervolgens op een feest in het Café de Paris. Hij zei tegen journalisten dat hij hoopte dat hij het goed kon maken met Nicole omdat zij alles voor hem betekende. Jan Williams leek even teleurgesteld als haar zoon: 'Ik kan niet geloven dat ze uit elkaar zijn. Het was een perfect paar en ik bid dat het goed komt.' Rob reisde meteen af naar een Spaans resort in Puerto Banús om zijn verdriet te verdrinken in wijn en troost te zoeken bij andere vrouwen, tenminste, zo zagen de kranten het. Jan steunde haar zoon en zei dat hij van streek was vanwege de toestand met Nicole: 'Hij bekijkt het van de positieve kant en wil zijn carrière niet in gevaar brengen. Hij vertelt het me altijd als hij problemen heeft.'

Er is geen reden om de versie van Nicole Appleton over hun eerste breuk in twijfel te trekken. Ze zei dat ze er nooit iets van begrepen heeft. Er is een merkwaardig terugkerend thema in de verslaggeving over de relaties van Rob, namelijk dat hij bijna altijd degene is die de bons krijgt. Een zo diepgaande relatie was volledig nieuw voor hem en ongetwijfeld heeft hij onbezonnen gehandeld door toe te geven aan zijn constante behoefte aan aandacht en bevestiging. Aan zijn drugsverslaving had hij een voorkeur overgehouden om te verwijlen in de donkere spelonken van zijn geest. Tijdens zijn relatie met Nic had hij er beslist behoefte aan om opgevrolijkt te worden. Een paar dagen nadat ze terug was in Groot-Brittannië gingen ze uit eten, werden ze vreselijk dronken en werden ze gesignaleerd terwijl ze rondstrompelden en Rob, gekleed in voetbalshirt, Nic op zijn rug nam. Hij vroeg haar weer ten huwelijk en eind augustus zei ze ja.

Op het eerste gezicht konden hun carrières niet beter gaan. 'Bootie Call' was de derde nummer-éénhit van All Saints van dat jaar toen het op 12 september boven in de hitparade stond. Een week later werd het nummer verdrongen door Robbie Williams' eerste nummer-éénhit 'Millennium', van het album *I've Been Expecting You*. Beiden hadden echter voortdurend problemen. Rob worstelde met de behandeling van zijn verslaving en Nic ging om hem te steunen mee naar de bijeenkomsten van de AA. Zij bleef intussen ongelukkig in de band omdat zij en Nat een minder belangrijke positie bekleedden dan Shaznay en Melanie. Het hielp ook niet toen Melanie een dochter, Liyella, kreeg. Nic nam een song op die ze had geschreven met de hulp van Rob en Guy Chambers, 'Love Is Where I'm From', maar tot haar teleurstelling werd hij niet uitgebracht. Ze gingen weer uit elkaar kort nadat All Saints de kerstverlichting in Regent Street had ontstoken. Wederom had Rob het schijnbaar geheel onverwacht en zonder reden voorgesteld. En wederom kreeg hij bijna onmiddellijk spijt. De oude romanticus in hem kreeg weer de overhand en hij kocht 1000 rode rozen voor haar.

Hun laatste verzoening duurde slechts twee weken, omdat Rob het weer verknoeide met een wild drankgelag met Kerstmis. Nic zegt dat ze tijdens een theatrale ruzie tegen Rob zei dat als hij wegging, hij niet meer terug hoefde te komen. Hij ging weg en dat was het in wezen.

Zijn boemelpartijen gingen van kwaad tot erger en hij raakte bewusteloos in de lobby van een hotel, waar een wrede voorbijganger hem bedekte met scheerschuim en tandpasta en vervolgens de kranten belde om getuige te zijn van deze vernedering. Het was het einde van een vreselijk triest, pijnlijk jaar voor allebei. Het zou niet helemaal juist zijn om te zeggen dat het lot de relatie van Nic en Rob niet gunstig gezind was, want de meeste ellende hebben ze zichzelf op de hals gehaald.

Ook nu weer waren de hoogtepunten en de vaker voorkomende dieptepunten volledig openbaar. Tijdens de uitreiking van de Brits in februari 1999 stonden ze in het middelpunt van de belangstelling, eenvoudig omdat ze niet naast elkaar zaten. Rob was genomineerd voor zes awards, wat nog nooit eerder was gebeurd, en deze keer won hij er drie. Hij was er met zijn familie en zij werd begeleid door Huey Morgan van de Fun Lovin' Criminals.

Nic werd vervolgens in een zondagskrant geciteerd. Ze zou gezegd hebben dat Rob een puinhoop maakte van zijn persoonlijke leven. Ze wees op zijn onvermogen om te vergeten dat hij Robbie Williams was wanneer hij niet in de schijnwerpers stond. Dat was een beetje oneerlijk, want Rob probeerde gewoon en zichzelf te zijn, maar bijna niemand gaf hem de kans. Toen hij Nicole meenam naar de Chinees in Stoke-on-Trent werd hij continu lastiggevallen door mensen die hem herkenden. Men kan ze nauwelijks kwalijk nemen dat ze opgewonden raakten toen ze zo'n beroemdheid zoetzuur zagen bestellen, maar het dwong hem zich terug te trekken in een steeds kleiner wordende wereld. Een keer toen hij Nicole ging ophalen op het vliegveld wilde een man dat Rob via zijn mobiele telefoon met zijn vriendin zou praten. Toen hij weigerde omdat hij daar privé was, zei de man tegen zijn vriendin: 'De klootzak wil niet met je praten!' Je kunt je voorstellen dat de man zijn mooie verhaal nog menig keer verteld heeft en dat Rob naar zijn idee een klootzak is. Het onderscheid tussen de openbare en de privé-persoon Rob vervaagde steeds meer toen hij tijdens een concert in Newcastle-upon-Tyne zijn publiek vertelde hoe zeer hij Nicole miste. Gewoonlijk delen supersterren hun privé-leven niet met hun fans op de manier waarop Rob dat doet.

De uitreiking van de Brits was niet de laatste keer dat ze elkaar zagen of samen uitgingen, maar de breuk met Kerstmis was, voor Nic in ieder geval, een soort einde. Ze belde hem nog steeds voor advies of voor een luisterend oor. Op het filmfestival van Cannes in maart ontmoette ze echter Liam Gallagher. Het is intrigerend dat haar relatie met Liam in veel opzichten net zo verliep als die met Rob. Ook zij brachten veel van hun vrije tijd drinkend door, hij steunde haar in haar voortdurende strijd binnen All Saints en ook van hem werd ze al snel zwanger. Deze keer was ze echter vastbesloten de baby te houden en was ze ook sterk genoeg om dat te doen. Wanneer je naar de twee relaties kijkt, zijn er zo veel overeenkomsten dat het de vraag oproept wat er zou zijn gebeurd als ze eerst Liam had ontmoet en pas daarna Rob. Haar relatie met Liam is heel huiselijk geworden. Terwijl Rob een eenzaam bestaan leidt in een afgeschermde gemeenschap in Los Angeles, kijkt Liam televisie met zijn kinderen, barbecuet, drinkt een paar biertjes en geniet van de liefde van de vrouw van zijn leven, Nicole Appleton.

Nadat All Saints uiteindelijk uit elkaar ging en de advocaten op kwamen draven, schreven Nic en Nat hun autobiografie, die uitkwam op het moment dat hun solocarrière begon in de zomer van 2002. Het schokkendst was dat Nicole alle uiterst persoonlijke details over haar relatie met Rob en haar abortus prijsgaf. Het was dapper om zo open te zijn, ook in verband met haar carrière, over zo'n negatieve ervaring. Veel vrouwen uit de showbusiness ondergaan abortussen om hun carrière veilig te stellen, maar weinigen geven dat toe, laat staan dat ze er alles van het begin tot het einde over vertellen. Misschien had Nic het nodig om alles van zich af te schrijven om All Saints en Rob achter zich te kunnen laten en verder te kunnen gaan met een nieuw gezin en een nieuwe carrière. Veel mensen waren echter verbaasd dat ze zo ongevoelig met Robs gevoelens om kon gaan, hoewel ook hij nooit heeft geaarzeld zijn vuile was buiten te hangen. Het hangt er allemaal van af of hij Nic ziet als een onderdeel van het leven van Rob of van dat van Robbie. Het was zo'n openbaring voor het publiek dat Robbie Williams, de onbeschaamde flierefluiter, zo'n moeilijke tijd had meegemaakt.

Hoewel onbeschaamd openhartig, is Nicole Appleton aardig over

Rob. Ze is niet verbitterd. Ze hoorde niets van hem toen haar kind werd geboren en ze hebben geen contact meer. Nic houdt van poezen en ooit kocht Rob bij Harrods een poesje voor haar om de twee die ze al had gezelschap te houden. Ze noemde het Kid.

Ik vond het echt heel erg voor ons allebei.

13   De schoonheid van verdriet

Toen hij met Jonathan Wilkes in Zuid-Frankrijk op vakantie was, schreef Rob echt een vreselijke song, getiteld 'Where's Your Saviour Now?'. Gefrustreerd deed hij zijn ogen dicht en bad: 'John Lennon, als je daar bent, stuur ons een song.' Vervolgens schreef hij 'Better Man' in minder dan een uur.

In 1998 werden er van *Life Thru a Lens* en *I've Been Expecting You* samen 2,32 miljoen exemplaren verkocht in Groot-Brittannië, waarmee Robbie Williams de bestverkochte artiest van dat jaar was. *Life Thru a Lens* is vol woede en frustratie en maakt voor de eerste keer duidelijk wat het essentiële ingrediënt van de muziek van Robbie Williams is: de kwaliteit van zijn teksten. Met de muziek liet hij onmiddellijk de jongensbands en de sound van Take That, Gary Barlows sound, achter zich. In plaats daarvan stond het album in een traditie in de Britse popmuziek die in de vroege jaren negentig populair was gemaakt door Oasis en Blur. Het zou makkelijk zijn geweest om Robbie Williams af te doen als een lid van een jongensband met ideeën die boven zijn macht gingen als zijn eerste album niet zo goed was geweest. Bijna alle recensies vermeldden de muzikale inbreng van Guy Chambers, maar besteedden vooral veel aandacht aan de teksten. Wie anders zou 'needy' laten rijmen op 'inbreedy'? De meest vermakelijke recensie stond in *Melody Maker*, die het album een acht gaf en opmerkte dat 'Angels' het dieptepunt van de plaat was en het nummer omschreef als een 'slijmerige ballade uit het pre-Oasistijdperk'.

Tegen de tijd dat *I've Been Expecting You* was verwerkt, kon er een duidelijker beeld gevormd worden van Robbie Williams' plaats in de muziekwereld. De muziek klonk alsof er een ekster was losgelaten op de speellijst van Radio 2. 'Let Me Entertain You' is een eerbewijs aan de nichtenrock van Elton John uit het midden van de jaren zeventig met nummers als 'Pinball Wizard' en 'Saturday Night's Alright for Fighting' – met een toespeling op 'School's Out' van Alice Cooper. 'No Regrets' was schaamteloos Pet Shop Boys, waarin hij zelfs zo ver was gegaan dat hij Neil Tenant had overgehaald om de achtergrondstem te doen. Rob had hem schaamteloos opgebeld met de mededeling dat hij een nieuw nummer had geschreven in de stijl van de Pet Shop Boys. 'Millennium' was gejat van het beroemde James Bond-thema uit *You Only Live Twice*. 'She's the One' was feitelijk een oud nummer van World Party, de groep waarmee Guy Chambers in de vroege jaren negentig was doorgebroken. Door Robs teksten steeg deze muzikale potpourri uit boven het gemiddelde. 'Millennium' riep in eerste instantie misschien het beeld op van James Bond in smoking, maar de teksten gaan over liposuctie, afkicken en een overdosis met Kerstmis, niet echt onderwerpen voor de Britse Geheime Dienst. De teksten waren heel persoonlijk, zelfbewust en wat het beste eraan was: ze waren ironisch. Zijn zelfportret, 'Strong', waarmee het tweede album opent, is heel sterk. Rob laat zich kennen als een geboren dichter. Hij moet dood zijn gegaan van schaamte toen hij ten tijde van Take That de leadzanger van 'I Found Heaven (on the wings of love)' was. De nieuwe Robbie Williams zou de hemel hebben gevonden in een glas bier.

De albums werden in 1999 in Amerika samen uitgebracht onder de titel *The Ego Has Landed*. De recensies in Amerika waren bemoedigend en de muziek werd niet te Brits of te eigenaardig gevonden, de twee redenen die vaak worden gegeven voor het relatieve gebrek aan succes van Rob in Amerika. Een recensent schreef: 'Deze jongen heeft alles in huis voor zo'n groot showprogramma als we in de jaren zeventig hadden, alleen heeft hij nog een podium nodig.' Een andere vond de nummers slim en geraffineerd. De meest ironische opmerking was dat Robbie Williams de George Michael voor drinkers was. Tot dan toe was het altijd de naam van Gary Barlow geweest die in één adem genoemd werd met George.

Een recensent uit San Francisco schreef: 'Zoals zo veel grote popzangers weet Robbie Williams de schoonheid van verdriet te laten zien.' Dat doet hij het best in 'One of God's Better People', een uiterst persoonlijk eerbetoon aan zijn moeder, waarin hij toegeeft dat hij haar veel verdriet moet doen doordat hij zichzelf continu verliest. Het is een song over liefde uit een tijd dat Rob zei dat hij er geen kon schrijven. Toen hij in *Smash Hits* over *Life Thru a Lens* praatte, vertelde hij dat hij het nummer door de telefoon voor haar had gezongen en dat ze in tranen was uitgebarsten.

Rob kreeg zijn oude bravoure weer terug na zijn 'verloren jaar'. Het succes van *Life Thru a Lens* gaf hem het vertrouwen dat hij de goede formule had gevonden, de formule Robbie Williams, een brutale, sarcastische, grappige, gevoelige showman. Nadat hij de recensies had gelezen zei hij: 'Ik hou van goede muziek en ik blijf mijn album maar draaien!' Hij kon zo verwaand doen omdat hij het met een twinkeling in zijn ogen zei. Alle bijdehante uitspraken en weemoedige woorden zouden van generlei belang zijn geweest als hij niet zulke goede muziek had gemaakt.

I've Been Expecting You was veel gelikter dan *Life*. Rob en Guy hadden een beter schrijfritme en, essentieel misschien, Rob was het grootste deel van de tijd nuchter. In plaats van dat hij onder de geluidstafel lag, werkte hij nu echt mee. Ten tijde van *I've Been Expecting You* was Robs stem oneindig veel sterker dan het lusteloze geluid dat hij op 'Everything Changes' voortbracht. Zelfs de beste operazangers moeten oefenen en Robs stem ontwikkelde zich van een *beaujolais nouveau* tot een stevige rode wijn. Het was een krachtige mix van Elton John en Liam Gallagher, en een vleugje van zijn vader.

In de *New Musical Express* stond een bemoedigende recensie en werd het imago van Robbie Williams goed samengevat: 'een seksidool, afgekickte druiloor, clown en UNICEF-ambassadeur.' De plaat móest wel bij iedereen in de smaak vallen. Robbie Williams bewees dat hij een popster (geen rockster) was op wie moeilijk kritiek viel te leveren. Hij was nog steeds bezeten van het verlangen Oasis te zijn, met name Liam, maar dat werd geleidelijk minder en er zou een definitief einde aan komen toen hij ruzie kreeg met de Gallaghers. De *Daily Telegraph* vatte het als volgt samen: 'Robbie en zijn vrienden in de showbusiness, de broers Gallagher, hebben één ding gemeen: al hun songs doen denken aan klassieke nummers, maar je kunt er nooit opkomen welke.' Zowel 'Millennium' als 'She's the One' kwam boven in de hitparade in Groot-Brittannië.

Guy Chambers bekleedde nu de grootse positie van 'muzikaal directeur', wat klonk als het soort functie dat je jezelf zou toebedelen als je was betrokken bij de productie van *Oliver!* In het Queen's Theater in Burslem. De amateurvereniging voor opera en toneel van North Staffordshire had een 'muzikaal directeur'. Onbedoeld onthulde dat het idee van de 'nieuwe' Robbie Williams. Hij maakte een show, het was allemaal entertainment, een musical met de naam *West Stoke Story*, waarin een jongen uit de arbeidersklasse, wiens vader komiek is en die van zijn moeder houdt, roem en rijkdom vergaart, alleen om het allemaal te verspelen doordat hij op het slechte pad raakt, zichzelf weer hervindt als ster en 'een beter mens' wordt. Wat is het nummer van Andrew Lloyd Webber?

Het is leuk om de invloeden te zoeken die Rob heeft ondergaan van de Beatles, Elton John en Oasis, maar zijn hart ligt eigenlijk bij Cole Porter, gezongen door Frank Sinatra: geestige teksten die even op de tong geproefd worden voordat ze in een pakkende populaire song verschijnen. Het publiek vrat het en de platenindustrie ook. Rob werd in 1999 genomineerd voor zes Brits. Zijn muziek was beslist niet oppervlakkig of slecht, maar hij was vooral op zijn best als showman en entertainer en als zodanig kon de persoonlijkheid Robbie Williams echt zijn plek veroveren.

Sing When You're Winning bouwde voort op het succes van de eerste twee albums. De formule van openhartige, therapeutische teksten gecombineerd met lekkere melodieën is dezelfde als voorheen. Er zijn wel tekenen dat Robbie iets te zelfingenomen wordt: van de foto's op de hoes waarop Rob in voetbalshirt op de schouders van andere spelers wordt gehesen, die allemaal Rob zijn, tot het verborgen nummer aan het einde van het album. Op *Life Tru a Lens* stond ook een verborgen nummer, de venijnige aanval op zijn oude leraar; op *I've Been Expecting You* stonden er twee. Maar er gaan op *Sing When You're Winning* na het laatste nummer 22 minuten en 25 seconden voorbij voordat Robs stem klinkt: 'Nee, ik doe er maar één op dit album.' De criticus John Aizlewood suggereerde geestig dat hij de plaat beter *Sing When You're Whining* had kunnen noemen.

Rob heeft continuïteit en stabiliteit bereikt in zijn platen. Guy Chambers, de timide oude vakman dankzij wie Rob zijn muzikale ambities kon verwezenlijken, is steeds de rode draad geweest. Tijdens hun eerste gezamenlijke schrijfsessie schreven ze samen vier songs. Rob was altijd heel geïrriteerd als hij de indruk kreeg dat mensen dachten dat zijn bijdrage aan het songbook van Robbie Williams kleiner was dan die van Guy. Bijna even groot was de bijdrage van coproducent Steve Power, die er door Guy bij was gehaald voor de mixage. Steve kwam net als Guy uit Liverpool en was halverwege de jaren tachtig naar Londen verhuisd waar hij als technicus in de Battery Studio's had meegewerkt aan hits als 'World Shut Your Mouth' van Julian Cope en 'Because of You' van Dexy's Midnight Runners. Zijn doorbraak als producent kwam toen hij de nummer één van Babylon Zoo in 1996, 'Spaceman', had geproduceerd, dat toen de snelst verkopende debuutsingle aller tijden was. Daarna produceerde hij 'You're Gorgeous' van de Babybirds, dat ook een gigantische hit werd. Hij geeft oprecht toe dat iedereen die twee platen vreselijk vond (perfecte oefening voor 'Rock DJ').

Steve staat in de business bekend om zijn perfectionisme. Hij besteedt drie dagen aan een opname om 'te zorgen dat Rob klinkt als God'. Hij kan een song, 'Angels' bijvoorbeeld, zo mixen dat het maximum eruit gehaald wordt. Hij moest heel geduldig zijn want zowel Guy als Rob was snel verveeld, en wilde alleen maar snel door met de volgende song. Ze schreven songs aan de lopende band en hadden er al 35 voor het eerste album toen Steve erbij betrokken werd. Hij hielp ze dat aantal snel terug te brengen tot een stuk of twaalf nummers. Hij was even verantwoordelijk als Guy voor de sound van het album, die iedereen zo verraste die verwachtte dat Robbie Williams door zou gaan in de lijn van Take That. De welbekende problemen die Rob had in de tijd dat *Life Thru a Lens* werd opgenomen, maakten het Guy en Steve heel moeilijk om de plaat te maken die zij wilden. Steve heeft het in voetbaltermen uitgelegd. Volgens hem was Rob als een spits die niet in vorm is en die zelfs niet meer weet wat hij allemaal kan, maar dat veranderde toen zijn zelfvertrouwen groeide. Guy zorgde voor de arrangementen en Steve Power voor de mixage. Hij is het derde oor in het Williams/Chambers-team. Het was bijvoorbeeld Steve die de demo's van 'Strong' en 'No Regrets' uitkoos. Hij vertelde: 'Guy vond "Strong" niet zo goed.' Ze werden samen Producer van het Jaar op het International Managers Forum in 1998. Ze deelden de prijs en een groot deel van de tijd deelden ze de onbetaalbare gave om te kunnen gaan met Rob als die op zijn wispelturigst was.

Guy Chambers is verfrissend openhartig over zijn samenwerking met Rob. Hij geeft toe dat ze de beste stukken 'jatten' uit de moderne populaire muziek. Soms bleek dat minder verstandig, zoals toen ze een bedrag van zes cijfers moesten betalen aan een uitgever in New York. Ze hadden zonder toestemming een couplet van een song uit 1973 van de eigenzinnige Amerikaanse folkzanger Loudon Wainwright III, 'I Am the Way (New York Town)', gebruikt in 'Jesus in a Camper Van', dat op *I've Been Expecting You* stond en op het Amerikaanse album *The Ego Has Landed*. Het was het zevende nummer op Robs tweede album, maar als je de cd nu koopt is het verdwenen en staat op de plaats ervan een heel ander nummer, 'It's Only Us' getiteld. Guy heeft opgemerkt dat terwijl Rob niet zou beweren dat hij de origineelste artiest van de wereld is, er beslist sterke argumenten zijn om hem de meest onderhoudende te noemen. Hij is ook heel professioneel.

Op *Sing When You're Winning* staat een nummer dat de beste elementen van Robbie Williams in zich verenigt: 'Better Man', dat een veel betere single zou zijn geweest dan het slappe nummer 'Rock DJ', hoewel die song, die deels van Barry White was gejat, een geweldige nummer één was. Zelfs Rob noemde het rotzooi. 'Better Man' is echter een ballade in de stijl van 'Angels' maar deze keer een pleidooi voor liefde die het idee bevestigde dat Rob de schoonheid van verdriet kon laten zien. Rob zegt dat hij bij het schrijven van deze song geïnspireerd is door John Lennon.

'Robbie Williams' is dan misschien 'gemaakt' om deze songs uit te voeren, maar het is Rob die de teksten schrijft. Er is zelfs sprake van een klein eerbetoon aan zijn leven in Tunstall in de titel 'Knutsford City Limits', dat ook de titel was van een song van een van de idolen uit zijn tienerjaren, de Macc Lads.

Het derde album en de bijbehorende tournee, waaruit het boek *Somebody Someday* en de film *Nobody Someday* voortkwamen, waren het hoogtepunt in de campagne voor de naamsbekendheid van Robbie Williams. Hij was als een alom aanwezige frisdrank, maar was het merk nu sterk genoeg om de vermoeidheid van de consument te doorstaan of zou hij verder ontwikkeld moeten worden, of steeds vernieuwd en heruitgevonden moeten worden op de manier die Madonna twintig jaar aan de top hield?

Het personage Robbie Williams is op zijn best op tournee: de showman in zijn element. Het is een vak. Een fan die hem tien keer live heeft gezien zegt: 'Hij was nooit slecht, zelfs niet als hij zich slecht voelde.' Twee jaar na zijn vertrek uit Take That stond hij op het podium 'Back for Good' te zingen, maar onherkenbaar voor Take That-fans. Het begon heel onschuldig, maar ging over in een Sid Vicious-achtige pogo-herrie. Het was totaal onverwacht, maar de verbastering van de klassieker van de jongensband was typisch Robbie, op het randje van weerzinwekkend. Ook de spandoeken in het publiek deden denken aan de dagen van Take That: 'Rob, We Want Your Knob' en 'Point Your Erection In My Direction' waren dichtregels waar hij zelf trots op zou zijn geweest. Het publiek waar Rob in 1997 voor speelde bestond nog steeds grotendeels uit tieners.

Rob leek oprecht verrast door de ontvangst. Iedereen kende de teksten van alle nummers. 'Ik wil dit verdomme al twee jaar doen,' riep hij uit op de manier die zo bekend is geworden in de afgelopen zes jaar. Rob betrekt het publiek erbij. Hij praat ermee en laat het weten hoe hij zich voelt. Wanneer zijn grootste hit 'Angels' aan de beurt is, zingt hij het nummer niet, maar houdt hij het publiek de microfoon voor. Hij zal 'Angels' waarschijnlijk de rest van zijn leven als toegift moeten zingen. Hij heeft tranen in zijn ogen. Dit is met niets te vergelijken. Een platenbons merkt op: 'Hij krijgt zo'n enorme kick van optreden. Hoe is die te evenaren?'

Toen hij in augustus 1998 de hoofdattractie op het V98 popfestival in Leeds was, zat hij goed in zijn vel. Hij was halverwege met de aankondiging van een song toen de band naar hem schreeuwde dat hij het verkeerde nummer aankondigde. 'Kondig ik de verkeerde song aan?' vroeg hij beleefd en hij ging vervolgens de speellijst controleren. Toen draaide hij zich om om het publiek erbij te betrekken op een manier waarvan een minder charismatisch artiest slechts kan dromen en zei: 'Jullie krijgen "Life Thru a Lens" niet te horen. Dat is toch een klotenummer.' En hij schreeuwde in plaats daarvan 'Millennium', dat de maand daarop zijn eerste nummer één zou worden.

In augustus 1999 trad hij op Slane Castle in Dublin op voor een publiek van 82.768 mensen, 82.700 meer mensen dan die welke hem een paar jaar daarvoor hadden zien optreden in Flicks in Huddersfield als onzeker vijfde lid van Take That. Zijn optreden eindigde met een uitbundige versie van 'Should I Stay or Should I Go Now?' van de Clash. Ironisch genoeg stond de Clash nummer één toen deze klassieker werd heruitgebracht in 1991, het jaar dat Robs platencarrière begon. Rob gaf later toe dat louter de omvang van het publiek bij dat concert hem bijna een zenuwinstorting bezorgde, vooral omdat het live op de televisie werd uitgezonden. Dat weerhield hem er echter niet van zijn billen aan een paar miljoen kijkers te laten zien.

Een jaar later schalde de klassieker 'Fat Bottomed Girls' van Queen uit de luidsprekers terwijl de fans hun plaatsen opzochten in de London Arena in de Docklands voor een optreden ter promotie van het nieuwe album *Sing When You're Winning*. Rob is een groot bewonderaar van Queen, en Freddie Mercury in het bijzonder, en gebruikte enkele van diens meesterlijke podiummaniertjes in zijn eigen act. Rob begon natuurlijk met 'Let Me Entertain You' en zong vervolgens in sneltreinvaart zeventien songs, waaronder acht nummers van zijn nieuwe album. Al zijn handelsmerken waren aanwezig: de brutale grijns, de gevoelige blik die een vrouwenhart op dertig meter afstand kan doen smelten en het voetbalshirt waarmee hij wil zeggen dat hij maar een gewone jongen is. Je had het gevoel dat hij ieder moment al zijn kleren uit kon trekken. Er was geen decor, alleen een videoscherm, waarmee bewezen werd dat Rob geen attributen nodig heeft om de aandacht van het publiek vast te houden. De toegift was meesterlijk: 'My Way' (de versie van Sinatra, met een sigaret in zijn hand, net als zijn vader, niet de verbastering van Sid Vicious), 'Millennium', 'Angels' (natuurlijk door het publiek gezongen met aanstekers in de lucht) en het slappe 'Rock DJ'. Het album was betrekkelijk nieuw, maar songs als 'Supreme' en 'Knutsford City Limits' klonken heel vertrouwd.

Voordat hij van het podium ging riep hij: 'Gaan jullie gelukkig naar huis vanavond?'

De ironie is dat het publiek waarschijnlijk een stuk gelukkiger naar huis ging dan de artiest voor wie ze zo lang in de rij hadden gestaan. Het lijkt misschien ongelooflijk voor al die mensen die applaudisseren voor een echte megaster en showman, maar hij kan verteerd worden door twijfel over zijn kwaliteiten als artiest. Dat was vooral een vloek geworden in de maanden die uiteindelijk zouden leiden tot zijn verhuizing naar Los Angeles eind 2001. Eileen, de moeder van Jonathan Wilkes, zegt dat het zo erg was geworden dat hij het podium niet op wilde in Ierland zonder dat haar zoon in de coulissen stond om hem te steunen: 'Het was een ellendige tijd. Robert was zo down. Hij verloor zijn zelfvertrouwen en dacht dat hij niet goed genoeg was.'

Ieder jaar raak ik meer verslaafd aan applaus.

14 Frank Sinatra en andere helden

Het was in Las Vegas. Tom Jones pauzeerde tussen twee songs en richtte
zich tot het publiek: 'Ik wil u graag een jongeman uit Groot-Brittannië
voorstellen die zo veel talent heeft dat ik denk dat hij mijn plaats gaat in-
nemen. Mister Robbie Williams.' De schijnwerpers werden gericht op een
tafel waar een jongeman opstond die het applaus in ontvangst nam met
een nonchalante grijns. Het was Rob.

Robs liefde voor songs en zangers van een vorige generatie begon noch
eindigde met zijn volgende album *Swing When You're Winning*. Dat
nummer-éénalbum was het hoogtepunt van een levenslange bewondering voor Sinatra en diens grote tijdgenoten. In *Somebody Someday*,
Mark McCrums beeldende verslag van Robs leven op tournee, beschrijft Mark hoe Rob voordat hij opgaat achtereenvolgens de foto's
van Sinatra, Dean Martin, Sammy Davis Junior en Mohammed Ali
kust. De eerste drie konden swingen en de grote bokser kon winnen.
  Het is bijna onmogelijk dat er nog iemand in Stoke-on-Trent is die
nog nooit Robs versie van 'Mack the Knife' heeft gehoord. Jarenlang
was het zijn favoriete song op karaoke-avonden en feestjes. Hij had het
voor het eerst gehoord toen zijn vader het zong in een vakantieresort,
typisch een nummer waarmee komieken een gat tussen twee grappen
vullen. Ze lijken altijd met een vreemd onnatuurlijke, Amerikaans na-
sale stem te zingen en Pete was daarop geen uitzondering. Eric Tams,
die vader en zoon samen heeft zien optreden toen Rob jong was, vertelt: 'Pete heeft veel van de nummers die op *Swing* staan gezongen. Hij
deed dat altijd met een sigaret in zijn hand. Toen Rob ze uitvoerde,
hoorde ik Pete ook weer. Pete heeft een sterker Amerikaans accent. Hij
luisterde naar de platen en Rob luisterde naar zijn vader.' Eric heeft
Rob in de tijd van Take That horen optreden op de open avond in de

Sneyd Arms in Tunstall. 'Hij kwam van het podium en zei: "Durf me niet om een toegift te vragen!" Hij was een beetje dronken.'

Voor het interpreteren van songs had hij veel baat bij de musicalervaring die hij als jongen opdeed. 'Mack the Knife' uit de *Dreigroschenoper* is echt een nummer om bij te acteren. Robs karaoke-interpretatie van het lied leunt evenveel op zijn talent als acteur als op zijn talent als zanger. Zoë Hammond merkt op: 'Hij deed graag een nummer waarbij hij kon acteren.' Ze herinnert zich ook dat hij al van Frank Sinatra hield toen ze samen in hun kindertijd acteerden: 'Dat was niet iets wat ontstond toen hij volwassen werd. Hij hield al van hem toen hij nog maar een klein jongetje was. Ik wist dat die voorkeur alleen maar sterker zou worden. Als we repeteerden, ging hij altijd tegen de piano aan staan leunen zoals ze dat in oude zwartwitfilms doen. Hij liep heen en weer alsof hij dat tijdperk wilde imiteren. Toen ik hem op de televisie zag met het concert *Swing When You're Winning* zei ik tegen mijn moeder: "Jee, wat is dit eng," omdat ik terug in de tijd ging en hem weer als klein dikkerdje voor me zag. Hij was briljant.' Toen hij hoorde dat Rob van plan was om een album met Sinatra-songs op te nemen was Guy Chambers zozeer onder de indruk dat hij zei dat het was alsof hij ervoor geboren was.

Frank Sinatra was onverslaanbaar als het aankwam op het interpreteren van songs. Niemand kon nieuwe nuances vinden voor al eindeloos herhaalde, afgezaagde liefdesliedjes zoals hij dat kon. De zuurpruimen onder de muziekrecensenten vonden het fantastisch om Robs muzikale eerbetoon te hekelen als een slap aftreksel, wat niet alleen laaghartig, maar ook beslist onjuist was. *Swing When You're Winning* was geen kopie van Sinatra, noch van Dean Martin of Sammy Davis. Het was een eerbetoon aan hun stijl die hun muziek bij miljoenen jongeren bekendmaakte die anders waarschijnlijk nooit van deze grootheden gehoord zouden hebben. De kinderen die Gareth Gates' versie van 'Unchained Melody' kochten, hadden naar alle waarschijnlijkheid nooit de versie van Robson en Jerome gehoord, laat staan de gezaghebbende opname van de Righteous Brothers (en niet te vergeten die van Jimmy Young!). Als iets ouder dan vijf jaar is, wordt het alleen nog gekoesterd door sentimentalisten.

In de muziek was Robs eerste liefde echter Showaddywaddy. Hij wilde Dave Bartram zijn, de leadzanger van de groep die teruggreep op de jaren vijftig en van wie de vrolijke vertolkingen van Amerikaanse rock-'n-rollklassiekers in de eerste acht jaar van Robs leven in alle hitparades opdoken. Showaddywaddy, compleet met bordeelsluipers en strakke pakken, was het helemaal. Het was de eerste groep die Rob live zag toen zijn moeder hem op zijn zevende meenam naar het Queen's Theater in Burslem. Hij vond het fantastisch en was heel teleurgesteld dat Jan hem geen nozemkleren voor zijn verjaardag wilde geven omdat hij daar toch snel uit zou groeien. Zijn andere favoriet toen hij klein was, was John Travolta. Hij deed Travolta na tijdens zijn eerste 'internationale' optreden op vierjarige leeftijd in het Pontin Continental in Torremolinos en nu, 25 jaar later, is *Grease* nog steeds zijn lievelingsfilm. Het personage Sandy, gespeeld door Olivia Newton-John, is de belichaming van zijn ideale vrouw. Ze is lief, onschuldig en zorgzaam en in staat zichzelf te veranderen in een geil, ondeugend type als ze daartoe wordt uitgedaagd. Iets van de zwierigheid die Travolta heeft als Danny in *Grease* en daarvoor als Tony in *Saturday Night Fever* lijkt in de maniertjes van Robbie Williams gekropen.

Voor degenen die niet wisten dat Rob is opgegroeid met de grote zangers, zal *Swing When You're Winning* een verbijsterende keuze zijn geweest. Hij had een eerbetoon aan Elvis kunnen doen, wat minder verrassend zou zijn geweest. Of hij had *The Wall* van Pink Floyd opnieuw kunnen opnemen, het eerste album dat hij zelf kocht. Desnoods had hij Dean Martin kunnen zijn. Hij was een van de weinige artiesten die het dronken toneelpersonage van Deano kon evenaren. De aanzet tot *Swing* was het verzoek om de Sinatra-klassieker 'Have You Met Miss Jones' op te nemen voor de soundtrack van de film *Bridget Jones' Diary*. Toen de film een groot kassucces werd in Amerika, werd hij uitgenodigd om het nummer te zingen in de *Tonight Show* die gepresenteerd wordt door Jay Leno en opgenomen wordt in Los Angeles. Zijn optreden werd goed ontvangen en hij sprak het idee uit om een album te maken met alleen maar nummers van Frank, Dean en Sammy. Dat was op zijn zachtst gezegd onverwacht omdat iedereen had gedacht dat hij het na zijn wereldtournee om zijn derde album *Sing When You're Winning* te promoten rustig aan zou doen.

Rob heeft zijn eigen 'bende bloedhonden'. Het is geen groep superberoemde egotrippers. Het is het groepje belangrijke mensen om hem heen dat hem de kracht geeft om dagelijks door te gaan. Het bestaat uit Jonathan Wilkes, David Enthoven en Josie Cliff, zijn persoonlijk assistent, die ongeveer even oud is als haar werkgever. Mark McCrum, de schrijver van *Somebody Someday*, omschreef haar als 'angstaanjagend energiek'. Zij zorgen voor de stabiliteit die nodig is om de overgang van Robbie Williams naar Rob soepel te laten verlopen. Ze overbruggen de kloof tussen privé en werk. David is de vaderfiguur, Jonathan de broer en Josie de moeder/zus die zorgt voor schone sokken en verse melk in de koelkast. Er is wel veel veranderd sinds hij naar Los Angeles is verhuisd. Jonathan heeft nu bijvoorbeeld zijn eigen huis en David heeft zijn zaak die hij moet runnen. Maar ze blijven loyaal aan een man die verrassend weinig echte vrienden heeft. Jonathans moeder Eileen merkt op: 'Robert is vaak heel erg op zijn hoede als hij mensen voor de eerste keer ontmoet.'

Rob is altijd dol geweest op het nummer 'Delilah' van Tom Jones. Hij vond het de beste song om je op zondagochtend uit je bed te krijgen als je een kater had. Het enige probleem voor een Port Vale-fan zoals Rob is dat 'Delilah' een favoriet lied is op de tribunes van de aartsrivalen, de fans van Stoke City. Hij bestudeerde oude opnames uit de jaren zestig en zeventig van Tom Jones en probeerde hem te evenaren. Toen ze eindelijk samen op het podium stonden tijdens de uitreiking van de Brits in 1998, was het alsof ze al jaren samen optraden. Rob kon zijn geluk niet op toen hij uiteindelijk met Tom mocht zingen. Er wordt beweerd dat de song 'Man Machine' op *I've Been Expecting You* geïnspireerd was door Tom Jones, hoewel dat moeilijk te geloven is als je naar de tekst luistert.

Hun gezamenlijke optreden met songs uit de film *The Full Monty* was het beste in jaren op de afgezaagde avonden van de uitreiking. Rob sprong rond op het podium in zwart leer en Cubaanse laarzen en had de tijd van zijn leven. Hij begon met het klassieke nummer van Cockney Rebel 'Come Up and See Me'. Vervolgens kwam Tom Jones op en zong de grootste hit uit de film, 'You Can Leave Your Hat On', waarbij Rob danste als een opdraaipop die te hard is opgewonden. Het was een ironische *tour de force*. Tom gaf Rob aanzien en Rob zorgde er op zijn beurt voor dat Tom weer in het centrum van de belangstelling kwam te staan. Het is een recept dat de Welshe ster sindsdien heeft uitgemolken met Wyclef Jean, Catatonia en de Stereophonics. Het was ongelooflijk goed voor Robs zelfvertrouwen dat Tom Jones zei dat hij hem een groot zanger vond. Het duet werd zo goed ontvangen dat Rob het op de B-kant van zijn volgende single zette, 'Let Me Entertain You', die een maand later uitkwam.

Het optreden was bijna even bijzonder voor Tom als voor Rob. Hij werd weer populair en *Reload*, zijn album met duetten, dat toevallig geproduceerd was door Steve Power, werd een grote hit. Rob nam samen met hem de song 'Are You Gonna Go My Way' van Lenny Kravitz op. Het is begrijpelijk dat Rob zenuwachtig was toen hij samen met de grote man de studio in moest, dus hij deed wat hij altijd had gedaan. Hij vertelde hoe hij het had opgelost in een telefoongesprek met fans: 'Ik dacht: "Weet je wat, ik doe een imitatie van hem," dus dat deed ik en ik denk dat het me lukte.' De eerste keer dat Rob de song van het begin tot het einde zong, was tijdens hun eerste repetitie. Toen ze klaar waren zei Tom: 'Dat is dat. Zullen we wat gaan drinken?'

Door een speling van het lot trad Rob in de voetsporen van Tom toen hij in Los Angeles ging wonen. Ze werden goede vrienden, hoewel Tom oud genoeg is om Robs vader te kunnen zijn. Toen Rob op bezoek ging bij Tom, weigerde diens vrouw Maureen, die al veertig jaar consequent de schijnwerpers mijdt, beneden te komen omdat ze te verlegen was om een ster als Robbie Williams te ontmoeten. Ze moesten haar bidden en smeken voordat ze erin toestemde zo'n belangrijke beroemdheid te ontmoeten.

Die vijf minuten en elf seconden samen op het podium met Tom Jones waren het gelukkigste moment van mijn leven.

15 Jonty

Pete Conway had zijn zoon meer dan een jaar niet gesproken. Rob was naar Los Angeles gegaan en ze hadden het contact verloren terwijl er geruchten gingen over ruzie. Op een dag reisde Pete per trein van Londen naar Stoke en herkende de lange, knappe jongen die bij het buffet stond. 'En hoe gaat het met die zoon van me?' vroeg hij Jonathan Wilkes. Lachend antwoordde Jonathan: 'Waarom vraag je het hem zelf niet?' en hij pakte meteen zijn mobiele telefoon en draaide Robs privé-nummer. 'Hallo kerel, ik heb je vader voor je,' zei hij voordat hij de telefoon aan Pete gaf. Vader en zoon waren een paar minuten een beetje op hun hoede, maar toen begonnen ze meteen als vanouds moppen te vertellen.

Jonathan Wilkes is een van de raadsels in het leven van Rob. Er wordt door de media die het leven van de ster volgen nauwelijks aandacht besteed aan Jonathan als individu. Hij wordt meestal afgedaan als Robbie Williams' beste vriend of huisgenoot. Op ongefundeerde geruchten dat hun relatie meer 'is dan een tussen goede vrienden' reageren de vrienden niet verontwaardigd, maar altijd met rake humor en zonder elkaar af te vallen. Hun duet op het album *Swing When You're Winning* zegt alles over hun openbare leven. Ze kozen voor 'Me and My Shadow', maar onderbraken de klassieker van Frank Sinatra en Sammy Davis Junior met enkele geestige opmerkingen over Stoke-on-Trent en homoseksualiteit. Op de hoes wordt voor de grap gesuggereerd dat ze de song samen thuis onder de douche hebben gezongen. Ze maken een lange neus naar al die mensen die met hun neus tegen de ramen staan om maar niets te missen van de ster.

Hun relatie is echter van wezenlijk belang in Robs leven. Het is Jonty, zoals zijn vrienden en familieleden hem noemen, die alle kanten van Robs persoonlijkheid kent. Hij is de voetballende, drinkende, zingende, acterende, golfende, flipperende vriend die begrijpt wat het betekent om een jongen uit Stoke-on-Trent te zijn. Hij is in de verste verte geen opportunist die meezeilt op de roem van een vriend. Jonathan was de rots in de branding toen Rob depressief was en bijna kapotging.

Ze zijn geen familie, al denken veel mensen dat. Ze hebben nooit naast elkaar gewoond, zaten niet op dezelfde school, waren niet lid van dezelfde golfclub en groeiden ook niet samen op. Hun moeders, Jan Williams en Eileen Wilkes, hebben elkaar bij toeval ontmoet tijdens een vakantie op Mallorca en konden meteen goed met elkaar overweg. De kleine Jonty was vier en Robert, zoals hij altijd werd voorgesteld, bijna vijf jaar ouder. Beide jongens hadden oudere zussen – Kay Wilkes, voor wie ze altijd een beetje bang waren, was van Robs leeftijd –, energieke moeders die graag uitgingen en samen lachten en vaders met een grote persoonlijkheid die overal de stemming erin konden brengen. Graham Wilkes, de vader van Jonty, heeft zijn portie tegenslag gehad. Zijn reisbureau ging failliet toen hij pas 39 was – Jonty was toen acht – en toen hij kort daarop een hartaanval kreeg, volgden er een paar moeilijke jaren voor het gezin Wilkes. Hij is erbovenop gekomen en is een bekend gezicht in de wereld van entertainment en sport in de Potteries door zijn baan als ceremoniemeester. Er hangt een gesigneerde foto van hem in een Indiaas restaurant in Tunstall, wat zijn plaatselijke roem bevestigt.

Toen Jan en Eileen na de vakantie op Mallorca weer naar huis gingen, spraken ze af contact te houden omdat ze allebei van musicals en toneel hielden, een belangstelling die hun zonen samen zou brengen. Rob en Jonty stonden voor het eerst samen op het toneel in *Hans Christian Andersen*, niet lang nadat ze elkaar hadden leren kennen. Voor één keer hoefde Rob niet bang te zijn dat hij niet geaccepteerd zou worden. Jonathan keek tegen hem op en deed alles wat hij zei. Zozeer zelfs dat Rob zijn vriendje tijdens een voorstelling in het Theatre Royal in Hanley kon wijsmaken dat er die avond een verandering in het scenario was en dat ze hun nachthemden moesten optillen en hun blote billen moesten laten zien. Het laten zien van zijn blote kont, een belangrijk onderdeel van zijn imago als Robbie Williams, zat hem kennelijk in het bloed. Hij heeft nooit enige aarzeling vertoond om zijn billen, of welk ander deel van zijn lichaam ook, te laten zien als hij dacht dat hij er een reactie mee kon uitlokken.

Zoë Hammond, die Rob leerde kennen tijdens *Hans Christian Andersen*, herinnert zich Jonty als een huilebalk: 'Hij kon nergens tegen als kind. Je hoefde alleen maar tegen Jonathan te zeggen: "Waarom ben je hier eigenlijk?" of hij begon te janken. Hij zorgde ervoor dat iedereen die erbij was wist dat hij het niet leuk vond wat je had gezegd. Hij was een beetje een gluiperd af en toe, maar hij was heel klein.' Zelfs Eileen Wilkes geeft toe dat haar zoon 'altijd makkelijk huilde en de tranen liet stromen'. Daarom was een van de favoriete spelletjes van de jongens ook de Laurel en Hardy-act. Rob, de grootste en dikste, was de dikke Ollie, terwijl de kleine, magere Jonty Stan speelde en zijn gezicht net zo ongelukkig kon vertrekken als zijn beroemde voorbeeld.

Rob, zelf een briljant imitator en vreselijk grappig, gaf Jonty het zelfvertrouwen om op te treden, zelfs al was hij in die tijd heel jong en niet erg goed. Jonathan zegt zelf ook dat toen hij klein was Rob als een grote broer voor hem was. Hij was ook een rolmodel, de jongen die Jonathan wilde zijn. Ze waren lang niet altijd samen als kinderen. Terwijl Rob in Tunstall woonde en naar de middelbare school St. Margaret Ward ging, woonde Jonathan een kleine tien kilometer verderop in Endon, waar hij op de Hillside School zat. Maar zoals alle goede vrienden konden ze altijd de draad weer oppakken waar ze gebleven waren. 'Ze hadden een vanzelfsprekende verstandhouding,' merkt Eileen Wilkes op. 'Ze lachten altijd samen, ook al hadden ze elkaar weken niet gezien, of een keer zelfs maanden.'

De gezinnen Williams en Wilkes verstevigden hun vriendschap door in de schoolvakanties samen met de caravan weg te gaan en soms te gaan skiën. 'Als er een talentenjacht werd gehouden waar we waren, waren de jongens er altijd als eerste bij,' vertelt Eileen. 'Ze hadden allebei het zelfvertrouwen om voor een groot publiek op te treden.' Er was geen twijfel over wie het meeste talent had. Rob was als jongen een volleerd entertainer, terwijl Jonty een stem als een misthoorn had. 'Je kon ze niet vergelijken. Ik ben alleen maar eerlijk als ik zeg dat Jonathan niet kon tippen aan Rob,' zegt Zoë Hammond. 'Maar er was een leeftijdsverschil en ik herinner me dat Jonathan echt dol was op theater.' Het leeftijdsverschil leek hun vriendschap nooit te raken: 'Ze waren absoluut kameraden, zelfs al was Jonathan een stuk jonger.'

Wanneer hij met Jonathan was, was Rob minder geneigd tot kattenkwaad en speelde hij liever monopolie dan dat hij ging klieren in Tunstall Park. Eileen Wilkes' verklaring voor het feit dat het leeftijdsverschil hun vriendschap nooit in de weg stond, is dat haar zoon altijd 'wijs was voor zijn leeftijd en Robert juist niet'. Die visie zou worden bevestigd toen de vrienden een paar jaar later samen gingen wonen in Londen. In de tussentijd gingen ze met hun moeders mee naar de Olde Time Music Hall en speelde Jonathan een klein rolletje in *Oliver!*, dat zo'n belangrijke productie zou blijken te zijn voor de ontwikkeling van Robbie Williams als podiumartiest.

Jonathan deelde Robs afkeer van huiswerk en ging ook liever voetballen of Port Vale toejuichen. Voetbal was alles voor Jonty. Hij was voor de duur van een wedstrijd zelfs de mascotte van Vale. Er is geen grotere eer voor een jonge fan dan, omgeven door zijn helden, in de kleuren van de club de grasmat op te lopen. Een tijdje zag het ernaar uit dat hun wegen zich onherroepelijk zouden scheiden. Terwijl Robs ambities om beroemd te worden vorm kregen in Take That, stond Jonathan aan het begin van een carrière als profvoetballer. Hij was aanvoerder van het jongenselftal van Stoke-on-Trent en ooit was hij lid van hun geliefde Vale. Belangrijker was dat Jonathan bij Everton werd aangenomen als jonge verdediger toen hij door een scout was gespot terwijl hij met zijn vader Graham in een plaatselijk elftal van vaders en zoons speelde. Twee keer per week ondernam hij de reis naar Manchester om met andere jongens te spelen die hoopten op een voetbalcarrière, onder wie Francis Jeffers, die carrière heeft gemaakt bij Arsenal, Danny Cadamarteri, die nu bij Bradford City speelt, en Michael Branch, die bij de Wolves ging spelen. Geen van de drie heeft zo veel bereikt als wat er op grond van hun veelbelovende start verwacht mocht worden.

Het hoogtepunt in Jonathans voetballende leven was toen hij tegen het juniorenteam van Liverpool speelde, waarin een zekere Michael Owen zat. Helaas werden de jongens van Everton met 4-0 verslagen; de vier doelpunten werden allemaal gemaakt door de toekomstige spits van Engeland. Eén keer raden wie werd geacht Owen af te dekken. Ondanks die nederlaag was Jonathan er absoluut van overtuigd dat zijn toekomst in het teken van het 'prachtige spel' zou staan.

'Voetbal was mijn leven,' gaf hij toe. 'Het was het enige dat ik kon.' Helaas werd zijn hoop de grond in geboord omdat hij te klein was. Toen hij vijftien was zei een van de trainers van Everton tegen hem: 'Je wordt nooit goed genoeg voor Everton, jongen, je bent te klein.'

Jonathan was er kapot van en raakte al snel gedesillusioneerd door de voetbalwereld. Hij probeerde het nog een week bij een laag elftal van Chester FC maar had zijn belangstelling helemaal verloren. Ook kreeg hij nog een paar andere aanbiedingen van Wrexham en Crewe, maar het hoefde niet meer van hem. Nadat hij zo dicht bij een carrière bij een topclub was geweest, leek niets het meer waard om zijn bed voor uit te komen. Terwijl de carrière van Rob bij Take That op zijn hoogtepunt was, zat zijn oude vriend uit Stoke-on-Trent in een diep dal: hij was net zestien, had geen noemenswaardige opleiding, geen vooruitzichten en geen idee wat hij moest gaan doen.

Hij deed precies wat Rob in die omstandigheden zou hebben gedaan: hij zette het een halfjaar lang op een zuipen, kwam kilo's aan en voelde zich opstandig. Het enige lichtpuntje in deze puberellende was toen hij zijn amandelen liet knippen. Zijn moeder Eileen vertelt: 'Wonderbaarlijk genoeg kon hij daarna zingen. Hij stortte zich helemaal op het zingen.' Jonty merkte dat de kroeg niet langer leegliep wanneer hij karaoke zong. Hij probeerde ook wat grappen te vertellen en ontdekte dat hij het leuk vond om te entertainen. Hij maakte zelfs een demo met een song die hij vrolijk 'You Are Always Going To Be Alone' noemde. Hij kwam er weer bovenop door het vertrouwen dat hij 'kon zingen en mensen aan het lachen kon maken'. Volgens Eileen ging hij ook in een 'groeizak' slapen met als resultaat dat hij ineens groeide tot hij meer dan een meter tachtig was. Zijn huidige lengte van een meter tweeënnegentig maakt de afwijzing van Everton achteraf wel komisch.

Dankzij zijn vader Graham, die onder de indruk was van het talent dat zijn zoon ontwikkelde, kwam zijn carrière in de showbusiness op gang. Graham was voor zaken in Blackpool toen een plaatselijke impresario, Amanda Thompson, vroeg of hij iemand kende die in de Star Bar op Pleasure Beach kon zingen. Graham zei slim dat hij misschien wel iemand wist, maar liet niet merken dat hij aan Jonathan dacht. In plaats daarvan zei hij: 'Ik zal proberen hem te bereiken.' Vader en zoon gingen samen terug naar Blackpool en Jonathan zong een paar nummers, maar had strenge instructies gekregen de onderhandelingen aan Graham over te laten. Amanda bood £ 200 per week, maar Graham eiste en kreeg £ 250 per week, plus kost en inwoning en vroeg vervolgens: 'En wie doet zijn was?' Uiteindelijk werden ze het eens maar Amanda hield vol dat het contract getekend moest worden door een ouder of voogd omdat Jonathan pas zeventien was. 'Geef maar hier,' zei Graham. 'Ik ben zijn vader.' Amanda keek hem woedend aan en zei: 'Vuile schoft!'

En zo werd Jonathan Wilkes de jongste ster in Blackpool en zong zeven dagen per week 29 songs per avond. Zijn doorbraak in de showbusiness had helemaal niets met Robbie Williams te maken, al greep Rob iedere kans aan om zijn vriend te bezoeken en een dagje met hem door te brengen in de beroemde achtbanen in Blackpool. Jonathan was zeventien toen hij in Blackpool begon en pas twintig toen zijn driejarig contract afliep. De weg was vrij voor succes. *Jonathan Wilkes and the Space Girls* werd een van de populairste shows in de stad en voor de tiener, omgeven door een schare danseressen en met een portemonnee vol geld, was het alsof hij was gestorven en in de hemel was gekomen.

Blackpool is een typisch Engels instituut. Jonathan werd opgemerkt in deze wereld van het Variété met een hoofdletter V. Hij was werelden verwijderd van de Britse coole jeugdcultuur in het midden van de jaren negentig. Terwijl Rob een carrière nastreefde in de gevestigde 'Glastonbury'-muziekwereld, trad zijn vriend op in liefdadigheidsprogramma's met de Grumbleweeds, Schnorbitz, Frank Carson en Joe Longthorne. Jonathan was pas zeventien toen hij een prijs won in de Cameron Mackintosh Young Entertainer of the Year-competitie. Hij had indruk gemaakt op de juryleden met zijn vertolking van de song 'Kiss' van Prince in Tom Jones-stijl. De ironie is dat Jonathan het soort carrière had dat eigenlijk Robs erfenis was: het soort populaire cabaret van Pete Conway. Hij werd snel een bekend performer: 'Ik moest iedere avond dezelfde verdomde songs zingen en proberen ze geloofwaardig te laten klinken voor het lastigste publiek ter wereld.' Hij mag dan niet zijn doorgedrongen tot de hoofden van de Take That-fans, maar Jonathan Wilkes was de lieveling van de oudjes in Lancashire.

Jonathans ambities reikten verder dan de Blackpool Tower en dus greep hij de kans om een televisieprogramma, *The Hype* geheten, te presenteren op het voormalige digitale kanaal BBC Choice. Dat betekende dat hij naar Londen moest verhuizen. Toen hij dat tegen Rob zei, aarzelde zijn vriend geen moment om hem uit te nodigen bij hem in Notting Hill te komen wonen in wat Graham Wilkes beschrijft als een jongensparadijs: 'Ze hadden een flipperkast, een tafelvoetbalspel en de grootste televisie die je ooit hebt gezien.' De trots van het huis was een platina pooltafel die Rob in een chique winkel in New York had gekocht. Rob was er binnengelopen in spijkerbroek, waarop de verkoper ten onrechte had aangenomen dat de prijs van een kwart miljoen dollar boven zijn budget ging. Tot ieders verbijstering zei Rob nonchalant: 'Ik neem hem,' en gaf zijn creditkaart.

Tijdens deze vroege periode van Men Behaving Badly veranderden de rollen van de twee vrienden subtiel. Jonathan was niet langer het huilerige jochie dat door Robbie beschreven werd als 'lulletje rozenwater'. In plaats daarvan werd hij de grote broer en beschermer. 'Er mag een leeftijdsverschil zijn, maar het was altijd Jonathan die op Robert paste en aan het eind van de avond zei: "Laten we opstappen, maat,"' zegt Eileen Wilkes. Het was Jonathan die in de tijd dat Rob het meest dronk en excessief drugs gebruikte wanhopig probeerde klaplopers te weren en zijn vriend aan zijn dope te helpen.

Door zijn unieke positie dat hij de enige was – naast Jan Williams misschien – die tegen Rob kan zeggen: 'Hé, je gedraagt je als een klootzak,' werden de twee vrienden heel close. Toen Jonathan in Schotland, toen hij daar voor een musical was, een ernstig auto-ongeluk had gehad, belde Rob hem ieder heel uur op om hem op te vrolijken met moppen en imitaties van Frank Spencer. In de ogen van de schare Robbie Williams-fans was Jonathan Wilkes officieel de 'beste vriend'. Onvermijdelijk kwam de gedachte op van een carrière in de popmuziek voor Jonathan. Zijn vader had een nieuw management voor hem gevonden en er volgde al snel een overeenkomst met Innocent Records, een dochter van Virgin en het label van Billie Piper en Martine McCutcheon.

Rob was opgetogen over het idee zijn wereld te delen met zijn vriend. Hij verklaarde: 'Ons huis wordt dan zoiets als Popstar Towers.' Ze deden al vaak wedstrijdjes songtekst schrijven, waarbij ze zich vijf minuten gaven om een wereldhit in elkaar te flansen. Tijdens een van die wedstrijdjes in een villa in Zuid-Frankrijk schreef Jonathan 'Dave's House', dat een voorlopige versie werd voor zijn eerste album. Het leek allemaal een beetje te makkelijk. Het grote publiek, dat niet wist dat Jonathan al een harde leerschool had doorlopen, kan men vergeven dat het dacht dat hij zijn succes te danken had aan zijn vriendschap met de favoriete popster van het land.

Jonathan mocht dan ook niet klagen toen Robbie Williams onderwerp nummer één was in alle interviews die hij gaf naar aanleiding van het uitkomen van zijn eerst single, 'Just Another Day', een song die hij zelf had geschreven toen hij 'echt een heel slechte dag had'. Hij kreeg serieuze aandacht van de media toen hij werd uitgebracht, 75 interviews in twee weken, maar kwam de hitparades binnen op een teleurstellende vierentwintigste plaats. Als je bedenkt hoe de hitparade tegenwoordig werkt, stelt dat echt niets voor. Hij werd alom belachelijk gemaakt, wat des te problematischer was omdat er een album, *Borrowed Wings*, werd afgerond en een tweede single, die hij samen had geschreven met de Canadese popster Bryan Adams, klaar was. De single kwam in Dubai, Zweden en Duitsland op nummer één, maar dat was niet genoeg om te voorkomen dat Innocent Recors, dat £ 1 miljoen had geïnvesteerd om de song in Groot-Brittannië in de topdrie te krijgen, het album 'in de wacht' zette. Het bevindt zich nog steeds in het voorgeborchte en de vooruitzichten op een snelle release zijn slecht. Een contract voor vijf albums ging niet door en de platenmaatschappij liet Jonathan officieel vallen.

Waarom flopte de single? Zoals altijd was het een combinatie van factoren. De timing was slecht. Hij werd in dezelfde week uitgebracht als de debuutsingle 'Pure and Simple' van Hear'Say die *Popstars* hadden gewonnen en waarvan er een miljoen werden verkocht. Hear'Say heeft hem absoluut opgeslokt. En ook van 'It Wasn't Me' van Shaggy werden er grote aantallen verkocht waardoor er weinig ruimte overbleef voor iemand anders. Het kan de beste overkomen. Toen Kylie in september 1997 'Some Kind of Bliss' uitbracht, waren de verwachtingen hooggespannen. Maar 'Candle in the Wind' van Elton John verkocht zo waanzinnig goed dat er nog maar een paar kruimels overbleven voor andere nieuwe platen. Kylie bereikte de tweeëntwintigste plaats. Ook een factor was de onvermijdelijke rancune tegen Jonathan vanwege zijn connectie met Robbie.

Jonathan was heel trots op het album. Hij had het geschreven en opgenomen terwijl hij nog presenteerde op de televisie. Rob droeg twee songs bij, waarvan één onbedoeld. Jonathan won 'Sexed Up' toen ze erom hadden gewed terwijl ze aan het poolen waren. Rob zou hem uiteindelijk weer terugnemen voor *Escapology*, maar beloofde dat hij een andere song voor hem zou schrijven. Hij bewees Jonathan daarentegen een enorme dienst door hem over te halen het duet 'Me and My Shadow' te zingen en, van even groot belang, het op het podium van de Royal Albert Hall voor publiek uit te voeren. Daarmee werd bewezen dat Jonathan echt kon zingen en een talentvol performer was zonder dat hij daarvoor iemand nodig had. Hij bewees ook dat hij een meester was in flauwe showbusinessopmerkingen toen hij zei dat 'Me and My Shadow' het volmaakte bestevriendenlied is. Het eenmalige concert was een fantastisch succes en de verkoop van zowel video als album leverde Jonathan flink wat op zodat hij zijn nieuwe huis in Chiswick, om de hoek bij zijn vrienden Ant en Dec, kon financieren.

Het concert in de Albert Hall was niet de eerste gelegenheid dat ze samen een duet zongen. Toen Jonathan de song 'She's the One' van Robbie een keer vertolkte tijdens een concert in Brighton, kwam die onverwacht zelf het toneel op en vroeg: 'Hulp nodig, vriend?' Jonathan, die even verrast was als het publiek, antwoordde: 'Graag.' Een andere keer kwam er tijdens een voorstelling waarin Jonathan optrad een gorilla het toneel op. Het was Rob.

Uit carrièreoogpunt kon Jonathan beter zorgen voor wat afstand tussen hem en Robbie Williams. Toevallig zakte zijn carrière net voor de eerste keer een beetje in toen Rob zich voorbereidde op een lang verblijf in Los Angeles. Uiteindelijk kwam hij tot het inzicht dat de popbusiness even onbestendig is als de voetbalwereld en accepteerde hij een belangrijke rol in de reprise van de musical *Godspell* uit de jaren zeventig. Hij speelde samen met voormalig *Neighbours*-acteur Daniel Macpherson afwisselend de rollen van Jezus en Judas. Bijna naadloos kon hij daarna verder bij de heropvoering ter ere van de dertigste verjaardag van de klassieker *Rocky Horror Show*, waarin hij Dr. Frank N. Furter speelde en het fantastische nummer 'Sweet Transvestite' zong.

Het is overbodig om te vertellen dat Rob bij de première in het Churchill Theater in Bromley was, waar hij vanuit het publiek riep: 'Denk niet dat je er bij mij in komt als je er zo uitziet!' en aan de pers vertelde dat het niet de eerste keer was dat hij hem in jarretellegordel en gemaskerd had gezien. Door de aanwezigheid van zowel Robbie Williams als Ant en Dec, Cat Deeley en Edith Bowman kreeg de provinciale première in ieder geval landelijke aandacht. Jonathan worstelde met chronische keelpijn, dus het was heel prettig dat Rob, in gezelschap van Rachel Hunter, de aandacht bij de voorstelling naar zich toetrok. Jonathan groeide in zijn rol toen de voorstelling ging reizen en kreeg laaiend enthousiaste recensies van Bradford tot Woking, en vooral in zijn geboorteplaats Stoke-on-Trent. Eileen Wilkes was erbij om haar zoon toe te juichen: 'Iedereen ging staan, het leek wel een popconcert. Mijn moeder van tachtig vond het prachtig en zei: "Jonathan bezorgt me tien extra levensjaren. Hij weet alles van vrouwen, hè?"'

Jonathans nabije toekomst ziet er rooskleurig uit. Zijn vader is ervan overtuigd dat hij binnen vijf jaar weidse bekendheid zal genieten. 'Hij houdt van toneel en hopelijk wordt er een musical voor hem geschreven. Hij wordt een soort Des O'Connor.' Jonathan is ook al genoemd als de nieuwe presentator van het televisieprogramma *You've been Framed*.

Zijn voortdurende vriendschap met Rob ziet er ook bestendig uit. Hij zorgt voor het contact met de normale wereld en vormt het brave deel van het bewustzijn van zijn vriend. Zijn lievelingsalbum is *James Taylor's Greatest Hits* en hij drinkt liever vruchtensap dan Guinness. Hij woont in zijn nieuwe huis samen met zijn verloofde Nikki Wheeler, een danseres die hij vijf jaar geleden bij *The Hype* had leren kennen, en waarschijnlijk gaan ze in de nabije toekomst in eenvoudige stijl trouwen. Net als Rob houdt hij van Stoke-on-Trent; ze bestellen nog steeds pannenkoeken bij de Oat Cake Shop in High Lane en laten ze in Londen bezorgen. En als Jonathan Rob meeneemt naar zijn ouders, zegt Eileen tegen hem: 'Zet het water even op, Robert.' Die dosis normale omgang is waardevol voor een superster die onvermijdelijk omgeven wordt door oppervlakkige jaknikkers. Andersom zal Rob zich altijd inzetten voor zijn beste vriend en de familie Wilkes. Voor het feest ter ere van Eileens veertigste verjaardag in The Place in Hanley nam hij vrij van Take That en deed er mee aan de karaoke, met 'Mack the Knife' natuurlijk. Lee Hancock die het lied nog nooit gehoord had, vertelt: 'Het was absoluut fantastisch.' Toen Jonathans zus Kay trouwde in Eccleshall Castle in Staffordshire, vloog Rob speciaal over uit Amerika. En hij zong 'Angels'. Toen hij bij de beroemde laatste regel was aangekomen, 'I'm loving angels instead', veranderde hij die in 'I'm loving Kaysie instead.'

Ze waren geen hangjongeren.

16 De geïllustreerde man

Rob, zijn moeder en zijn zus gingen met de familie Wilkes eten in hun fa-
voriete Indiase restaurant, de Kashmir Garden, in High Street. Halverwe-
ge het eten trok Rob zijn trui uit om de inmiddels beroemde Maori-tatoe-
age op zijn linkerbovenarm te laten zien. 'O, Robert,' verzuchtte zijn moe-
der. 'Waarom vermink je je mooie lichaam?' Rob zei met een grijns:
'Maak je geen zorgen, mam, wanneer ik zestig ben heb ik nog steeds een
mooie meid aan mijn arm.'

Rob stond er nooit om bekend dat hij zich goed kleedde. Op de Golf
Club van Burslem was zijn sweatshirt legendarisch. Zijn speelmaat
Tom Peers vertelt: 'Het was een afschuwelijk ding, wit met een soort
wintersporttafereel op de voorkant met veel dennenbomen. Hij droeg
hem altijd.' Op school liep hij er sjofel bij, ook al voordat hij meedeed
aan de beroemde zweetwedstrijden. Als hij in gezelschap van zijn moeder was, zag hij er altijd netjes uit en hij droeg beslist vaker een das
voordat hij bij Take That ging dan ooit daarna. Rob was saai met een
hoofdletter S en als popster waren zijn kleren nooit een belangrijk onderdeel van zijn imago. Oude gewoontes zijn hardnekkig en hij droeg
een afschuwelijke zwart-witte V-halstrui op de hoesfoto's van *Life Thru
a Lens*. Hij ziet er daar uit als de ceremoniemeester van een televisie-
quiz met weinig budget. Op de hoes van *I've Been Expecting You* ziet hij
er als een James Bond-achtig type met stropdas eleganter uit.

Met zijn haar was het niet veel beter gesteld. Zijn kapsels zijn alleen
maar beroerder geworden sinds zijn eerste dag op de middelbare
school toen hij er blonde strepen in had omdat die vereist waren geweest voor zijn toneelrol. Zijn skinheadlook voor 'Angels' was goed ge-
timed, maar zijn hanenkam in Los Angeles was al ver voorbij de houd-
baarheidsdatum. David Beckham had hem al afgeschaft. Toen hij in

april 2003 terugkwam naar Groot-Brittannië om zijn single 'Come Undone' te promoten, had hij kleine geblondeerde plukjes voor op zijn hoofd, waarmee hij er volgens de commentatoren uitzag als een pinguïn. Als mode-icoon zou Rob wel wat adviezen van David Beckham kunnen gebruiken. Het enige gebied waarop Rob een zekere individualiteit en eigen stijl, zelfs in de orde van grootte van Beckham, heeft bereikt, zijn zijn tatoeages. Hij lijkt er honderden te hebben. En sinds hij naar Los Angeles is verhuisd, waar feitelijk zo weinig te doen is, is de Shamrock Parlor aan Sunset Boulevard een thuis ver van huis geworden.

'Tattoo' stamt af van *ta-tau*, een Polynesisch woord dat teken betekent. Kapitein Cook zag de lichaamskunst voor het eerst in 1769 in Tahiti en schreef erover in zijn dagboek, waarbij hij ook vermeldde dat het algemeen gebruik was bij beide seksen. In de bijbel wordt het versieren van de huid afgekeurd en sinds de komst van het christendom werd het in Europa niet meer gedaan, tot de ontdekking van kapitein Cook. Pas betrekkelijk recent hebben tatoeages als lichaamskunst en zelfexpressie een wijdverspreide populariteit verworven. Tatoeages zijn naast piercings een toegankelijke vorm voor jonge mensen om uit te drukken waar ze staan qua mode. De tijd dat tatoeages voorbehouden waren aan zeelui, die op de ene arm een anker à la Popeye en op de andere 'mam' hadden staan, horen al lang tot het verleden.

Rob heeft geleden voor zijn kunst, want de methode om met een naald inkt in de huid te spuiten kan heel pijnlijk zijn. Hij kon Nicole Kidman waarschuwen voor de pijn toen ze erover dacht om een tatoeage op haar enkel te laten zetten. Hij vertelde haar dat een tekening dicht bij een bot het pijnlijkst is omdat de huid daar heel strak is. Rob heeft een neiging tot verslaving, dus één van iets is nooit genoeg. Hij heeft al een stuk of tien tatoeages van uiteenlopende grootte over zijn hele lichaam.

Rob is wel zo voorzichtig dat hij niets onuitwisbaars in zijn huid laat aanbrengen dat hem later in verlegenheid zou kunnen brengen. Patsy Kensit en Liam Gallagher zijn een goed voorbeeld van hoe dom je kunt zijn als je verliefd bent. Toen ze met ruzie uit elkaar gingen, zaten ze met die nare, ongewilde herinnering aan hun voormalige partner waarmee ze iedere keer dat ze onder de douche gingen werden geconfronteerd. Patsy heeft £ 6.000 betaald om 'Liam' van haar enkel te laten verwijderen. Liam ging over 'Patsy' heen met een bliksemschicht en de letters TCB, die staan voor Taking Care of Business. Pamela Anderson moest 'Tommy', dat verwees naar haar echtgenoot Tommy Lee, veranderen in 'Mommy'. De grappigste vergissing is echter het klavertje van Courtney Love, dat ze op haar enkel had laten tatoeëren als eerbetoon aan haar Ierse afkomst. Ze liet het verwijderen toen ze ontdekte dat ze joods was.

Robs eerste tatoeage vertoont ook Ierse invloed, dat was namelijk een Keltisch kruis op zijn linkerdij. Hij heeft haar laten zetten toen hij in Take That zat, een kleine verzetsdaad tegen het regime dat hij zo benauwend vond. Hij vertelde het aan Jim en Joan Peers ('Mr. en Mrs. Peers' zoals hij hen altijd noemde, ook toen hij beroemd was geworden) toen hij hen een keer in een weekend opzocht. Hij zei: 'Ik heb een tatoeage laten zetten, maar ik durf het mijn moeder niet te vertellen.' Rob is trots op zijn Ierse wortels en draagt een tijdelijke tatoeage van de Ierse vlag als hij een concert geeft in de Ierse Republiek.

Zijn beroemdste tatoeage is het Maori-'gebed', dat boven aan zijn linkerarm begint en eindigt in een vlam op zijn rug. Hij heeft haar in 1998 in Amsterdam laten zetten, kort nadat 'Angels' en de ontwenningskuur hem het gevoel hadden gegeven dat hij een nieuw mens was geworden. Hoewel Rob graag voor de grap zegt dat het 'ik hoop dat het chips is' betekent, is het feitelijk een gebed. Hij heeft het uitgelegd: 'Het is een gebed om me tegen mezelf te beschermen.' Hij was van plan geweest de tatoeage over zijn hele lichaam door te laten lopen om hem bescherming te bieden, maar nadat hij de eerste sessie van zeven uur met tranen in zijn ogen had doorstaan, bedacht hij zich.

Op zijn andere arm staat een tamelijk serieus kijkende leeuw, hij ziet er niet woest uit, alleen streng. De leeuw is een symbool van kracht. Toevallig had hij in mei 2003 het contract getekend om de stem van Linus te doen, een van de leeuwen in het BBC-toneelstuk *Pride*. Het jaar daarvoor had hij de stem van Dougal gedaan in de filmversie van de *Magic Roundabout*. Gelukkig heeft hij geen tatoeage van de beroemde ruigharige hond. Een tijdje later heeft hij voor de eerste keer een tekst laten tatoeëren: 'Born to be Mild', een ironische verbastering van de oorspronkelijke hit uit de film *Easy Rider*, 'Born to be Wild'. De woorden staan zwierig onder de leeuw als een vaandel. Boven de leeuw staat 'Elvis Grant Me Serenity', een belangrijke zin in Robs leven. Hij is onderdeel van het ritueel dat hij voor een concert uitvoert: een eerbetoon aan de king of rock-'n-roll, dat hem kracht moet geven voor hij het podium opgaat.

Rob en iedereen uit zijn gevolg, van David Enthoven tot de muzikanten, de mensen van de make-up en kleding, de bodyguards en chauffeurs, moeten elkaar een hand geven, meestal in een gang backstage, en meedoen aan het energiegevende zangerige 'gebed'. Het lijkt een beetje op de 'Haka', de beroemde rugby-chant van de Nieuw-Zeelandse All Blacks, behalve dat er aan het eind niemand in de lucht springt. Het merendeel van de artiesten heeft een soort ritueel dat een vast onderdeel wordt van een optreden. Dit is dat van Rob. Hij is de ceremoniemeester, de lekenpriester die zijn gemeente voorgaat: 'Elvis, geef me de helderheid om de dingen te accepteren die ik niet kan veranderen; de moed om de dingen te veranderen die ik wel kan veranderen; en de wijsheid om deze twee van elkaar te kunnen onderscheiden.' Aan het slot schreeuwt de hele groep: 'Dank u wel.' Rob is atheïst, maar in deze context lijkt Elvis verdacht veel op een eufemisme voor een hoger wezen.

Op zijn rechterpols staat de naam 'Jack', en op de linkerpols de bijbehorende achternaam 'Farrell'. Jack Farrell was zijn grootvader van moederskant. Op zijn onderarmen staan twee recentere tatoeages, beide ter ere van Jan Williams. De ene luidt 'mother' en de andere 'I love you'. Robs minst indrukwekkende tatoeage, die hij tijdens een nacht stappen met Jonathan Wilkes heeft laten zetten, maar waar hij nu niets meer om geeft, is in de vorm van een ketting rond de bovenkant van zijn borst, die hij voor de gelegenheid moest scheren. Er staat 'chacun à son goût', ofwel 'ieder zijn smaak'. Meer stijl heeft de notenbalk op zijn onderrug. Er staat 'chorus' bij en het is de muzieknotatie in G van 'All You Need Is Love', de beroemde hit van de Beatles uit 1967 (zou hij toestemming hebben moeten vragen aan de houders van het copyright?). Rob liet haar voor de eerste keer zien op een ijskoude dag in Parijs, eind december 2002, toen hij naar Parijs was gevlogen voor een geheim optreden ter promotie van de songs van *Escapology*. Hij bedierf het effect omdat hij een oude witte trui met grote lichtblauwe sterren aanhad, die hij zeven jaar daarvoor met Kerstmis had gekregen. Hij completeerde zijn outfit met een zwarte wollen muts met voorop een doodskop met gekruiste botten. Net als David Beckham heeft Rob voor iedere gelegenheid een hoofddeksel. Toen hij in Take That zat, droeg hij praktisch iedere keer dat er een foto van hen werd gemaakt een andere pet of muts. Hij heeft altijd een voorkeur gehad voor petten en T-shirts met teksten erop.

Robs meest verrassende en cryptische tatoeage is het cijfer '1023' boven op zijn pols. Het is een eerbetoon aan zijn vriendschap met Jonathan Wilkes. 10 staat voor de letter J en 23 voor de letter W. Jonathan, die verder niets met tatoeages heeft, heeft '1823' op zijn pols, voor de letters RW voor Rob. In april 2003 liet Rob een nieuwe tatoeage zien, een sierletter B achter zijn linkeroor, naar zijn zeggen een eerbetoon aan zijn oma Betty. Hij is sindsdien in de Shamrock gesignaleerd. Verrassend genoeg heeft Rob nog geen tatoeages op zijn zo vaak ontblote billen, een populaire plek omdat het een relatief pijnloos gebied is voor de naald. Er gingen geruchten dat hij er daar een ter ere van Rachel Hunter wilde laten zetten voordat ze uit elkaar gingen. Maar hij heeft geen lijst van vriendinnen die op die manier zijn vereerd. Hij zal nog eerder High Lane Oat Cakes op zijn romp laten tatoeëren. Of Port Vale FC.

Ik wil de letter W op iedere bil zodat er WOW staat als ik vooroverbuig.

17 Kletspraatjes

De jonge blondine, gekleed in een weinig verhullende jurk en met schoenen met hoge hakken aan, die op een barkruk in de Holborn-club zat, zag er heel goed uit, maar Rob leek haar niet te hebben gezien. Hij zat aan een tafel druk te kletsen en te lachen met een groepje mensen. Uiteindelijk stond hij op, liep naar haar toe, fluisterde een paar woorden in haar oor en voegde zich weer bij zijn gezelschap. 'Wat zei hij?' vroeg de vrouw naast het meisje. 'Hij zei alleen: "Ga met me mee naar huis," maar ik heb een vriend.' De vrouw riep uit: 'Maar dat is Robbie!' Een paar minuten later nam Rob afscheid van zijn tafelgenoten en liep zonder om te kijken de deur uit. Vijf seconden later pakte de blonde haar tas en waggelde achter hem aan.

Rob blijft een van de meest begeerde vrijgezellen ter wereld, dankzij de bedwelmende mix van beroemdheid en rijkdom waardoor je hoog scoort op de lijst van meest begeerde mannen in glossy tijdschriften. Een veteraan uit de muziekindustrie die al veel sterren heeft zien komen en gaan merkt op: 'Rob kan ieder meisje neuken dat hij wil.' Dat kan best waar zijn, maar Rob heeft op onvergetelijke wijze de leegheid van dergelijke contacten beschreven als jezelf afrukken in andermans lichaam. Rob kan misschien wel met iedereen naar bed, maar hij kan iemand niet verliefd laten worden op hem, noch zomaar zelf verliefd worden. Hij heeft tot nu toe twee liefdes gehad, Jacqui Hamilton en Nicole Appleton. De eerste was een kalverliefde, zijn eerste kennismaking met diepere gevoelens; de tweede is tragisch verlopen.

De pers zit als een gier op een dode tak te wachten tot hij zich op een affaire van Robbie Williams kan storten. Zo lang hij geen vaste relatie heeft, kunnen de kranten zich te goed doen aan de sensationele verhalen van meisjes die al of niet met hem naar bed zijn geweest. Af en toe vindt Rob het vervelend, zoals hij zijn publiek vertelde tijdens een special van *Top of the Pops*. Hij zei: 'Hebben jullie dat meisje in *News of the World* gezien? Alsof ik met haar naar bed zou gaan, ze is aartslelijk!' Het is sowieso veel leuker als hij een zogenaamde affaire heeft met iemand die zo beroemd is als Kylie Minogue of Nicole Kidman. Hij ontmoette Kylie voor het eerst begin jaren negentig toen hij bij Take That zat en zij het gezicht van Stock, Aitken en Waterman was. Ze waren collega's in de showbusiness. Rob vond haar heel fragiel en zei dat hij haar in watten wilden wikkelen. Hij hoopte dat ze hem gedag zou zeggen als hij haar op straat tegenkwam. Kylie heeft Robbie verscheidene malen haar favoriete Take That-lid genoemd. Ze was geen liefhebber van de jongensband, maar vond Rob erboven uitsteken: 'Ik heb altijd geweten dat hij een ster zou worden. Hij heeft zo veel talent.'

In 2000 kwam EMI op het geweldige idee om Robbie Williams en Kylie Minogue samen te brengen. Rob was hun belangrijkste artiest en Kylie was bijna toe aan een comeback. Na haar spectaculaire succes begin jaren negentig zwierf ze in het onafhankelijke circuit tot ze werd gecontracteerd door Parlophone, net als Chrysalis een dochter van EMI. Allereerst moest ze weer in de markt gezet worden als een populair artiest voor het grote publiek. Een connectie met Robbie Williams zou haar de nodige populariteit bezorgen. Haar homoseksuele fans waren haar trouw gebleven en door haar superkitscherige verschijning op de Olympische Spelen in Sydney wist een wereldwijd publiek dat ze nog steeds topvermaak was, maar het was nog steeds niet cool of chic om van Kylie Minogue te houden. Robbie kon helpen dat te veranderen.

Hij wilde graag een paar songs bijdragen aan haar comebackalbum *Light Years*. Hij schreef er drie, samen met Guy Chambers: 'Your Disco Needs You', dat een hoog *camp*-gehalte heeft, het gladde, mellow nummer 'Loveboat', omdat Kylie hem had gevraagd om een song met die titel, en 'Kids', hun gezamenlijke single. Kylie zette het nummer op *Light Years* en Rob op *Sing When You're Winning*. De tekst van 'Kids' is typisch Robbie Williams: ondeugend en ironisch. Alleen hij kon met een rapnummer komen waarin sodomie rijmde op Billy Connolly. 'Kids' was een uitstekend dansnummer met een opzwepende bas, maar Rob leek het grootste deel van het nummer te worstelen met een hoge falset.

De combinatie Robbie-Kylie liep goed, al lukte het hun vreemd genoeg niet U2's 'Beautiful Day' van de eerste plaats te verdringen. Ze vormden een perfect muzikaal paar. Hij introduceerde haar bij een heel nieuwe generatie meisjesfans, die haar naast Rob zagen staan en haar wilden zijn. Hij versterkte ook haar positie aan de top van de homomarkt. De homseksuele fans van Kylie werden niet van haar vervreemd door haar samenwerking met Robbie Williams, die ook een trouwe aanhang onder hen had opgebouwd vanaf de eerste dagen van Take That. Ze zagen er naast elkaar sexy en tegelijkertijd ondeugend uit.

Tijdens hun optreden was er sprake van grote chemie tussen Kylie en Rob. Dat was duidelijk toen zij in augustus 2000 te gast was in een speciale uitzending van *Top of the Pops*. En nog duidelijker toen ze zich bij hem op het podium voegde in Manchester om 'Kids' te zingen. Rob had geen idee wat Kylie zou dragen als ze het podium opkwam. Ze verscheen in een minuscuul zilveren kostuum dat weinig aan de verbeelding overliet. Kylie vertelt: 'Heel even was hij totaal van slag. Hij zweette en ik genoot ervan.'

De vonken die op het podium tussen hen oversloegen, bewaarden ze voor hun professionele leven, al moesten insinuaties dat er meer aan de hand was de verkoop van hun platen stimuleren. Privé stelde Robbie Kylies gezelschap zeer op prijs. Iemand van de platenmaatschappij vertelt: 'Hij liep achter haar aan en zij zei dan iets van: "Rot op," maar ik geloof dat ze hem na verloop van tijd echt graag mocht.' Het zou een showbizzsprookje zijn geweest als er iets moois tussen hen was gegroeid, maar Kylie had een vaste vriend, James Gooding, en er was nooit sprake van een romance. Dat weerhield Rob er niet van om in het openbaar te vragen: 'Denken jullie dat ze met me naar bed zou gaan?'

Het is interessant om de nummers één van de Britse hitparade in 2000 naast de echte en vermeende affaires van Rob te zetten. Behalve Kylie bereikten de volgende zeer begerenswaardige vrouwen de top van de hitparade: Geri Halliwell, Melanie C (twee keer nummer één met een solonummer), Nicole Appleton (met All Saints), Andrea Corr (leadzangeres van de Corrs) en Billie Piper. Ze hadden allemaal één ding gemeen: een echte of verzonnen romance met een bepaalde jongen uit Tunstall. Als ze allemaal echt waren geweest, zou Rob de eerste artiest zijn geweest die zes nummers één in één jaar 'had gehad'.

Melanie C had een paar maanden iets met Rob voordat Nic Appleton in zijn leven kwam. Ze logeerden samen in een chic hotel bij Dublin en werden gezien terwijl ze samen winkelden in de Ierse hoofdstad. Dat was in de herfst van 1997 en de Spice Girls waren waanzinnig populair, terwijl het met Rob niet zo goed ging in die tijd voordat 'Angels' uitkwam. Zoals veel drukbezette beroemdheden spraken ze elkaar meer via de telefoon terwijl ze duizenden kilometers bij elkaar vandaan waren dan dat ze rustig samen in een bistro de dag zaten door te nemen. Het was niet meer dan een korte affaire, al maakt Rob sindsdien de grap dat hij in de Spice Girls zit, in twee in ieder geval. Melanie beweert dat Rob haar heeft gedumpt voor Nic, hoewel het voormalige lid van All Saints haar niet noemt in haar autobiografie. Grappig genoeg komt Melanie wel voor in het boek *Together*, alleen niet in verband met Rob, maar als vriendin van Natalie Appleton, die haar hartverwarmend een 'groot hart' toedicht.

Toen Melanie rechtstreeks werd gevraagd of ze met Rob naar bed was geweest, antwoordde ze: 'Dat zou kunnen.' Dat klinkt als een bevestiging. Melanie C en Rob hebben nog drie andere dingen gemeen: ze ondertekenen hun eigen contracten, ze hebben te kampen met veel toespelingen en gefluister over hun seksualiteit, en ze hebben van tijd tot tijd problemen met hun gewicht. Rob heeft later beweerd dat hij ten tijde van hun vriendschap met Geri Halliwell heeft geslapen, iets wat zij pertinent ontkent.

Rob en Nic Appleton waren net uit elkaar toen Rob bij de uitreiking van de Brits in februari 1999 de elfachtige Andrea Corr ontmoette. De Corrs was een geweldig succesvolle band, bestaande uit drie zussen en een broer, die *middle of the road* popmuziek maakte. Hun album *Talk on Corners* was een van de weinige albums waar er in 1998 meer van werden verkocht dan van Robbies *Life Thru a Lens* en *I've Been Expecting You*. Ze werden gefotografeerd terwijl ze aan het winkelen waren in Dublin – hij zal de winkels daar inmiddels goed kennen – en gingen ook een paar keer samen naar de kroeg. Rob verloor zijn zelfbeheersing toen een fotograaf hen lastigviel toen ze een keer op een middag naar een kroeg buiten Dublin gingen. Misschien hebben ze gekeken of hun relatie een toekomst had, maar Rob was nog niet over zijn vorige relatie heen en had het ook druk met zijn aanstaande tournee door de Verenigde Staten. Het was een hopeloze zaak, maar Rob, de eeuwige romanticus, zond haar toch een bos rode rozen, wat niet mocht baten.

Billie Piper was de jongste vrouwelijke artiest ooit die meteen op nummer één de hitparade binnenkwam toen ze dat met 'Because We Want To' presteerde in juli 1998. Billie, een meisje van vijftien uit Swindon, was een fris, onschuldig gezicht in de hitparade totdat ze werd verdrongen door het ordinairdere vampje Britney Spears. Billie stond twee maanden eerder dan Rob op nummer één. Ze had nog drie nummer-éénhits op een rij voordat haar carrière stagneerde, toevallig in de tijd dat ze Rob leerde kennen. Hij was de ideale persoon om de toen nog maar achttienjarige artieste advies te geven over de destructieve elementen van tienerroem in de muziekbusiness, al lijkt zij minder egocentrisch dan de jonge Robbie Williams. Ze werden aan elkaar voorgesteld door Jonathan Wilkes en ze werden met zijn drieën gesignaleerd in een van Robs stamkroegen in Notting Hill.

News of the World citeerde 'een vriend' die beweerde dat het paar 'fantastische seks' had gehad. Billie noch Robbie heeft hierop gereageerd. Ze hebben elkaar in ieder geval maar een paar keer gezien want in december was zij al verwikkeld in een romance met multimiljonair en omroepbaas Chris Evans, die haar verleidde met een Ferrari vol rode rozen en met wie ze vervolgens is getrouwd. Dat is dus wat Rob fout doet: hij stuurt wel rozen, maar vergeet de Ferrari.

Rob kon het tot zeven nummers één hebben gebracht als hij was gevallen op de lange, saaie Sophie Ellis-Bextor. Het tegendeel was waar. Ze had een aanbod afgeslagen om in het voorprogramma te staan tijdens zijn tournee en Rob was daar bepaald niet door gecharmeerd en zei dat hij haar aan het huilen zou maken als hij haar zag. En dat zei hij niet louter voor de grap. Tegen een journalist van de *Sunday Times* zei hij dat ze een gezicht had als een satellietschotel en de 'enkels van zijn oma'.

Buiten de wereld van de hitparade waren er nog tal van andere jonge vrouwen kortstondig in zijn leven. De enige die echt iets voor Rob betekende was Tania Strecker, presentatrice van *Naked Elvis*, een onconventioneel quizprogramma dat 's avonds laat op Channel 4 werd uitgezonden. Ze kwam uit een gegoede familie, net als Jacqui Hamilton-Smith. Ze is ongelooflijk mooi, met benen waarover Rob zei: 'Ze gaan maar door, en door ... en door.' Ze was ook de eerste van zijn echte vriendinnen die een kind had, een dochter van drie, Mia. Rob vindt kinderen geen enkel probleem, integendeel zelfs. Begin 2000 gingen ze met elkaar om. Ze brachten samen de millenniumnacht door in St. Moritz en een maand later begeleidde hij haar naar de Brits.

Tania, die verkering had gehad met de echtgenoot van Madonna, Guy Ritchie, is de stiefdochter van Robs manager David Enthoven en kende hem al vanaf halverwege de jaren negentig. Ze had dus al kennisgemaakt met de privé-persoon Rob voordat ze een intiemere band met hem aanging. Ze is de enige vrouw die in positieve zin genoemd wordt in *Somebody Someday*, het boek over Robbies tournee in 2000. Hij geeft toe dat hij twee jaar geen echte relatie had gehad, sinds Nicole Appleton, maar zegt tevens dat Tania de laatste was met wie hij 'wegging'. Hij was complimenteus over haar en zei dat ze een 'aardig iemand' was. Het zou echter pas echt verrassend zijn geweest als hij zich grof over de familie van zijn manager had uitgelaten.

Geri Halliwell en Rob pasten perfect bij elkaar omdat hun levens zo veel overeenkomsten vertoonden. Net als Rob was Geri een vijfde deel van de succesvolste band van Groot-Brittannië. Ook zij werd geïsoleerd en verliet als eerste de groep, waardoor ze ook de eerste was die probeerde soloroem te verwerven. Ze wist wat roem was en dat de alles verslindende hang ernaar een gekmakende verslaving is. Een tijdlang waren ze onafscheidelijk, maar nu zijn ze verwikkeld in een bekrompen ruzie.

Geri komt uit een arbeidersgezin in Watford, maar was er altijd van overtuigd dat zij een ander leven zou leiden. Ze leefde in een fantasiewereld en bekende later dat ze ervan overtuigd was geweest dat ze geadopteerd was en dat haar echte moeder een prinses was. De dood van haar vader, zes maanden voordat ze bij de Spice Girls ging, kwam heel hard aan en maakte haar nog ambitieuzer: 'Ik was een tijd depressief, maar daarna was ik echt strijdlustig.' In 1994 werden ze, voordat de

Spice Girls beroemd waren, door de camera gevolgd voor een documentaire. Geri wijst op haar skeelers en zegt: 'Robbie van Take That skeelert ook. Ooit ga ik met hem skeeleren.' Het zou zes jaar duren voor die ambitie werd verwezenlijkt. In die documentaire, *Raw Spice* geheten, vertelt ze ook dat ze zichzelf ziet als de Queen of Pop. Misschien zag ze een verbintenis met Rob als een koninklijk huwelijk. Ook toevallig was dat toen Geri op het punt stond uit de Spice Girls te stappen, Melanie C haar vroeg of ze 'Robbie na ging doen' bij hen.

Toen ze uit de Spice Girls was gegaan, moest Geri een nieuw imago opbouwen, net zoals Rob dat had gedaan na de periode met Take That. Ginger Spice, de rondborstige roodharige in een jurk van de Engelse vlag, bestond niet meer. Geri werd een verzorgde, elegante blondine, een topsoloartiest en een goodwillambassadeur voor de VN. Sommige mensen denken dat de 'romance' van Geri en Rob alleen maar een stunt was van hun platenmaatschappij, ze zitten allebei bij EMI, om hun platen te promoten, anderen geloven dat er sprake was van echte liefde. De waarheid ligt waarschijnlijk ergens in het midden. De waanzinnige aandacht die hun vriendschap in de media kreeg heeft op bepaalde momenten zakelijk zijn vruchten afgeworpen, maar het was een echte relatie. Tenslotte hóefden ze niet diverse keren samen op vakantie te gaan. Geri heeft altijd ontkend dat zij en Rob met elkaar naar bed zijn geweest, al gelooft niet iedereen haar. Iemand van de platenmaatschappij vertelt: 'Geri en Robbie zijn samengebracht door het label. Ze gaan ieder hun eigen weg, maar hebben wel samen geneukt. Geri kan echter nogal hysterisch doen. In feite is ze zo gek als een deur.'

Geri en Rob konden het meteen heel goed met elkaar vinden toen ze elkaar ontmoetten halverwege 2000, niet lang nadat hij een einde had gemaakt aan zijn affaire met Tania Strecker. Geri vervulde de belangrijkste functie van iedere vrouw in het leven van Rob: ze bemoederde hem. Ze sloeg een metaforische arm om hem heen en gaf hem een gevoel van veiligheid. Jonathan Wilkes, die bij hem in huis woonde in Notting Hill, noemde Geri heel veelzeggend hun grote zus. De twee hadden elkaar ontmoet toen Geri nog bij de Spice Girls zat en Rob een van de weinige mannen was die omgingen met Melanie C. Ze hadden beiden gezongen op het feest ter ere van de vijftigste verjaardag van prins Charles, maar niemand vermoedde iets tot Geri werd gezien toen ze in de kleine uurtjes uit Robs huis kwam.

Hun eerste gezamenlijke vakantie in St. Tropez was een gouden tijd voor de paparazzi. Er werden foto's van hen gemaakt terwijl ze als een stel grote kinderen in het zwembad speelden. Het ontging de cynici niet dat Robs derde album, *Sing When You're Winning*, eind die maand uitkwam en Geri's eerste autobiografie *If Only* net in paperback was verschenen. Op de voorpagina van de *Sun* stond: 'Robbie en Geri: ware liefde.' Het was beslist goed voor de zaken want de eerste single van het album, 'Rock DJ', kwam binnen op nummer één in de hitparade.

Ze gingen met verschillende vluchten naar Nice maar zagen elkaar in een villa aan de kust die Geri voor een paar weken had gehuurd. De fotografen, die vanaf het begin op de eerste rij zaten, hadden tal van gelegenheden om foto's te nemen. Rob voegde zich in geruite bermuda bij Geri, die in bikini bij het zwembad lag. Ze kletsten, doken, zwommen en speelden met Geri's geliefde hondje Harry. Vervolgens gingen ze op een scooter rondtoeren in de omgeving. Er werd veel heisa gemaakt over het feit dat Geri haar armen om hem heen sloeg. Dat zou een blijk van liefde zijn, maar het is waarschijnlijker dat ze gewoon bang was achter op de scooter. Geri in rode bikini op een waterscooter deed het ook goed op de foto's. De hele vakantie leverde een paar prachtige pagina's met foto's op in het tijdschrift *OK!*, al bleven de andere gasten in de villa buiten beeld. Ze hadden zelfs de tijd om ruzie te maken in een plaatselijk restaurant toen Geri, naar beweerd wordt, boos werd omdat Rob schijnbaar te veel aandacht besteedde aan Claire, de vrouw van hypnotiseur Paul McKenna. Rob ging vroeg weg nadat hij en Geri wat snedige en grove opmerkingen hadden uitgewisseld. Volgens de berichten zou Geri aan het eind van de avond hebben moeten overgeven op de wc. Het was misschien al een vroege aanwijzing dat Geri net zo lastig kon zijn als Rob.

Anders dan bij de stormachtige 'romance' met Chris Evans in de tijd dat haar nummer-éénhit 'Lift Me Up' uitkwam, die slechts één week duurde, groeide er onverwacht een oprechte genegenheid tussen Geri en Rob. Geri schrijft in haar boek *Just for the Record* dat ze perfecte maatjes waren. Ze konden elkaar ook steunen. Hij was vooral een grote steun voor haar toen haar eetstoornis op zijn ergst was. In een tijd dat Rob het moeilijk had, was Geri sterk en behulpzaam. Op Robs voorstel vierden ze oudjaar simpel met vrienden in de Zwitserse wintersportplaats Gstaad, waar ze het onmiskenbaar heel gezellig hadden samen. Ze gingen schaatsen, waarbij Rob galant voorkwam dat Geri viel. Hij kon goed schaatsen omdat hij les had gehad van voormalig Olympisch kampioen Robin Cousins toen de videoclip voor het nummer 'She's the One', die zich op een schaatsbaan afspeelt, werd opgenomen.

Ze hielp hem door een van de zwaarste crises die hij had met zijn drank- en drugsproblemen. Het beroemde incident in Stockholm waar Rob met schuim op zijn mond in elkaar zou zijn gestort had een maand eerder plaatsgevonden. Na nieuwjaar vlogen ze naar Los Angeles, waar Rob probeerde te ontkomen aan de verleidingen van Notting Hill. Ze ging met hem mee naar bijeenkomsten van de AA en wachtte buiten om hem weer naar huis te brengen. Ze praatte er urenlang met de vriendinnen en vrouwen van andere verslaafden. Vrienden dachten dat Geri zichzelf zag als Robs oppas. Ten tijde van de Brits in februari 2001 waren ze kennelijk nog de beste vrienden. Toen Geri Rob de award voor de Best British Male Solo Artist gaf zei ze: 'Deze winnaar is gezond, getalenteerd en volgens de berichten in de pers doet hij het met me – de winnaar is Robbie Williams.' Het was een geestige reactie op Robs grap dat hij 'in twee Spice Girls was geweest'. Na de uitreiking ging Geri met Rob en Jonathan mee naar huis om te eten en te kaarten, het spel Uno was een van Robs laatste manies. Zijn nummer-éénhit 'Eternity' zou hij ter ere van haar hebben geschreven.

Een keerpunt in hun relatie was de opzettelijk botte uitspraak van Rob dat zij vrienden waren, die het ook 'af en toe samen deden'. Toen hij zijn onderbroek met een geborduurde tijger bij opbod verkocht, zei hij: 'Hierin heb ik Geri geneukt.' Geri beschouwde het als domme, typisch mannelijke opschepperij en liet hem onder meer weten dat ze het schokkend vond en niets meer met hem te maken wilde hebben. Daarna wordt Rob nauwelijks meer genoemd in haar autobiografie. Hij komt helemaal niet meer voor in het laatste hoofdstuk over haar leven in Los Angeles in 2003, terwijl hij daar toen ook woonde. Ze hadden ruzie gekregen, maar de oorzaak van hun botsing is waarschijnlijk eerder dat ze beiden heel eigenzinnig zijn en gewend zijn hun zin te krijgen en allebei heftige periodes hebben van euforische hoogtepunten en peilloze dalen.

Een overzicht van Robs ervaringen met de andere sekse toont een verbijsterend begerenswaardige multimiljonair van 29 die maar weinig vrouwen heeft kunnen vinden met wie hij een gesprek kan voeren. Sinds 'de schepping' van Robbie Williams en het bereiken van de status van superster verkeert hij in steeds kleiner wordende circuits, waar de kans om gewone mensen te ontmoeten onherroepelijk kleiner wordt. Er is een kleine kans dat hij iemand ontmoet terwijl hij zijn honden uitlaat en nu hij in Los Angeles woont, zal het, als het gebeurt, waarschijnlijk een soapactrice zijn. Er zullen altijd gewillige *lapdancers* zijn, maar het is niet waarschijnlijk dat hij de toekomstige mevrouw Williams in Stringfellows of Spearmint Rhino zal vinden. Het aantal *one night stands* dat hij heeft gehad is misschien wel indrukwekkend, maar niet per se veel groter dan dat van de gemiddelde jongen uit Stoke-on-Trent die vrijdags en zaterdags gaat stappen en plezier maakt. Hij moet waarschijnlijk nog wel zo'n twintig jaar doorgaan voordat hij de aantallen van Bill Wyman en Mick Jagger evenaart.

Een romance van Robbie Williams is totaal iets anders dan een echte relatie van Rob. Het lijkt er misschien op dat zijn hele leven zich in de openbaarheid afspeelt, maar dat is alleen maar het leven van Robbie. Rob zou nooit zoiets intiems als de zwangerschap van Nicole Appleton aan de grote klok hangen. Als Robbie jaagt hij graag iedereen op stang met zijn vriendschap met Kylie als er een plaat gepromoot moet worden. Een perfect voorbeeld van dit dubbelleven is de vurige romance die hij volgens de geruchten met Nicole Kidman had, toevallig net toen hun duet 'Somethin' Stupid' werd uitgebracht met Kerstmis 2001. Het was een droom voor de publiciteitsmensen. Er werden weddenschappen afgesloten waarbij de inzet 16 tegen 1 was dat ze in 2002 zouden trouwen. De kans was groter dat Rob naar de maan zou vliegen. Het was wel entertainment in Hollywoodstijl: de *king of pop* en de elegante filmster.

Na haar enorme succes met de film *Moulin Rouge!*, waarin ze zong, ontmoette Rob haar in Los Angeles en haalde haar over om een duet met hem te zingen voor zijn album *Swing When You're Winning*, zijn eerbetoon aan de oude zangers, met name Frank Sinatra. Frank en zijn dochter Nancy hadden in 1967 de eerste plaats gehaald met het nummer 'Somethin' Stupid'. De versie Kidman/Williams doet het klassieke nummer meer dan recht. De videoclip was zelfs nog beter. Hij is heel sensueel en sexy, en laat Rob en Nicole in een slaapkamer zien terwijl ze zich overgeven aan vurige omhelzingen. Het was een pittige versie van Cary Grant en Grace Kelly.

De twee lieten zich complimenteus uit over elkaar. Rob zei dat hij bang was toen hij haar voor het eerst ging ontmoeten dat hij zich niet zou weten te gedragen en haar gezicht zou proberen af te likken. Maar ze hadden gezellig gepraat en hij had 'grote lol' met haar gehad. Nicole beaamde dat het leuk was geweest, dat Robbie veel talent had en dat ze er serieus over dacht om een tatoeage op haar enkel te laten zetten. Een van Robs charmante eigenschappen is dat hij onder de indruk kan zijn van grote sterren. Hij was gehypnotiseerd door de geur van Kidman, drie delen vanille en één deel muskus. Nicole vond het op haar beurt eng om een song op te gaan nemen met zo'n beroemde popster. Uiteindelijk zouden de opnames maar een uur duren.

Nicole vloog naar Londen voor een diepte-interview met Michael Parkinson voor zijn programma *Parkinson*, en Rob trad hoffelijk op als haar gastheer. Hij nam haar mee naar een skelterbaan en trakteerde haar op een duur etentje voordat ze naar de blackjacktafel gingen, waar zij hem £ 100 moest lenen. De echte roddels kwamen pas op gang op de avond dat *Parkinson* werd opgenomen. Nicole, gekleed in een zwart pak, witte blouse en zwarte das, ging om halftien vanaf de opnames rechtstreeks terug naar het Dorchester Hotel, waar Rob vijf minuten later arriveerde. Hij had een trainingsbroek en een crickettrui aan en ging meteen naar haar suite. Het was de tweede avond achter elkaar dat hij haar bezocht. *News of the World* rapporteerde dat hij precies om vijf voor drie wegging. Ze hadden samen van de roomservice gebruikgemaakt, biertjes voor haar en frisdrank voor hem. Toen hij vertrok liep hij lachend in zijn mobiele telefoon te praten. Een woordvoerster van Robbie berichtte dat hij de nacht had doorgebracht in de kamer van Nicole. Je kunt nauwelijks spreken van 'de nacht', die voor een popster net begint op het tijdstip dat hij vertrok. De woordvoerster voegde eraan toe: 'Ze zijn bevriend en hebben een gezellige avond gehad,' wat een stuk dichter bij de waarheid was.'

De methode om twee sterren te koppelen ter promotie van een plaat of een film begon afgezaagd te worden. Het werd helemaal een farce toen twee voormalige *lapdancers* van Spearmint Rhino beweerden dat ze een paar uur voor zijn eerste bezoek aan het Dorchester een triootje met Rob hadden gehad en dat hij een 'verbazingwekkende' minnaar was. Kennelijk hadden ze Rob ontmoet toen ze junkmail in zijn brievenbus stopten. Nicole Kidman? Een vluggertje met *ex-lapdancers*? Wat is er waar? De waarheid is dat het er werkelijk niet toe doet omdat het allemaal leuk was en er niemand door is geschaad. Er werden een miljoen exemplaren van 'Somethin' Stupid' verkocht en de plaat stond nummer één met Kerstmis, net als het album *Swing When You're Winning*, een mooie dubbelprestatie voor Robbie Williams die sindsdien nooit meer in de hotelkamer van Nicole Kidman is gezien. Ze hebben echter wel samen gelachen. Rob kan af en toe arrogant zijn, maar hij is niet zelfvoldaan en beslist niet saai.

Over zijn ontmoeting met een aantrekkelijk meisje dat hij in een Londense club had opgepikt werd niet geschreven, terwijl die belangrijker was voor de echte Rob. Ze vond het enorm spannend dat een ster als Robbie Williams haar mee naar zijn huis nam en verheugde zich al op de verhalen over een gepassioneerde nacht die ze de volgende dag aan haar vrienden zou vertellen. Maar eenmaal thuis nam hij haar niet in zijn armen, maar wilde alleen maar praten.

Mooie meisjes zijn slechts gezichten die ik snel weer vergeet.

18 De ruziemaker

Rob was verbolgen over gitarist Bernard Butler, die, had hij gelezen, hem een bastaard van Bob Monkhouse had genoemd. Dus toen hij hem tegenkwam in de opnamestudio waar hij Nicole Appleton kwam ophalen, ging hij naar hem toe om hem met die uitspraak te confronteren. Hij vroeg: 'Ben jij Bernard Butler?' 'Ja,' was het antwoord. 'Je bent een godvergeten k*t,' zei Rob.

Rob was een groot fan van Oasis. De broers Gallagher hadden alles wat hij ambieerde in de muziek en bijna alles wat Take That niet had. Het waren typisch jongens uit Manchester met kracht en lef, die niet rondhuppelden alsof ze aan Copacabana Beach waren ontsnapt. Hij was bijna kinderlijk enthousiast over hen ten tijde van Glastonbury en daarna. Hij omschreef zichzelf zelfs als de Artful Dodger tegenover Noel Gallagher als Fagin. Rob wond er geen doekjes om dat Liam Gallagher zijn held was, een rolmodel en drinkmaat, en dat hij wilde zijn zoals hij. Hij kon natuurlijk een briljante imitatie geven van de mafkees uit Manchester. Nu, maar een paar jaar later, woont Liam samen met Nicole Appleton, met wie Rob had willen trouwen en een gezin had willen stichten. Nic aborteerde het kind van Rob, maar vijf jaar later kregen zij en Liam een zoon, Gene, en ze leiden het gezinsleven waar Rob zo naar verlangt. Alsof dat allemaal nog niet tragisch genoeg is, was Liam gescheiden van Patsy Kensit, een vriendin van Rob en degene die hem had voorgesteld aan zijn eerste serieuze vriendin, Jacqui Hamilton-Smith. Rob hield de schijn op dat er slechts sprake was van een openbare ruzie tussen Robbie Williams en Oasis, maar in werkelijkheid was hij diep gekwetst. Een vriend van Nicole bevestigt: 'Hij ziet haar romance met de man die hij beschouwt als zijn aartsvijand als het ultieme verraad.'

Begin 1998 gingen er al geruchten dat niet alles zo vriendelijk toeging tussen Rob en de Gallaghers als de mensen dachten. Rob hield vol dat hij geen ruzie had met de jongens, al schepte hij er wel over op dat zijn live optredens veel beter waren en dat mensen die zijn concerten hadden bijgewoond naderhand zeiden dat ze veel meer hadden genoten dan bij Oasis. Het begon waarschijnlijk als simpele professionele jaloezie. In de chaotische nadagen van Take That vormde hij natuurlijk lang niet zo'n bedreiging als toen hij een meervoudige Brit-winnaar en nummer-éénartiest was en waarschijnlijk de enige serieuze Britse concurrent van Oasis. De oorzaak van de publieke ruzie werd gevormd door de aanvallen onder de gordel van de broers Gallagher, die zich laatdunkend uitlieten over zijn overgewicht. Liam noemde Rob in 1999 'Robbie tonnetje Williams' en zei dat zijn muziek waardeloos was. Liam is een charismatische popster, maar hij zal een woordenstrijd nooit winnen van iemand die verbaal zo vlijmscherp uit de hoek kan komen als Rob. Liam kan alleen maar schelden en bot beledigen. Rob kaatste terug: 'Ik wist dat ik poëzie kon schrijven, maar ik wist ook dat ik maar drie akkoorden kende. En met drie akkoorden red je het niet ... tenzij je Oasis heet.'

Rob kan dingen niet laten rusten. Als Robbie Williams hangt hij alle vuile was buiten. Je kunt erop rekenen dat hij overal een mening over heeft als hij zijn rol speelt. De broers Gallagher raakten zijn gevoelige plek omdat ze het op hem gemunt hadden alsof hij het dikke jongetje op het schoolplein was dat niemand aardig vond. Het werd tijd dat Noel Gallagher mee ging doen. Toen de luisteraars van Radio 1 Oasis vroegen om voor een speciale sessie Robs klassieker 'Angels' op te nemen, weigerde Noel bot en voegde eraan toe dat Liam 'het zou moeten zingen met vijftig vleespasteitjes in zijn mond'. Hij ging nog verder tijdens een interview in het tijdschrift *Heat*, waarin hij Robbie 'de dikke danser van Take That' noemde. Rob kon het niet geloven en reageerde, in zijn eigen woorden, als een dertienjarige. Hij stuurde een krans van witte rozen en lelies naar de showredactie van de *Sun* met een briefje erbij waarop stond: 'Voor Noel Gallagher RIP. Heb je laatste album gehoord, met innige deelneming, Robbie Williams.' Rob had op Camden Market een illegale kopie van het album *Standing on the Shoulder of Giants* gekocht en nadat hij ernaar geluisterd had gezegd:

'Noel is door andermans ideeën heen.' Wat zo fantastisch is aan Robbie Williams is dat hij onder deze omstandigheden echt heel geestig is.

Liam reageerde met het dreigement dat als hij Rob ooit in een club in Londen tegen zou komen, 'hij zijn verdomde neus zou breken'. Hij beweerde ook dat de nieuwe plaat van Oasis de 'beste plaat van het jaar was en beter dan alles wat Dikzak ooit zal maken'. Rob wilde hem er op zijn best van langs geven. Hij haalde zijn talent voor imitaties uit de kast en deed voor een groep journalisten Liams apenloopje en gezichtsuitdrukkingen na voordat hij zei: 'Dus hij gaat me in elkaar slaan, hè? Ik ben gewoon niet kwaad genoeg om te gaan slaan. Met dat soort verachtelijk gedoe hou ik me niet bezig. Maar als hij mij slaat, zal ik me, neem ik aan, wel moeten verdedigen.'

De openbare scheldpartij werd helemaal dwaas toen Rob op de uitreiking van de Brits voorstelde dat Liam en hij hun ruzie zouden uitvechten in een bokswedstrijd. William Hill ging een weddenschap aan (Robbie Williams 1-2, Liam Gallagher 6-4), en Lloyd Honeyghan, voormalig wereldkampioen boksen, zei dat hij het ruziënde stel een tegoedbon zou geven voor het Elephant and Castle Leisure Centre in Zuid-Londen. Het idee was dat de wedstrijd £ 200.000 zou opleveren voor liefdadige doelen. Rob zag er het geestige van in en zei dat hij er helemaal klaar voor was en dat het leuk was Liam zo kwaad te zien. Lol en wat gratis publiciteit voor de boksende en gokkende broederschap.

Zoals te verwachten was werd de wedstrijd door Liam afgeblazen omdat die kinderachtig en pathetisch zou zijn en hij Rob voortaan met zijn muziek van repliek zou dienen.

De verbale vete tussen Liam en Rob zou misschien met enige terughoudendheid behandeld zijn als er niet het aspect Appleton was geweest. Dit soort zaken is koren op de molen van de popjournalisten, die ook hun pagina's vol moeten krijgen, terwijl de platenmaatschappijen blij zijn met de gratis publiciteit voor nieuwe platen. Fascinerend eraan was dat het van kwaad tot erger ging en steeds persoonlijker werd. Liam overschreed de grens van de etiquette tussen beroemdheden toen hij op een feestje ter ere van de *Q* Awards Rob en plein public uitmaakte voor homo. Rob ging onmiddellijk weg met de mededeling dat Liam te ver was gegaan. In die tijd waren Liam en Nicole al een tijd samen en ze zouden kort daarna bekendmaken dat ze in verwachting was. Een week later nam Rob op nogal kinderachtige manier wraak toen hij op het podium van de Arena in Londen de spot dreef met Liams seksleven. Hij zei tegen het publiek: 'Nic is mijn oude vriendin. Ik heb haar ook gehad, vriend. Ik wed dat je je iedere avond als je naar bed gaat onzeker op je hoofd krabt en je afvraagt: "Is hij beter dan ik?"'

De ruzie zal waarschijnlijk voortduren zo lang Nicole Appleton en Liam Gallagher bij elkaar blijven. Op het moment is er een wapenstilstand. Om een einde aan de situatie te maken, in ieder geval in het openbaar, deed Rob een verzoeningspoging tijdens een interview op Radio 1. Hij zei: 'Toen het allemaal begon, was het hartstikke grappig en vervolgens werd het te destructief. Ik wens ze allebei veel geluk en ik hoop dat het Nicky en de baby goed gaat.' Toen de baby van Nicole en Liam, Gene, geboren was, verwachtte ze dat Rob zou bellen of een berichtje zou sturen, maar ze hoorde niets. In haar autobiografie *Together*, die ze samen met haar zus Natalie schreef, geeft ze toe dat de gedachte aan Gene Rob pijn moest doen en dat ze wilde dat ze met hem kon praten, maar dat ze geen contact meer hadden. Toen Rob op school zat, fladderden de meisjes heen en weer tussen de jongens. Iedereen was jong en het was niet het einde van de wereld toen Joanna Melvin Lee Hancock verkoos boven Robert Williams. Lee en Rob konden goede vrienden blijven. Maar dit lag anders. Hij was volwassen en dit veranderde zijn leven. Hoe kon hij bevriend blijven met een man die alles had waar hij naar verlangde?

De wereld begreep dat Rob en Geri Halliwell niet meer vriendschappelijk met elkaar omgingen toen Geri uit de documentaire *Nobody Someday* werd gemonteerd, de film naar het boek over zijn leven op tournee. Hij beschreef haar op vermaarde wijze aan journalist en vriend Adrian Deevoy als een 'duivels meisje dat met poppen en een theeserviesje speelde'. Rob vond dat ze veranderd was toen haar carrière weer op gang kwam na haar vertrek bij de Spice Girls. Hij wilde zelfs niet tegelijk met haar in de studio zijn toen ze allebei optraden in *Parkinson*. Hij nam zijn songs 's middags op, lang voordat Geri 's avonds arriveerde voor een interview.

Geri Halliwell is een fascinerende beroemdheid die net als Robbie

Williams iedere gedachte lijkt te willen delen met de hele wereld. Ze hebben veel overeenkomsten die Rob vast en zeker vreselijk vindt. Geri is geobsedeerd door haar gewicht en haar lichaam; ze is dol op honden; ze maakt zich zorgen over haar persoonlijke veiligheid; ze heeft veel homoseksuele vrienden; ze woont in Notting Hill en Los Angeles; ze lijkt niet in staat tot een serieuze, duurzame relatie met iemand van de andere sekse; ze wil kinderen en een gezinsleven; ze is close met haar moeder; en ze heeft bereikt wat ze heeft bereikt met doorzettingsvermogen en wilskracht. Waarschijnlijk het enige dat ze niet gemeen hebben is ironie. Geen wonder dat er een eind kwam aan hun vriendschap.

Rob koestert beslist een wrok tegen haar. Eileen Wilkes, die 'Robert' al twintig jaar kent, merkt op: 'Als mensen Robert aanvallen, zet hij het ze betaald.' Niemand is immuun voor de woede van Williams. Hij schijnt het louterend te vinden. Als dit een *X File* was, zou hij een deejay zijn die grote magische krachten verkreeg door mensen in de ether te kleineren. Wanneer hij zich eenmaal tegen iemand heeft gekeerd, is dat voor het leven, zo lijkt het. Courtney Taylor van de Dandy Warhols heeft zich in publicaties kritisch uitgelaten over Robbie Williams. De reactie luidde: 'Je stinkt naar poep en de meisjes vinden je niets.' De opmerkingen waardoor hij zich gekleineerd voelt zijn soms betrekkelijk onbelangrijk, maar kunnen ook verstrekkende gevolgen hebben, zoals de sneren tussen hem en de voormalige manager van Take That, Nigel Martin-Smith, die Rob de rol van Voldemort toebedacht toen die hem Harry Potter had genoemd. Als Rob geen beroemde man was, zou hij net als de grote meerderheid van de mensen ergernissen proberen te vergeten door met zijn vrienden wat te gaan drinken. Hij zou een van Harry Enfields 'Zelfingenomen Broers' kunnen zijn: 'Als die Gary Barlow nu deze kroeg binnen zou komen, zou ik zeggen: "Hé Barlow! Je bent dan misschien een wereldberoemde singer-songwriter die 'Back for Good' heeft geschreven, maar ..."'

Maar Rob is beroemd en bijna alles wat hij zegt tijdens een concert of in een interview wordt wel ergens gedrukt. Dat verleent hem veel macht omdat hij altijd het laatste woord heeft. Zijn tirade op *Life Thru a Lens* tegen de leraar die dacht dat hij nooit iets zou bereiken is heel schokkend vanwege de bitterheid en woede die eruit spreekt. Hij ontsteekt vaak in woede door een vorm van afwijzing. Zijn behoefte aan acceptatie en bevestiging is zo overheersend dat hij diep gekwetst is door iets wat een evenwichtiger iemand langs zijn schouders zou laten afglijden. Dat kan deels zijn overdreven reactie verklaren op de 'afwijzing' door Take That. Het gevoel van pijn en frustratie is zo groot dat het hem jaren later nog in tranen kan doen uitbarsten, zoals Nic Appleton heeft gezien.

In het begin was zijn wrok gericht tegen de andere vier leden van de band. Het was alsof de jongens in Tunstall Park hem weg hadden gejaagd om maar ergens anders te gaan voetballen. Vooral Gary Barlow, de aanvoerder, kreeg nogal wat scheldwoorden naar zijn hoofd. De pers verslond de scheldpartijen tegen Gary, maar in werkelijkheid was het vooral rivaliteit. Hij wilde bewijzen dat hij, Robbie Williams, even goed was, zo niet beter. De ruzie met Gary Barlow bracht ook goede publiciteit mee voor Robbie, zoals de keer dat hij Gary's album *Open Road* terugbracht naar de winkel waar hij het had gekocht en zei: 'Dit is waardeloos. Ik wil mijn £ 14,99 terug.' In ieder geval was Rob teleurgesteld dat hij geen contact meer had met Mark Owen, die een tijd lang een goede vriend was geweest. Het echte venijn in het Take That-verhaal was gericht tegen Nigel Martin-Smith, die Rob naar zijn idee toen hij in de band zat had opgesloten in een gevangenis en vervolgens zijn toekomst had bedreigd in de rechtbank. Nigel maakte zich nog onmogelijker bij Rob door kritiek te leveren op Jan Williams en haar bemoeienis met zijn carrière.

In juni 1996, een jaar na de breuk, zei Rob op de beroemde 'Freedom-'persconferentie waar zijn solocarrière werd gelanceerd: 'Ik zou de manager graag voor een opgevoerde vorkheftruck zonder remmen zetten die non-stop 400 kilometer per uur gaat.' Een maand later in het homoblad *Attitude* liet hij zich ondubbelzinnig uit over zijn voormalige manager: 'Ik heb zelfs geen woorden voor die l*l,' zei hij, wat niet helemaal waar was, want hij had altijd genoeg over hem te melden gehad, tenzij hij zich moest inhouden vanwege een juridische overeenkomst. Hij zei tegen het tijdschrift *Stern* dat Take That een 'verbond met de duivel' was geweest. Hij voegde eraan toe: 'Hij [Nigel] gaf jou roem en rijkdom, jij gaf hem je ziel en 25 procent van de inkomsten.'

De gerechtelijke verwikkelingen met Nigel waren een langdradig verhaal, waarin zijn voormalige manager een zaak won waarbij het ging om onbetaalde commissie op de royalty's van Robbie Williams. Hij had de kille logica van het recht tegen zich. Volgens sommige schattingen zou het uiteindelijke bedrag dat hij Nigel moest betalen £ 1 miljoen bedragen. Rob kon Take That gewoon niet achter zich laten. Hij heeft nu veel meer succes dan Take That ooit gehad heeft, maar verbazingwekkend genoeg dacht hij in november 2002 nog steeds aan Take That. Hij zei tegen een publiek van genodigden in de Pinewood Studios waar hij de BBC 1-special *The Robbie Williams Show* opnam: 'Ik wil mijn excuses aanbieden omdat ik toen ik vertrok een aantal werkelijk nare dingen heb gezegd; het is waar dat ik een aantal slechte dingen over de band heb gezegd. En ik wil alleen maar zeggen dat ik daar oprecht spijt van heb – we zijn maar één keer jong.' Vervolgens begon hij 'No Regrets' te zingen. Het blijft afwachten of dat het laatste is dat er over het onderwerp gezegd wordt.

Robs ruzie met Guy Chambers was schokkend. Ze waren zo succesvol samen, een samenwerking die zich kon meten met de belangrijkste koppels in de popgeschiedenis. Williams en Chambers hadden samen vijf nummer-éénhits gemaakt en albums waar miljoenen exemplaren van verkocht werden. Zelfs *Swing When You're Winning*, waarop maar één oorspronkelijk nummer stond, was door Chambers geproduceerd. In de popwereld hoeven ze zich niet te schamen dat ze op een lijst staan waarop ook Lennon/McCartney, Jagger/Richards en Elton John en Bernie Taupin staan. En toch ontbrak er wat. 'Williams en Chambers' heeft nooit als zo'n geheide combinatie geklonken als Lieber en Stoller. Guy Chambers was slechts de ingehuurde hulp, een adviseur bij het tot stand brengen van het nieuwe imago van Robbie Williams. Het was geen partnerschap dat al gevormd was in Stoke-on-Trent terwijl ze samen dronken werden in Tunstall Park of poolden in de Ancient Briton. Het was geen Hollywoodverhaal. Mick Jagger had Keith Richard op de Wentworth Junior County Basisschool in Dartford leren kennen toen ze zeven waren. Meer dan 52 jaar geleden dus. Williams/Chambers is een zuiver zakelijke combinatie. Guy kwam in aanmerking voor de positie van muzikale goeroe van Robbie Williams en wist die positie na een paar gesprekken te veroveren.

In oktober 2002 ontsloeg Robbie Guy zonder enige aanleiding. Slechts twee jaar daarvoor luidde de opdracht van het album *Sing*

When You're Winning: 'Voor Guy Chambers, die net zo veel Robbie is als ik.' En als dat nog niet duidelijk genoeg mocht zijn, noemde Rob hem een 'muzikaal genie', en zei dat hij had geboft dat hij in zijn leven was gekomen.

Wat een verschil kunnen twee jaar maken. Naar men zegt gaat de ruzie over de weigering van Guy om een exclusief contract met Rob te tekenen. De verandering in hun relatie viel precies samen met Robs nieuwe contract met EMI en hoewel de details daarvan geheim zijn, is er niet veel verbeelding voor nodig om te concluderen dat er een verband is. Alles wijst op onenigheid over de financiën. Er werd gezegd dat Guy zich wilde bezighouden met nieuwe projecten, met name de meisjesband de Licks, waar zijn broer Dylan Chambers de manager van was. Guys woordvoerder zei: 'Guy heeft besloten met andere mensen en aan andere projecten te werken. Hij wil zich niet exclusief binden aan Robbie Williams.' Guy beschreef zijn ontslag als grof en te schokkend voor woorden.

Guy en Rob zijn twee heel verschillende mensen die bij elkaar kwamen en tussen wie het perfect klikte onder de paraplu van Robbie Williams. Guy is een huisvader uit Liverpool die rustig in Londen woont. Hij is tien jaar ouder dan Rob en al in de veertig als Robbie Williams zijn volgend album zal uitbrengen. Hij wijdt zijn leven aan zijn muziek en schuwt de schijnwerpers. Als er tijd over deze ruzie is heen gegaan, is een verzoening niet ondenkbaar. Een wederzijdse vriend vertelde eerder dit jaar: 'Je moet in beweging blijven en experimenteren, en dat is wat Rob doet, maar tussen jou en mij, Guy Chambers is weer terug.' Toen Guy in 1999 trouwde zong Rob 'Angels' op zijn huwelijk en dat doet hij niet zomaar voor iedereen.

De grootste strijd in Robs leven is de strijd die hij levert met Robbie Williams. Hij heeft zelfs gedreigd zijn alter ego te vermoorden en opnieuw te beginnen. Robbie Williams zo heeft hij ooit gezegd, is alleen een identiteit die hij aanneemt als hij naar zijn werk gaat. Rob is een geboren acteur. Vanaf zijn kindertijd was hij een acteur die andere kinderen vermaakte en probeerde indruk te maken op volwassenen en wilde dat zijn ouders trots op hem waren. Robbie is een verlengstuk van dat talent om een rol te spelen. Rob beschreef hem als 'een personage dat hij heeft uitgewerkt'. Daarom reageert hij ook niet als iemand

'Robbie' naar hem roept op straat en geeft hij geen handtekeningen als hij niet aan het werk is als Robbie. Hij is Rob als hij de voordeur achter zich dichtdoet, met zijn moeder kletst, tafeltennist met zijn vader, de uitslagen van Port Vale bijhoudt of geduldig op zijn vriendin zit te wachten terwijl die een abortus ondergaat. Hij is privé evenmin Robbie Williams als Rowan Atkinson Mister Bean is, of Piers Brosnan James Bond. Dat is hun werk. Kun je je voorstellen dat Harry Hill 's avonds op de bank televisie gaat zitten kijken met een enorme witte kraag om en Max Wall-schoenen aan? Of dat Kylie Minogue haar afwasmachine vult gekleed in gouden hotpants?

Rob legt het zelf uit met als voorbeeld zijn held en tegenwoordige vriend Vic Reeves. Rob en Jim (de echte naam van Vic is Jim Moir) zaten een keer bij de paardenrennen toen er een man op hen afkwam en zei: 'Vic, wanneer komt je nieuwe programma?' Jim veranderde onmiddellijk in de grappige televisiekomiek en antwoordde: 'Hé, over een paar maanden.' Rob was er diep van onder de indruk dat hij zo makkelijk kon veranderen van huisvader Jim in Vic. Hij kan hetzelfde met Rob en Robbie.

De vrienden uit zijn jeugd zeggen dat Rob een mengeling is van gevoeligheid en ironische humor. Hij is ook beleefd en vriendelijk. Robbie is een schoffie met een grote mond en een showman. Rob krijgt het moeilijk als hij en zijn alter ego in elkaar opgaan, als de pop van de buikspreker die de touwtjes in handen neemt. Rob, een jongen uit Tunstall, kan diep gekwetst worden door kritiek, of die nu afkomstig is van een leraar of van een collega-popster of van iemand op straat. Robbie is zijn hulpmiddel om terug te vechten. Rob kwam in een crisis na zijn vertrek bij Take That omdat zijn imago als brutale jongen uit de populairste band van het land in één klap van hem was afgenomen. Hij spartelde rond in een roes van drank en drugs tot hij Robbie Williams uitvond, een complexe superster. Misschien kan Rob zich dankzij ontwenningskuren en therapie losmaken van Robbie.

Het is Rob die geestige, intelligente teksten schrijft die zijn gevoelens over het leven, de liefde en de mensen om hem heen reflecteren. Het is Robbie Williams die optreedt met de songs. EMI heeft een fortuin betaald voor Robbie Williams, dus dat personage veiliggesteld.

Rob zou graag willen dat Robbie een coole popster zou zijn maar hij zal het, in elk geval voorlopig, moeten doen met zijn imago als *king of pop.*

Robbie Williams is een personage dat ik kan spelen als ik wil.

19 Het grote geld

Rob heeft geld altijd op waarde geschat. Toen hij zijn eerste (bescheiden) salaris kreeg van Take That, ging hij recht naar het huis van zijn oma in Newfield Street, pakte de elektriciteitsrekening en zei haar dat hij die zou betalen als dank voor alle keren dat zij hem een pond had geleend.

Toen hij eenmaal in Los Angeles woonde, stond Rob minder vaak in de kranten. Een relatie met Rachel Hunter hield de glossy tijdschriften even bezig, maar er viel niets werkelijk sappigs te melden. Dat veranderde allemaal op een persconferentie in het kantoor van EMI in West-Londen op 2 oktober 2002. Hij droeg een Mötley Crüe-singlet waardoor zijn tatoeages goed zichtbaar waren en zei tegen de verzamelde media: 'Mijn moeder zei dat het heel dom zou zijn als ik over geld zou praten ... maar ik ben rijker dan ik ooit had kunnen dromen!' Van de duizend geestigheden uit zijn mond is dit een van de beste. Het contract van £ 80 miljoen werd onmiddellijk erkend als het grootste in de Britse popgeschiedenis.

Robs vorige contract met EMI was eerder dat jaar verlopen en er werd in de media gezegd dat hij ontevreden was over de manier waarop hij in Amerika was gepromoot. Zijn managers stonden open voor aanbiedingen in een veiling voor zijn grote talent om platen te verkopen. Het leek een beetje op de markt van voetbaltransfers. Zou Rob bij EMI (Manchester United) blijven of naar Sony (Real Madrid) gaan? De werkelijkheid was dat EMI hem nooit zou laten gaan. Een ingewijde in de platenwereld verklaart: 'Chris Briggs was met Guy Chambers twee maanden in LA om aan Robs nieuwe album, *Escapology*, te werken. Rob zou nooit naar een andere maatschappij gaan. Chris Briggs stelde het voorlopige contract voor *Escapology* op. Tim en David zetten de puntjes op de i. EMI was hulpeloos want ze hadden niet echt andere artiesten, behalve Kylie en Coldplay. David en Tim drukten er een heel goede overeenkomst door.'

Bij EMI wisten ze dat ze Robbie Williams koste wat het kost moesten houden: 'Hij betaalde jarenlang de salarissen van alle werknemers. Hij kon zich veroorloven een beetje arrogant te zijn op feestjes bij de platenmaatschappij omdat hij wist hoe belangrijk hij was. Tegenwoordig is hij ingetogen en netjes omdat zijn vrienden van de AA bij hem zijn. Ze zijn keihard, weet je.'

De timing en strategie van Robs platencontract waren briljant. Hij stond een maand voordat zijn vijfde album *Escapology* uitkwam in het middelpunt van de belangstelling bij alle mensen uit de muziekindustrie. De muziekjournalisten vroegen zich af of hij nog zo'n loyaliteit zou kunnen afdwingen nu hij kennelijk het land had verlaten om in de Verenigde Staten te wonen. Het bedrag van £ 80 miljoen leek willekeurig gekozen om alle voorgaande contracten in het niet te doen verzinken en de indruk te wekken dat de grootste ster van het land onder ons was en op het punt stond ons de dienst te bewijzen van een nieuwe plaat. Het werkte beter dan alle platenbonzen ooit hadden kunnen dromen. Ondanks dat *Escapology* pas in november uitkwam, werd het het best verkochte album van 2002. Er werden 2 miljoen exemplaren van verkocht in twee maanden! Het leek alsof £ 80 miljoen nog nooit zo goed was besteed.

Maar was het echt £ 80 miljoen? De details zullen nooit openbaar gemaakt worden, maar volgens kenners van de platenwereld is er een bedrag voor het ondertekenen betaald (misschien £ 20 miljoen) en is de rest het beraamde bedrag voor de volgende vier albums. De *Financial Times* vermoedde dat EMI een aandeel van 25 procent had in een nieuwe maatschappij die Rob aan het oprichten was. Dit was geen deal die erop gericht was zoveel mogelijk cd's bij HMV over de toonbank te laten gaan. Dit was een investering in het merk Robbie Williams: de culminatie van alles waar hij voor gewerkt had sinds de ellendige dag dat hij met geknakte trots en een meloen onder zijn arm weg was gegaan bij Take That. David Beckham heeft ontdekt dat er in voetbal veel meer van waarde is dan alleen een goede vrije trap. In termen van marketing en merchandising is hij een kostbaar product. Hetzelfde geldt voor Robbie Williams. De muziekindustrie is aan het veranderen en dat zie je aan het contract van Rob. EMI krijgt ook een deel van het geld dat verdiend wordt met tournees en merchandising, naast dat van de boeken en platen. Robbie Williams is als een naamloze vennootschap die door een grotere onderneming wordt opgeslokt. In die termen is het veel makkelijker te begrijpen hoe de breuk met Guy Chambers totstandkwam door diens kennelijke weigering om een exclusief contract te tekenen. Als jij directeur bent bij de KPN, kun je moeilijk daarnaast werk doen voor Orange. Het behoud van het merk Robbie Williams lijkt op het beveiligen van Harry Potter – niets mag zijn identiteit ondermijnen. De muziekindustrie heeft veel te lang doorgesukkeld als een hippiecommune met enthousiaste mensen die maar wat deden. Robbie Williams/EMI is een contract van de toekomst.

Escapology leek een 'langverwacht' album terwijl het pas een jaar geleden was dat *Swing When You're Winning* op nummer één had gestaan. Rob woonde nu in Los Angeles, een verbannen superster. Zou hij een nieuwe Robbie Williams zijn, een zachtmoedige man uit Hollywood? Of zou hij nog steeds het onbeschaamde schoffie uit Stoke-on-Trent zijn, vol geestige uitspraken en zwarte humor? Of zou hij zo navelstaarderig en zelfbewust zijn geworden dat Leonard Cohen nog tegen hem zou zeggen: 'Kop op!' Natuurlijk is het antwoord dat hij aan al deze omschrijvingen voldoet en tegelijkertijd aan geen van alle. Rob had het geluk dat zijn nieuwe album in niets leek op *Swing*, dat was bedoeld als eenmalig project. Of Rob zich op *Escapology* al of niet verder ontwikkeld heeft, zou moeten worden onderzocht door het te vergelijken met zijn derde soloalbum, *Sing When You're Winning*, dat zo'n volmaakte belichaming was van het merk Robbie Williams.

Rob zegt dat hij op de titel voor het album kwam toen hij op een dag door de Hollywood Hills reed en aan Houdini moest denken, de grootste *escapologist* (boeienkoning) aller tijden. Tot vervelens toe werd er gezegd dat het een nauwelijks verhulde verwijzing was naar zijn ontsnapping uit Take That. Als je die kant op wilt, is het waarschijnlijker dat het een verwijzing is naar zijn ontsnapping uit zijn leven in Groot-Brittannië, waar hij er zo ellendig aan toe was. De hoes van het album is een adembenemend eerbetoon aan Houdini. Rob hangt aan zijn voeten boven de skyline van Los Angeles alsof hij halverwege een bungee jump is. Het opmerkelijkste aspect van *Escapology*

– behalve de titel van één woord – is dat de critici van slechts één nummer, 'Monsoon', vinden dat het beïnvloed is door Oasis. Nadat hij met succes de sound van de jongensband had afgeschud toen hij zijn carrière als soloster begon, zit Rob nu met het probleem dat hij te vaak wordt vergeleken met Oasis.

Het probleem met de muziek van Robbie Williams is dat er te veel invloeden in zijn te onderscheiden: Queen, Elton John, George Michael, John Lennon, Oasis en anderen. Misschien maakt het allemaal deel uit van een groots plan om de Verenigde Staten te veroveren: alle grote Britse sterren verzamelen die ooit succes hadden in Amerika, van al hun sounds iets nemen en door elkaar roeren ... hocus pocus pas!, en daar is de sound die gegarandeerd ieder mogelijk publiek in de Verenigde Staten aanspreekt.

Het is misschien wel leuk om de invloeden te herkennen maar tegelijkertijd devalueert het de muzikale inhoud en blijft er voor de luisteraar niets anders over dan zich nog maar eens aan de teksten vast te klampen, die in elk geval vertrouwd zijn. De teksten op *Escapology* stellen niet teleur. Meteen het eerste nummer, 'How Peculiar', is bijna één lange, opgerekte kwinkslag, waarvoor geen officiële tekst was opgeschreven voordat het werd opgenomen. Hij ontstond als een monologue intérieur naar aanleiding van een gedachte van Rob over een verliefdheid die hij ooit had gehad. 'How Peculiar' klinkt heel erg als de oude Robbie Williams en zou niet misstaan hebben op *Sing When You're Winning*. Het zet je op het verkeerde been over wat er verder komt. Het nummer erna, 'Feel', was de spraakmakendste song van het album, en niet alleen omdat het de eerste single was. Het is een volwassen, innemende, langzame song over het universele gevoel van iemand die op zoek is naar liefde. Rob is heel trots op 'Feel' en noemde het een 'prachtige' song. Er werd wel gesuggereerd dat het een hit van Barbra Streisand had kunnen zijn, maar dat was heel onschuldig. Dominic Mohan van de *Sun* omschreef het nummer als bijna geniaal. De meest geslaagde nummers op *Escapology* waren melancholisch met een onverwachte draai, met name 'Come Undone', de tweede single van het album in Groot-Brittannië waarin hij terugkijkt op zijn problemen met alcohol en drugs. Tot op zekere hoogte verwijt hij zijn omgeving, het Engeland dat hij nu achter zich gelaten heeft, zijn problemen. Wanneer hij zingt dat hij een zoon is, bedoelt hij een zoon van Engeland, niet van de lankmoedige Jan Williams!

De recensenten vonden twee nummers uitsteken boven de rest, al is dat allemaal erg subjectief. Het eerste was 'Revolution', een duet met Rosa Stone, dat ook gaat over het verlies van hoop en liefde. Het tweede was het laatste nummer op het album, 'Nan's Song', het eerbetoon aan Betty Williams dat hij in een eenvoudige akoestische ballade heeft gegoten. Dit is de eerste song die Rob helemaal alleen heeft geschreven en die al aangeeft in welke richting de sound van Robbie Williams zich zal ontwikkelen. Een criticus schreef: 'Het komt recht uit zijn hart.' Robs oma leefde nog toen hij 'Angels' schreef, maar het gevoel dat eruit spreekt lijkt er heel erg op, het idee dat iemand over hem waakt en voor hem zorgt. Rob speelde voor het eerst live gitaar toen hij de song vertolkte in het BBC-programma ter gelegenheid van het album dat werd opgenomen in de Pinewood Studios. Hij kon het niet laten te refereren aan zijn ruzie met Guy Chambers: 'Er is iemand ontslagen bij ons, dus ik heb dit ding maar ter hand genomen.'

Rob, die profijt had van het rustigere en evenwichtigere leven in Los Angeles, nam meer verantwoordelijkheid voor de uiteindelijke sound, iets wat hij daarvoor maar vervelend vond. Misschien is het een voorteken. In het verleden was hij de zanger die een paar nummers deed en dan vertrok om anderen de rest te laten opknappen. Rob nam de zang voor *Escapology* op zonder kleren aan omdat hij zich dan 'vrijer voelde'. Hij was nauw betrokken bij de videoclip van het album omdat hij zich bewust was van het belang van zijn imago in dit stadium van zijn carrière. Hij bevestigde de mening dat Robbie Williams nu een merkproduct was door een logo te maken dat hij op de achterkant van een sigarettenpakje ontwierp. Zoals alle goede logo's is het heel eenvoudig: een cirkel waarin RW staat met in plaats van het gat in de R een ster. Het ziet eruit als een sigarettenmerk, hetgeen hem misschien ook geïnspireerd heeft. De drie opmerkelijkste nummers op *Escapology*, 'Feel', 'Revolution' en 'Nan's Song', zijn waarschijnlijk de drie die het minst 'Robbie Williams' zijn. Ze hebben niet dat brutale jongensachtige dat hem kenmerkt. Rob is bijna dertig en neemt de muziek veel serieuzer op dan voorheen, toen het slechts de zuurstof was voor zijn personage Robbie Williams. Het wordt interessant om te kijken hoeveel on-Robbieachtige nummers er op zijn volgende album staan.

Met het succes van *Escapology* heeft EMI al een fantastisch resultaat van de investering. Enkele naïevelingen hadden hun twijfels over de langetermijnwaarde vanwege het relatief magere succes van de twee singles van het album. Een bron uit de platenbranche legt uit: 'Singles zijn tegenwoordig slechts een middel om albums en concerten te promoten. Het is een reclameartikel. Je kunt de ene week met een single in de toptien staan en de volgende week gedumpt worden door je platenmaatschappij.' Niemand zal een artiest dumpen die twee miljoen albums in twee maanden kan verkopen. Die bewering wordt bevestigd door Tony Wadsworth, directeur van EMI: 'Een artiest als Robbie Williams contracteren is heel wat minder risicovol dan veel andere zaken. De afgelopen vijf jaar heeft hij wereldwijd 20 miljoen albums verkocht.' Zelfs als de verkoop van *Escapology* was tegengevallen, zou EMI nog steeds een aanzienlijk deel van de investering hebben kunnen compenseren door snel *The Best of Robbie Williams* uit te brengen met kerst 2003.

In de euforie over het contract van £ 80 miljoen kondigde Rob zijn zomertournee 2003 aan. De reactie hierop oversteeg zijn stoutste dromen. Op de ochtend dat de tickets voor de eerste twee concerten in Knebworth in de verkoop kwamen, waren de 121.000 voor de eerste avond in een halfuur uitverkocht. De tweede avond was 's middags uitverkocht en om aan de waanzinnige vraag tegemoet te komen werd er een derde concert georganiseerd. Ironisch was dat de eerste twee concerten van Rob twee uur sneller uitverkocht waren dan het record tot dan toe, dat op naam van Oasis stond. De 'dikke danser van Take That' verkocht 650.000 tickets voor twintig concerten in heel Europa in één dag, waarmee hij een recette opstreek van £ 22.750.000,-, om even te laten zien hoeveel geld een belangrijke tournee kan opbrengen. Volgens de voorwaarden van het nieuwe contract gaat een groot deel van de recette naar EMI, een spectaculair resultaat van hun investering. En de maatschappij heeft ook nog een deel van de opbrengsten van de merchandising die veel van de 650.000 fans zullen kopen in het verschiet.

Bij uitzondering was een woordvoerder van de platenmaatschappij uitgesproken breedsprakig, ongetwijfeld blij dat ze een keer niet 'geen commentaar' hoefde te zeggen op een verhaal over seks, drugs en rock-

'n-roll. Ze zei: 'Alleen al in Knebsworth zal Rob in drie avonden voor 350.000 fans optreden, dat zijn 4270 overvolle dubbeldekkers.' Als Rob al zenuwachtig was toen hij op Slane Castle speelde voor 80.000 mensen, wat voor nachtmerrie zal hij het dan hebben gevonden in Knebworth?

Op de lijst met rijke mensen in de *Sunday Times* werd Robs persoonlijke vermogen geschat op £ 68 miljoen. Daarmee stond hij op de vijfhonderdveertigste plaats, had hij £ 8 miljoen meer dan George Michael en £ 18 miljoen meer dan David en Victoria Beckham. Hij was ook de jongste van de vijftig rijkste muziekmiljonairs. Zijn vermogen was misschien niet groot genoeg om Paul McCartney (£ 760 miljoen) slapeloze nachten van jaloezie te bezorgen, maar het blijft ongelooflijk veel geld voor iemand die ooit heeft gezegd dat zijn grootste plezier in het leven een spelletje backgammon was.

Rob had gestaan op bepaalde clausules in zijn nieuwe contract die 'het merk' in de komende jaren moesten verbeteren. Met zijn toekomst in gedachten stond Rob erop dat zijn managementteam speciaal aandacht zou besteden aan dvd en internet als onderdeel van de modernisering van de muziekindustrie. Er wordt ook een groot punt van gemaakt dat hij eiste dat EMI zich zou verplichten te investeren in een grote promotiecampagne in Amerika. Hoewel Rob alle Europese records brak, was zijn inkomen een schijntje van de rijkdommen die Paul McCartney, de Rolling Stones en U2 bleven vergaren met hun uitverkochte tournees.

Net als alle artiesten die het nog niet hebben gemaakt in de Verenigde Staten zegt Rob dat het hem niet kan schelen. Kylie Minogue is ook een voorbeeld van iemand die doet alsof succes in Amerika haar onverschillig laat. En toch hoeft Jay Leno maar te kikken of ze rennen naar de make-up. Vanaf het prille begin heeft Rob heel hard gewerkt aan zijn doorbraak als soloartiest door zijn albums te promoten en in allerlei gelegenheden op te treden. In 1999 was zijn oude vriend Tim Peers in New York toen hij hoorde dat Rob in een kleine zaal in China Town zou optreden, de Bang Bang Room geheten. Hij was teleurgesteld toen het concert uitverkocht bleek te zijn, maar ging er toch op de bonnefooi heen. Hij stond bij de achteringang toen een limousine stopte en Rob uitstapte. 'Ik schreeuwde: "Rob!" en hij draaide zich om, kwam naar me toe gerend en omhelsde me. Hij nam me mee naar de vip-ruimte, wat fantastisch was. Zijn moeder en zus waren er ook.' Rob trad hetzelfde jaar dat hij in dat kleine zaaltje in New York speelde op voor 80.000 mensen op Slane Castle in Ierland, wat het idee dat het hem niet uitmaakt of hij succes heeft in Amerika logenstraft. *The Ego Has Landed* kreeg goede kritieken, waarin werd voorspeld dat hij zijn succes naar de andere kant van 'de vijver' zou overbrengen. Maar hij brak niet zo fenomenaal door als in Groot-Brittannië. De 'Angels'-factor had niet hetzelfde effect in Amerika. Zijn vriend journalist Adrian Deevoy schreef dat hij Capitol Records, de Amerikaanse partner van EMI, verweet dat ze hem onverschillig hadden behandeld. Er werd gesuggereerd dat Rob te Engels was. Een manager van een platenmaatschappij merkte op: 'In de Verenigde Staten hebben ze geen gevoel voor ironie. Het ergerde Rob vreselijk dat hij geen succes had in Amerika. Zijn probleem is dat EMI er niet veel macht heeft.' Rick Sky, die een boek over Take That heeft geschreven, bevestigt: 'Het is heel belangrijk voor hem om succes te krijgen in de Verenigde Staten. Het was een belangrijk punt in het nieuwe contract. Hij eiste dat EMI beloofde dat ze zouden zorgen voor een doorbraak in Amerika.'

Het blijft een feit dat maar weinig Britse artiesten het echt hebben gemaakt in de Verenigde Staten sinds de Beatles de Amerikaanse muziekwereld op zijn kop zetten. De lichte R & B van Craig David heeft hem een platina plaat opgeleverd, maar over het algemeen hebben Britse artiesten al heel veel moeite om in de topvijftig door te dringen. De oude sterren blijven populair en krijgen nog ieder stadion vol, maar nieuwere acts als Robbie, en zelfs Oasis, zijn nauwelijks bekend. Rob heeft zich afgevraagd of hij nog drie jaar langs Amerikaanse zalen wil reizen, vooral omdat hij het voor het geld niet hoeft te doen. Wanneer je voor 100.000 fans optreedt in Knebworth moet het idee om weer in de Bang Bang Club te gaan staan wel heel erg onaantrekkelijk zijn.

Rob heeft zich altijd schuldig gevoeld als hij met geld smeet. Hij liet ooit een nieuwe, knalrode Ferrari bezorgen, maar stuurde hem weer terug naar de showroom omdat hij zich schuldig voelde over het bezit van een dergelijk statussymbool. Vervolgens veranderde hij weer van

gedachte en liet hem weer komen. Hij heeft nooit zijn rijbewijs gehaald, wat de uitgave nog overbodiger maakt. In Los Angeles woont hij
in een besloten gemeenschap, waar hij in zijn zwarte E-type Jaguar kan
rondkarren op de particuliere wegen, maar hij mag niet op de openbare weg. Rob kickt op snelheid en vindt karten fantastisch. In Londen
rijdt hij echter rond op een Honda Shadow-scooter. Een modieuze re-
tro-design brommer die zeer geliefd is bij beroemdheden.

Ook vóór het contract met EMI was hij al extreem rijk, volgens de
berichten verdiende hij alleen in 2001 al meer dan £ 20 miljoen. Er
wordt gezegd dat hij £ 450.000 zou hebben verdiend in één avond met
zijn bejubelde *Swing*-concert in de Royal Albert Hall. Rob doet ook
goed met zijn geld, en niet te weinig. In april 2001 haalde hij £ 221.044
binnen op een veiling bij Sotheby's, onderdeel van de Comic Relief-in-
zameling, voor de hulporganisatie Give It Sum. Onder de stukken die
voor de 'Bid It Sum' geveild werden door Lenny Henry bevonden zich
de gitaar uit de videoclip van 'Let Me Entertain You' (£ 6.500), zijn dee-
jay-schakeltafel (£ 7.500), een bed (licht beschadigd) (£ 13.000,-) en
zijn tijgeronderbroek (£ 2.200). Rob kwam zelf het laatste item verkopen: zijn handgeschreven kopie van de tekst van 'Angels', die wegging
voor £ 27.000,-, waarop hij zich in het publiek stortte om de bieder te
omhelzen.

Rob is een groot supporter van Comic Relief en levert altijd trouw
een bijdrage aan het jaarlijkse liefdadigheidsprogramma Red Nose
Day. Hij was de verteller in de bekroonde tekenfilm *Robbie the Rein-
deer* waarmee geld werd ingezameld, en zong er een speciale versie van
'Come Fly With Me' voor. Naast zijn blijvende belangstelling voor de
Donna Louise Trust, heeft hij zich opgegeven als donor van beenmerg
ten gunste van de Anthony Nolan Bone Marrow Trust, die is opgericht
om de levens van leukemiepatiënten te helpen redden. Hij steunt het
Jeans for Genes Appeal wanneer ieder jaar in oktober iedereen wordt
gevraagd zijn pak te verruilen voor jeans en £ 1 te geven. Rob geeft ook
veel hulp aan het Great Ormond Street Hospital en heeft er zelfs een
kerstavond bij de zieke kinderen doorgebracht. Hij is ook naar het bui-
tenland gereisd voor UNICEF sinds wijlen Ian Dury hem er in 1998 bij
vroeg. Hij ging met Dury naar Sri Lanka om te zien hoe kinderen in
een oorlogsgebied werden ingeënt tegen polio. Hij is ook in Mozambi-

que geweest om de aandacht te vestigen op de zorgwekkende verspreiding van HIV/aids onder kinderen.

Net zoals bij de meeste beroemde mensen zijn zijn meest tastbare bezittingen zijn diverse huizen. Hij heeft een aantal miljoenenpanden, twee in Londen, een in Los Angeles en een in Staffordshire. Nummer één is zijn huis in Holland Park, West-Londen. Het is een voorbeeld van schaamteloze vorstelijke popsterrenluxe, hoewel volwassener dan zijn voorgaande huizen. Het is nog steeds een jongensparadijs met gigantische televisies en een platina pooltafel. Rob kan naar de modernste televisie kijken, of hij nu in bad zit, een douche neemt of op de wc zit. Het huis in een rustige, deftige woonstraat heeft Rob kennelijk £ 3 miljoen gekost en hij gaf nog eens £ 2 miljoen uit aan de inrichting, inclusief de verbouwing van de hele eerste verdieping tot één gigantische slaapkamer. Hij besteedde £ 15.000 aan een buitenbad voor vijf personen, dat op zijn plek moest worden gezet met behulp van een hijskraan. De trots van de hal is een serie originele zeefdrukken van Andy Warhol van Mohammed Ali, een van Robs helden. De vier portretten waren een koopje voor £ 25.000.

Zoals een echte popster betaamt, is hij er nooit, aangezien hij voorlopig in Los Angeles woont.

Ik ga het nu allemaal tellen.

20 LA Story

Omdat Rob nu in Los Angeles woont, heeft Eileen Wilkes hem in geen tij-
den gezien. Tijdens een bezoek aan Groot-Brittannië wipte hij bij haar
binnen met haar zoon Jonathan en ze was heel blij dat hij er zo goed uit-
zag. 'Je ziet er fantastisch uit,' zei ze. Hij lachte en antwoordde: 'Ik heb me
nog nooit zo goed gevoeld. Ik zorg goed voor mezelf.'

Rob maakt zich zorgen om zijn veiligheid. Het is niet iets waar hij graag
ruchtbaarheid aan geeft, maar hij heeft eraan moeten wennen dat hij in
het dagelijks leven bodyguards nodig heeft. In de dagen van Take That
liep hij hard weg als hij werd lastiggevallen door supporters van Stoke
City. Maar dat waren doetjes vergeleken bij de fanatieke 'fans' van Robbie Williams, die zich nergens door laten tegenhouden als ze hun idool
belagen. Het was hanteerbaar toen het jonge meisjes betrof die op het
muurtje voor het huis in Greenbank Road gingen zitten. Die zag hij alleen in de weekends of als hij vrij nam om bij zijn moeder te zijn. Maar
na Stuttgart had Rob geen enkel vertrouwen meer. Op 21 februari 2001
gaf hij een concert in de Hans-Martin Schleyer-zaal toen een waanzinnige fan op het podium sprong terwijl hij 'Supreme' zong en hem weg-
duwde omdat hij dacht dat hij niet de echte Robbie Williams was. Kennelijk dacht hij dat de echte Robbie ergens anders was. Rob viel anderhalve meter naar beneden en kwam terecht op de plek waar normaal
gesproken fotografen zitten om foto's te maken. De beveiliging kwam
hem te hulp en trok de belager van hem af.

Rob was heel erg geschrokken maar rende tot ieders verrassing niet
weg om de gewonde martelaar uit te hangen. In plaats daarvan ging hij
het podium weer op en vroeg het publiek of alles goed was. Toen ze
'Yeah!' schreeuwden antwoordde hij: 'Met mij ook. En ik laat niet toe
dat een of andere klootzak op het podium komt en jullie avond be-

derft.' Hij maakte energiek het concert af voordat hij besloot dat hij onmiddellijk uit Stuttgart wilde vertrekken. Hoewel iedereen onder de indruk was van zijn volwassen reactie die avond, bleef de vraag in de lucht hangen: 'En als de aanvaller nou een mes had gehad?' Het treurige aspect van deze aanval was het verrassingselement. Rob zag hem pas toen het te laat was. Fans zijn wel eerder op podia gestormd en gewoonlijk kan de artiest er wel mee omgaan – Keith Richard mepte erop met zijn gitaar als de fans te dichtbij kwamen – maar Rob, geen kleine jongen, had de kans niet om te reageren. Jonathan Wilkes heeft meteen nadat het gebeurd was met Rob gepraat: 'Ik was van slag en hij ook. Hij was geschokt en bang.'

Sinds Monica Seles is neergestoken tijdens een tenniswedstrijd, is men wel anders gaan denken over de veiligheid van mensen die in het openbaar optreden, of het nou artiesten of sportlui zijn. Rob kon geen risico meer nemen als er 's nachts iemand aanbelde of hem benaderde voor een handtekening. Vóór Stuttgart had hij al fulltimebodyguards, maar daarna werd zijn beveiliging een stuk grondiger aangepakt. Toen de *Sing*-tournee was afgelopen, lukte het hem niet zijn leven in Londen weer op te pakken, omdat hij zich daar steeds gedeprimeerder en steeds meer opgesloten voelde. Als hij de gordijnen in zijn slaapkamer opendeed, keek hij in de telelenzen van fotografen en stonden er, voornamelijk Italiaanse, meisjes zijn kant op te wijzen. Zijn leven was een soort *Groundhog Day* geworden, een verschrikkelijke en voortdurende herhaling van de naarste dag in je leven. Hij kon niet naar de kroeg gaan zonder dat hij meteen zodanig werd lastiggevallen, dat hij alleen nog maar zo snel mogelijk naar huis wilde om naar History Channel op zijn gigantische televisie te kijken. Hij begon zijn sociale contacten te beperken tot de omgang met andere beroemdheden. Zijn vroegere vriendin Geri Halliwell had hem niet kunnen helpen, want die vreesde zelf voor haar veiligheid sinds er bij haar was ingebroken, zoals overal breed is uitgemeten. Rob maakte zelfs plannen om hoge muren en ijzeren hekken om zijn huis in Londen te laten neerzetten, videocamera's te laten aanbrengen en waakhonden te nemen.

Toen hij net beroemd was, deed het hem goed om zichzelf te kunnen zijn, om met zijn vrienden thuis plezier te maken en te voetballen. Maar de roem begon zich op te dringen en zijn goede vriend Jonathan

Wilkes kon ook niet altijd bij hem zijn om hem de steun en het gezelschap te bieden die hij zo nodig had. Jonathan had nu een vaste relatie en een eigen carrière. Sinds Tania Strecker had Rob geen echte vriendin meer gehad en die relatie had maar drie maanden geduurd. Nu hij in een glazen huis leefde, was de kans om nieuwe vrienden te maken heel klein, omdat al zijn bewegingen nauwlettend werden gevolgd, wat ook een sfeer van wantrouwen meebrengt.

Eind 2001 was Rob dringend toe aan een verandering. Dus hij ging naar Los Angeles.

Aanvankelijk zou hij een halfjaar naar de Californische zon gaan. Zijn management had hem aangemoedigd om even bij te komen na de uitputtende tijd die hij achter de rug had. Mark McCrum meldde dat de zanger erop gebrand was op zijn minst voor een tijd verlost te zijn van de druk die het meebracht om Robbie Williams te zijn. Hij zei dat Rob ernaar uitzag in de anonimiteit van Los Angeles te leven en even een betrekkelijk normaal bestaan te leiden. Hollywood leek daarvoor een vreemde keuze, maar LA heeft zo veel beroemdheden per vierkante kilometer dat men er daar aan gewend is. Als Rob zich had teruggetrokken in de bergen van Peru, was hij beslist een toeristische attractie geworden. Maar in de filmsterrengemeenschap Hollywood kon hij gewoon een kop koffie gaan drinken zonder dat iemand er aandacht aan besteedde.

In de loop van 2001 had hij al een paar vrienden gemaakt, onder anderen Ashley Hamilton, de vijfentwintigjarige zoon van de immer gebronsde acteur George Hamilton en zijn charmante vrouw Alana Hamilton. Ashley was bekender als de stiefzoon van Rod Stewart, die als zijn vader was opgetreden toen hij opgroeide. Ashley is een typisch voorbeeld van een kind van de jetset in LA. Toen ze bevriend raakten, was hij al twee keer getrouwd en gescheiden, terwijl hij een aantal jaren jonger is dan Rob. Hij kende zijn eerste vrouw, Shannon Doherty, bekend van *Beverly Hills 90210*, pas twee weken toen ze trouwden. Het huwelijk duurde vijf maanden. Met zijn tweede vrouw, Angie Everhart, weer een actrice, ging het mis toen ze een Porsche van Sylvester Stallone aannam als cadeau. Het hoogtepunt van Robs carrière als acteur is tot nu toe een rol in *Sunset Beach*, waar na zes weken zonder opgaaf van reden abrupt een einde aan kwam. Hij kwam een keer voor op de lijst van Mooiste Mensen ter Wereld in het tijdschrift *People*.

Ashley en Rob leerde elkaar kennen tijdens een bijeenkomst van de AA, wat niet zo raar is, want in Los Angeles zijn de groepen van de NA en AA tot op zekere hoogte sociale evenementen. In alle steden waar Rob komt, kijkt hij eerst waar de dichtstbijzijnde bijeenkomsten zijn. In LA is de bekendste de Red Hut op Robertson, maar je hebt er nog meer in Malibu en Hollywood, waar je op elke willekeurige dag Lara Flynn Boyle, Robert Downing jr. of Matt Perry tegen het lijf kan lopen. Toen ze nog intieme vrienden waren, ging Geri Halliwell met Rob mee naar de bijeenkomsten. Niet iedereen die er komt is per se verslaafd; sommige mensen komen er om te netwerken en journalisten gaan erheen in de hoop sappige roddels te horen. Rob heeft echter meer kans om daar echte vrienden te maken dan in een vrijgezellenkroeg op Sunset Strip. Ashley is ook een beetje een tatoeagemaniak en introduceerde Rob in de Shamrock Parlor. Toen hij het over hun vriendschap had, zei Ashley gekscherend: 'Hij is zo cool. We hebben veel gemeen. Als we homo zouden zijn, zouden we een perfect paar zijn.' Zo'n opmerking had Rob ook kunnen maken. Rob vond het leuk om Ashley te helpen met de verwezenlijking van zijn ambitie om de muziekwereld in te gaan. Ze werkten samen aan een paar songs en een daarvan, 'Wimmin', een typisch rauw Robbie-nummer werd in mei 2003 in Groot-Brittannië uitgebracht.

Nog iemand die ervoor zorgde dat hij zich thuis voelde in LA, is scenarioschrijver Sacha Gervasi die als popster in de band Bush had gespeeld, een van de weinige Engelse groepen die recentelijk succes hadden in Amerika. Hij wist precies hoe moeilijk het was om door te breken in de Amerikaanse muziekwereld en was ook bekend in LA. Rob heeft altijd zijn belangstelling voor andere artiesten behouden. Hij is misschien niet zo'n cd-verzamelaar als Gary Barlow, die er zo'n dertig per maand koopt, maar hij heeft altijd muziek aanstaan. Hij heeft in alle kamers in zijn huis in Londen een ultramoderne Bang & Olufsen-geluidsinstallatie en wil dat in de toekomst ook in zijn huis in LA. Een van de eerste concerten die hij in LA bezocht, was van de legendarische heavy rockband Aerosmith in het Forum. Aerosmith is een grote naam in de Verenigde Staten en daardoor ervoer Rob al dat hij in LA niet iedere minuut van de dag in het middelpunt van de belangstelling zou staan. De fotograaf Fraser Harrison, die ook bij het concert was, vertelt: 'Hij liep backstage doelloos rond. Hij had niets gedronken en nam alleen af en toe een slokje uit een blikje cola. Hij was ontspannen en in een goede stemming, Ik denk dat hij eraan begon te wennen dat hij zich in het openbaar kon vertonen zonder door iedereen herkend te worden.' Sacha nam Rob mee naar kleinere zalen om naar bands te luisteren.

Ondanks de ontspannen omgang met beroemdheden in LA, houdt Rob nog vast aan zijn persoonlijke beveiliging die met hem meekwam toen hij in het Sunset Marquis Hotel trok in het begin van zijn ballingschap. Hij bleef daar een aantal maanden voordat hij een huis in Beverly Hills huurde voor $ 15.000 per maand, compleet met het verplichte zwembad, dat eigendom was van Dan Ackroyd. Hij had van één maand huur in Tunstall een huisje kunnen kópen. Rob voelde zich steeds meer op zijn gemak bij de levensstijl in LA, maar het had geen zin een miljoen of twee uit te geven aan een huis als hij maar een halfjaar zou blijven.

Regelmaat is heel belangrijk voor Rob, misschien vanwege zijn verslavingen. In Londen bleef hij altijd tot lunchtijd in bed, maar in Los Angeles doet niemand dat. Rob staat vroeg op, drinkt koffie en praat met zijn nieuwe vrienden voordat hij naar sportschool Crunch op Sunset gaat. Dit is geen sportschool voor mannen en vrouwen met overgewicht, maar een sportschool waar mensen hun volmaakte lichamen komen onderhouden en laten zien. Tussen de mannendouches en de lobby is een matglazen wand, zodat je vanuit de receptie de mannelijke silhouetten kunt bewonderen. Daar maakt Rob, wiens lichaam al door duizenden mensen is gezien, zich niet druk om.

De Britse gemeenschap in Los Angeles ademt net zoals die in andere grote steden ter wereld nog steeds een koloniale sfeer. Iedereen mag dan wel in korte broek en zwemkleding lopen in plaats van in smoking en cocktailjurken, het principe van de borrel (non-alcoholisch) voor het eten is in wezen hetzelfde. De huidige koning en koningin van de Britse gemeenschap zijn Sharon en Ozzie Osbourne. Ze hebben Rob hartelijk verwelkomd in hun wereld. Door hun televisieserie *The Osbournes* zijn ze de grootste Britse sterren in de Verenigde Staten. Rob kan alleen nog maar dromen van een dergelijke roem. Televisie is beslist de snelste en zekerste weg naar beroemdheid, zoals realitypro-gramma's als *Big Brother* en *Idols* hebben bewezen. Rob heeft het be-slist niet slecht aangepakt met zijn poging om een vaste gast te worden in de volgende serie van *The Osbournes*. Hij kan optreden als de bruta-le vriend uit Engeland. Dat is het soort promotie dat niet met geld te koop is. Op een prominente plek aan Sunset Boulevard staat een gi-gantisch billboard met een poster van de hoesfoto van *Escapology*, die waarop Rob aan zijn voeten boven de skyline van LA hangt. Het heeft geen merkbaar verschil gemaakt voor de teleurstellende verkoopcijfers van het album, dat nauwelijks een rimpeling heeft veroorzaakt in de Amerikaanse hitparade. Het effect zou veel groter zijn geweest als het een poster van *The Osbournes* zou zijn geweest met de vermelding 'spe-ciale gast: Robbie Williams'.

Een factor voor het succes van *The Osbournes*, die snel over het hoofd gezien wordt door alle opgeklopte aandacht en het grove taal-gebruik, is dat de oude popster Ozzy een grote Amerikaanse aanhang heeft. Als leadzanger van Black Sabbath was hij meer dan dertig jaar een van de giganten in de heavy metal-wereld. Hij heeft beslist bij zijn geboorte meer bonnen voor drank en drugs in zijn bonnenboek ge-kregen dan hij verdient. Robbie ging met Ozzy mee toen die zijn ster kreeg op de Walk of Fame in Hollywood. De journalist Cliff Renfrew, die ook aanwezig was, vertelt: 'Robbie werd gewoon uitgejouwd door de menigte toen hij werd voorgesteld. Feitelijk omdat niemand enig idee had wie hij was.' Ozzy en Robbie kunnen goed met elkaar over-weg vanwege hun beider problemen met drank en drugs. En, ondanks zijn rock-'n-roll-leven is Ozzy een echte huisvader, iets wat Robbie bewondert.

Sharon Osbourne is heel populair in de Britse gemeenschap in LA. Ze is nuchter, pragmatisch en heel zorgzaam voor haar gezin, net als Jan Williams. Rob geniet altijd bijzonder van zijn bezoeken aan het huis van de Osbournes, waar hij vaak op zondag gaat eten. Cliff Ren-frew merkt op: 'Sharon is als een tweede moeder voor Rob.' Als blijk van vriendschap vroeg Rob Kelly Osbourne, de dochter van Sharon en Ozzy, om het voorprogramma te doen tijdens de 21 concerten van zijn Europese tournee in de zomer van 2003. Kelly, een recalcitrante puber die net begonnen was aan haar carrière in de popmuziek, kon optreden voor een paar honderdduizend mensen, een ongekende en onbetaalbare publiciteit voor een nieuwe artiest. Rob kon zich ook inleven in de problemen van Jack, de tienerzoon die in het voorjaar van 2003 naar een ontwenningskliniek moest. Jack is een klassiek voorbeeld van te jong te veel, ongeveer zoals Rob in Take That. Jacks gedrag schijnt echter vergeleken met Robs losbandige uitspattingen heel braaf te zijn. Een vriend verklaart: 'Jack is pas zeventien en is zichzelf aan het ontdekken.' Sharon Osbourne was in tranen nadat ze Jack had bezocht in de kliniek in Pasadena. Degene die haar het best raad kon geven, was natuurlijk Jan, drugshulpverlener en moeder van een verslaafde popster.

Via zijn vriend Ashley Hamilton leerde Rob Kimberley Stewart, dochter van Rod en halfzus van Ashley, kennen. Even is er het vermoeden geweest dat ze een affaire hadden, maar feitelijk maakten ze gewoon deel uit van dezelfde vriendenkring en gingen uit met Ashley en diens vriendin Sara Foster, een fotomodel. De arme Rod moet hebben gedacht dat Rob de familie Stewart stalkte, vooral toen Rob bevriend raakte met zijn ex-vrouw Rachel Hunter. Maar Rachel gaf Rob iets wat hij heel graag wilde: een instantgezin. Rachel was bijna de perfecte vrouw voor Rob omdat ze twee elementen had waarnaar hij zocht bij de andere sekse: ze was een liefhebbende moeder en een vleesgeworden jongensdroom die regelmatig in de bijbel voor mannen, het jaarlijkse zwempaknummer van *Sports Illustrated*, stond.

Rachel was een gewoon meisje uit Auckland, Nieuw-Zeeland, en haar ouders waren, net als die van Rob, gescheiden toen ze nog een kind was. Haar blonde haren, knappe gezicht en lange benen leidden bijna onvermijdelijk tot een carrière als fotomodel, waaraan ze op haar zeventiende begon. Hoewel ze een bekend gezicht aan het worden was in de bladen, werd ze pas echt beroemd toen ze in 1990 met Rod Stewart trouwde. Zij was toen 21, hij 45. Het leeftijdsverschil leek hen niet te deren, want het paar verwierf een vaste plek op de lijst van bekendste koppels in Hollywood en kreeg twee kinderen, Renee, genoemd naar het klassieke nummer 'Don't Walk Away Renee' van de Four Tops, en Liam. Begin 1999 was het leeftijdsverschil kennelijk ineens wel een probleem. Toen ze scheidden was Rachel net dertig. Het leek erop dat ze meer in het leven wilde bereiken dan alleen maar beschouwd worden als mevrouw Rod Stewart. Er werd gezegd dat Rod kapot was van de scheiding, maar hij heeft inmiddels alweer een nieuwe blonde schone. Rachel heeft echter gezwalkt en is al met verscheidene Hollywoodnamen in verband gebracht, waaronder Bruce Willis. Ze heeft er ook geen geheim van gemaakt dat ze in therapie is omdat ze het moeilijk heeft als alleenstaande ouder.

De romance tussen Rachel en Rob kwam uit het niets en er werd dan ook veel over gespeculeerd of hij wel echt was. In de lente van 2002 raakten ze bevriend. Alleen of deze vriendschap ook 'heet en hevig' werd, wordt betwijfeld. Eerst waren er de gebruikelijke ontkenningen dat er iets aan de hand was, maar het paar werd opgespoord door een fotograaf op een bowlingbaan in een onpopulaire wijk van Studio City. Het fotobureau Fame had het paar een maand laten volgen in de hoop op de juiste foto's. Het paar stond er gelukkig en ontspannen op en ze leken dol op elkaar. De foto's werden over de hele wereld verkocht, naar gezegd wordt voor $ 250.000.

De oprechtheid van hun intimiteit werd in twijfel getrokken toen er een serie ranzige foto's van het paar verscheen in *News of the World*, waarop ze halfnaakt met elkaar aan het stoeien waren bij het zwembad van een hotel. Volgens een ooggetuige: 'Ze waren erg opgewonden.' Rachel trok het bovenstukje van haar bikini uit en op een bepaald moment liet Rob zijn handdoek op de grond glijden en was hij helemaal naakt. Toen de foto's verschenen, sprak iedereen er schande van en werd er beweerd dat het allemaal in scène was gezet. Er werd gezegd dat de locatie in werkelijkheid de achtertuin was van het huis waar Rob verbleef, een plek waar fotografen geen toegang toe hadden zonder toestemming. Rob werd ervan beschuldigd foto's te verkopen van 'namaakseks'. De bekende publiciteitsman Max Clifford zei: 'Als je niet heel goed oppast, eindig je als Geri Halliwell of Anthea Turner.'

Het kan heel goed dat de foto's in scène waren gezet, in ieder geval geloven commentatoren in Los Angeles dat, maar beroemdheden voeren zo vaak stunts uit voor de camera. Dat bewijst niet dat ze geen relatie hadden. Cliff Renfrew merkt op: 'Ze gingen met elkaar om als vrienden. Ik denk dat er wel sprake was van een soort relatie, maar er was beslist ook sprake van een publiciteitselement.'

Het probleem op dat moment voor Rob was zijn geloofwaardigheid. Hij was naar LA gegaan om aan dat alles te ontsnappen; hij zei dat hij anoniem wilde zijn. Dat is moeilijk serieus te nemen als hij vervolgens stunts uithaalt om zijn naam in de publiciteit te houden. De affaire-Rachel zorgde ervoor dat er in de kranten over Rob werd geschreven in zijn rustige jaar. Ze waren echter geen van beiden bekend genoeg in Amerika om daar veel aandacht te krijgen. Dan had Rob met een vriendin als Britney Spears aan moeten komen. Zoals Justin Timberlake heeft gedaan, wiens relatie met Britney hem zowel tijdens als erna oneindig veel publiciteit heeft opgeleverd, tot hij uiteindelijk haar roem overschaduwde. Rob werd korte tijd in verband gebracht met Christina Aguilera, die in 2003 twee nummer-éénsingles had en interessanter is voor de kranten dan de saaie miss Hunter.

Al vroeg in de zomer van 2002 werd er gesuggereerd dat het niet goed ging met het paar. Het was echter wel Rachel die met hem naar Jonathan Wilkes' première in *The Rocky Horror show* in Bromley ging. Rob was Robbie op zijn best toen hem werd gevraagd waar Rachel was. 'Rachel wie?' antwoordde hij met een stalen gezicht. Ze gingen rustig samen weg via een ondergrondse parkeergarage.

Rachels moeder Janeen ontmoette Rob toen ze overkwam uit Nieuw-Zeeland en vond hem leuk en had de indruk dat hij en Rachel gelukkig waren samen. Zelfs Rod Stewart werd geciteerd toen hij zijn goedkeuring over de relatie uitsprak: 'Hij is een goede kerel en ik mag hem omdat hij ook goed kan voetballen.' Rod moest een album promoten en er werd gefluisterd dat hij privé helemaal niet zo blij was met de affaire. Rob bekende op zijn beurt dat hij bindingsangst had, wat niet veel goeds voorspelde.

Rob en Rachel werden niet vaak gesignaleerd op de populaire plekken rond Beverly Hills omdat ze gesteld waren op hun rust en liever koffietentjes bezochten, thuis films keken met Rachels kinderen of een uitzonderlijk uitstapje maakten naar een basketbalwedstrijd om de LA Lakers te steunen. Rob houdt wel van basketbal als er geen voetbal is. Dit huiselijke bestaan zou echter snel verstoord worden door het klassieke probleem van beroemde mensen: scheiding. Rachel bleef achter toen Rob *Escapology* ging promoten. Ze werd gezien terwijl ze een weekend aan het feesten was in Las Vegas en er gingen geruchten dat ze iets had met de muzikant Wes Scantlin. Rob en Rachel vierden Kerstmis in huiselijke kring en hij gaf haar een Mini Cooper. Eerder had hij haar tijdens een gezamenlijk bezoek aan Londen al een scooter gegeven.

De geruchten dat het niet goed ging waren echter hardnekkig en twee dagen voor Valentijnsdag en de dag voor Robs verjaardag, maakten Rachel en hij het officieel uit. Ze waren tijdens het eten tot deze beslissing gekomen. De pers had een buitenkansje en schreef dat Rachel hem had gedumpt. Vreemd genoeg zweeg hij erover en hij liet Rachel en haar woordvoerder met de pers praten. Uitgaande van vroegere ervaringen wekt zijn reactie de indruk dat Rob Rachel mag, dat ze niets heeft gedaan of gezegd waar hij boos over is en dat er kans is dat ze vrienden blijven. De relatie van Rob en Rachel heeft niet de ingrediënten voor ruzie. Ze gaf een exclusief interview aan het tijdschrift *Hello!* waarin ze, in negen pagina's met foto's, bevestigde dat ze uit elkaar waren: 'We zijn en blijven de beste vrienden. Ik zal altijd dol op hem blijven. Hij is een heel speciale man voor me. Er is niemand anders.' Een woordvoerster van Rachel voegde eraan toe dat het moeilijk was een relatie te onderhouden wanneer de partners het allebei zo druk hebben en vaak in verschillende landen verblijven – een waarheid als een koe.

De breuk met Rachel lijkt Robs leven nauwelijks verstoord te hebben. Hij heeft veel vooruitgang geboekt in Los Angeles, waar hij meer Rob kan zijn en minder 'Robbie Williams'. Hij heeft nu een prachtig huis van $ 5 miljoen in een veilige wijk in de buurt van Mulholland Drive. In de Verenigde Staten noemen ze dit een 'gated community', wat betekent dat mensen niet zomaar op het terrein kunnen komen. Ze moeten een beveiligde ingang door. Ook zijn er bewakers die regelmatig patrouilleren, allemaal om Rob een veiliger gevoel te geven dan hij ooit in Londen heeft gehad. De huizen zijn verbonden door privéwegen, waardoor Rob kan rijden zonder rijbewijs. Zijn grootste trots is een zwarte E-type Jaguar-cabriolet van £ 75.000,-. Hij heeft ook een crèmekleurige Cadillac. Rob schijnt rijlessen te hebben gehad van zijn chauffeur, die bij hem woont en behalve zijn chauffeur ook zijn permanente bodyguard is. Af en toe reed Rachel Hunter hem rond, maar meestal zit de chauffeur achter het stuur. De man, die ongeveer even oud is als Rob, is meer een vriend dan een werknemer. Tijdens een bezoek aan het Earth Café kocht Rob een aantal new age-steentjes waar 'peace' en 'love' op was geschreven die hij aan zijn chauffeur gaf, kennelijk als cadeautje.

Jonathan Wilkes gaat zo vaak op bezoek als hij kan. Volgens Eileen Wilkes is hij gek op Los Angeles, net als Rob. Misschien gaat hij zijn vriend wel achterna en verhuist hij er ook heen. Robs vader Pete is er meermalen op bezoek geweest en alle ruzies zijn bijgelegd. Ze hebben het gezellig met elkaar als vrienden. En ook Jan is vaak te gast. Ze logeert dan in een huisje dat vanuit Robs huis via een trap bereikbaar is. Hij heeft een kleine kring van trouwe en discrete vrienden en hij kan nog steeds een beroep doen op David Enthoven en Josie Cliff. Kort na zijn vertrek naar LA merkte David op dat hij nog in een vroeg stadium zat van het herstel van zijn drank- en drugsverslaving. Zijn eerdere behandeling in 1997 was eigenlijk niet meer dan een voorproefje geweest. Als hij in LA zou terugvallen, is de kans groot dat we daar niets van horen. Hij heeft drie honden die hij iedere dag uitlaat, een Duitse herder, Rudy, een wolfshond die luistert naar de naam Sid en een kruising tussen een labrador en een pitbullterriër, die Sam heet. Je zou het iemand niet kwalijk nemen als hij de benen nam wanneer hij deze zwaar getatoeëerde jongen met drie grote honden in Tunstall Park zou tegenkomen. Tot Rob weer een vriendin krijgt, zullen er alleen foto's van hem met zijn honden te zien zijn. Hij vindt veel steun in Californië, maar hij zal zich er niet permanent kunnen verschuilen, want hij moet zijn verplichtingen als Robbie Williams, de Britse superster, nakomen. Als hij zich helemaal terug had willen trekken, had hij geen nieuw contract met EMI getekend voor een zomertournee met alle stress en verleidingen die dat meebrengt, zoals hij uit ervaring weet. Entertainment blijft hem in het bloed zitten, net als bij zijn vader.

Ook voetbal blijft hem in het bloed zitten. Hij heeft met het Hollywood United-elftal getraind, een groep expats die in een georganiseerde liga speelt. Een van de leden merkt op: 'Ze hebben een aardig niveau. Rob was niet goed genoeg voor het elftal, maar hij was zeker niet slecht.' Rob werd bij het elftal geïntroduceerd door een nieuwe vriend, Billy Duffy, de voormalige basgitarist van de Cult. Als publiciteitsstunt had Rob zich via internet in het Sunset Marquis Hotel ingeschreven als dominee Robert Wiliams en heeft in die hoedanigheid in het hotel Billy en zijn vriendin getrouwd. De foto's haalden de glossy's over de hele wereld, dus het was een geslaagde stunt.

Of Rob Los Angeles ziet als zijn thuis, een tijdelijk belastingparadijs of een goede plek in dit stadium van zijn genezing, moet nog blijken. In een Amerikaans praatprogramma heeft hij gezegd dat hij op zoek is naar mrs. Williams. Een serieuze relatie zou bepalend kunnen zijn voor de keuze van zijn definitieve woonplaats. Hij heeft zelfs gezegd dat hij misschien wel terug moet gaan naar Stoke-on-Trent om de goede vrouw te vinden. De belangrijkste vrouw uit zijn jeugd, Zoë Hammond, gelooft dat Rob nog steeds meer dan naar wat ook op zoek is naar liefde: 'Hij heeft een oprechte en zuivere liefde nodig, niet een liefde waarin het alleen maar draait om diamanten en onzin. Hij zal het geluk vinden, want hij is niet iemand die het opgeeft, maar hij moet eerst verstandig worden. Ik neem het hem niet kwalijk dat hij leeft zoals hij leeft, maar ik weet dat als hij een vaste relatie krijgt, het met iemand zal zijn die deugt. Hij zal dan besluiten: "Verdomme, dit is gewoon wat ik moet doen ..."'

Ik wil niet onbekend zijn.

Discografie

Singles van Take That met Robbie

Releasedatum	Titel	Hoogste plaats in hitparade in VK
juli 1991	Do What U Like	82
november 1991	Promises	38
juni 1991	It Only Takes a Minute Girl	7
augustus 1992	I Found Heaven	15
oktober 1992	A Million Love Songs	7
december 1992	Could It Be Magic	3
februari 1993	Why Can't I Wake Up With You	2
juli 1993	Pray	1
oktober 1993	Relight My Fire (featuring Lulu)	1
december 1993	Babe	1
april 1994	Everything Changes	1
juli 1994	Love Ain't Here Anymore	3
oktober 1994	Sure	1
april 1995	Back for Good	1

(*Never Forget* en *How Deep Is Your Love* kwamen uit nadat Robbie uit Take That was gestapt)

Albums van Take That

Releasedatum	Titel (nummers tussen haakjes)	Hoogste plaats in hitparade in VK
september 1992	Take That & Party (I Found Heaven, Once You've Tasted Love, It Only Takes a Minute, A Million Love Songs,	2

	Satisfied, I Can Make It, Do What U Like, Promises, Why Can't I Wake Up With You, Never Want to Let You Go, Give Good Feeling, Could It Be Magic, Take That and Party)	
oktober 1993	*Everything Changes* (Everything Changes, Pray, Wasting My Time, Relight My Fire, Love Ain't Here Anymore, If This Is Love, Whatever You Do to Me, Meaning of Love, Why Can't I Wake Up With You, You Are the One, Another Crack in My Heart, Broken Your Heart, Babe)	1
mei 1995	*Nobody Else* (Sure, Back for Good, Every Guy, Sunday to Saturday, Nobody Else, Never Forget, Hanging On to Your Love, Holding Back the Tears, Hate It, Lady Tonight, Day After Tomorrow)	1
maart 1996	*Take That Greatest Hits* (How Deep Is Your Love, Never Forget, Back for Good, Sure, Love Ain't Here Anymore, Everything Changes, Babe, Relight My Fire, Pray, Why Can't I Wake Up With You, Could It Be Magic, A Million Love Songs, I Found Heaven, It Only Takes a Minute, Once You've Tasted Love, Promises, Do What U Like, Love Ain't Here Anymore [US Versie])	1

Singles van Robbie Williams

Releasedatum	*Titel* (*extra nummers tussen haakjes*)	*Hoogste plaats in hitparade in VK*
juli 1996	*Freedom 96* (CD1: Freedom [Radio Edit], Freedom [Arthur Baker Mix], Freedom [Instrumentaal], Interview 1	2

CD2: Freedom [Radio Edit], Freedom [The Next Big Gen Mix], Freedom [Arthur Baker's Shake and Bake Mix], Interview 2)

april 1997	*Old Before I Die* (CD1: Old Before I Die, Better Days, Average B-Side CD2: Old Before I Die, Making Plans for Nigel, Kooks)	2
april 1997	*Lazy Days* (CD1: Lazy Days, She Makes Me High – Every Time We Say Goodbye CD2: Lazy Days, Teenage Millionaire, Falling in Bed [Again])	8
september 1997	*South of the Border* (CD1: South of the Border, Cheap Love Song, South of the Border [187 Lockdown's Borderline Mix], South of the Border [Phil 'The Kick Drum' Dane + Matt Smith's Nose Dub] CD2: South of the Border – South of the Border [Mothers' Milkin It Mix], Cheap Love Song)	14
december 1997	*Angels* (CD1: Angels, Back for Good [Live Versie], Walk This Sleigh CD2: Angels, Karaoke Overkill, Get the Joke, Angels [Akoestische versie])	7
maart 1998	*Let Me Entertain You* (CD1: Let Me Entertain You, Medley from *The Full Monty* by Robbie & Tom Jones, I Wouldn't Normally Do This Kind of Thing, I Am the Resurrection CD2: Let Me Entertain You [Zes verschillende remixes])	3

september 1998	*Millennium*	1
	(CD1: Millennium, Love Cheat [Demo Versie], Rome Munich Rome [Demo Versie] CD2: Millennium, Lazy Days [Originele Versie], Angels [Live Versie])	
november 1998	*No Regrets/Antmusic*	4
	(CD1: No Regrets, Antmusic, Sexed Up [Demo Version], There She Goes [Live Versie] CD2: No Regrets, Antmusic, Deceiving is Believing)	
maart 1999	*Strong*	4
	(Strong, Let Me Entertain You [live tijdens de Brit Awards '99], Happy Song)	
november 1999	*She's the One/It's Only Us*	1
	(CD1: She's the One, It's Only Us, Coke & Tears, She's the One [Video] CD2: She's the One, It's Only Us, Millennium [Live versie opgenomen op Slane Castle], It's Only Us [Video])	
juni 2000	*Rock DJ*	1
	(Rock DJ, Talk to Me, Rock DJ [Player 1 Remix])	
september 2000	*Kids* [Robbie Williams/Kylie Minogue]	2
	(CD1: Kids, Karaoke Star, Kill Me or Cure Me CD2: Kids, John's Gay – Often, Kids [Video])	
november 2000	*Supreme*	4
	(CD1: Supreme, United, Supreme [Live versie], Supreme [Video, opgenomen in Manchester] CD2: Supreme, Don't Do Love, Come Take Me Over, Supreme [Video, opgenomen in Manchester])	

april 2001	*Let Love Be Your Energy*	11
	(Let Love Be Your Energy, My Way [Live versie], Rolling Stone, My Way [Video live gedraaid])	
juli 2001	*Eternity/The Road to Mandalay*	1
	(Eternity, The Road to Mandalay, Toxic)	
oktober 2001	*Somethin' Stupid* [Robbie Williams/Nicole Kidman]	1
	(Somethin' Stupid, Eternity [Orkestversie], My Way [live opgenomen in de Royal Albert Hall], Somethin' Stupid [Video])	
april 2002	*My Culture* [1 Giant Leap featuring Robbie Williams on guest vocals]	9
	(My Culture [Radio Edit], My Culture [Goldtrix Main Mix], Racing Away [Album Versie], My Culture [Uitgebreide video])	
december 2002	*Feel*	2
	(Feel, Nobody Someday, You're History – Robbie Photo Gallery and Robbie Video Clips)	
april 2003	*Come Undone*	4
	(Come Undone, Get a Little Help)	

Albums van Robbie Williams

Releasedatum	*Titel (nummers tussen haakjes)*	*Hoogste plaats in hitparade in VK*
september 1997	*Life Thru a Lens*	1
	(Lazy Days, Life Thru a Lens, Ego A Go Go, Angels, South of the Border, Old Before I Die, One of God's Better People, Let Me Entertain You, Killing Me, Clean, Baby Girl Window, [plus hidden track – Hello Sir])	

oktober 1998	*I've Been Expecting You*	1
	(Strong, No Regrets, Millennium, Phoenix From the Flames, Win Some Lose Some, Grace, Jesus In a Camper Van, Heaven From Here, Karma Killer, She's the One, Man Machine, These Dreams, [plus hidden tracks – Stand Your Ground and Stalker's Day Off])	
april 1999	*The Ego Has Landed [US Release Only]*	N/A
	(Lazy Days, Millennium, No Regrets, Strong, Angels, Win Some Lose Some, Let Me Entertain You, Jesus In a Camper Van, Grace, Killing Me, Man Machine, She's the One, Karma Killer, One of God's Better People)	
augustus 2000	*Sing When You're Winning*	1
	(Let Love Be Your Energy, Better Man, Rock DJ, Supreme, Kids, If It's Hurting You, Singing for the Lonely, Love Calling Earth, Knutsford City Limits, Forever Texas, By All Means Necessary, The Road to Mandalay)	
november 2001	*Swing When You're Winning*	1
	(I Will Talk and Hollywood Will Listen, Mack the Knife, Somethin' Stupid, Do Nothing Till You Hear From Me, It Was a Very Good Year, Straighten Up and Fly Right, Well, Did You Evah, Mr. Bojangles, One for My Baby, Things, Ain't That a Kick in the Head, They Can't Take That Away From Me, Have You Met Miss Jones?, Me and My Shadow, Beyond the Sea)	
november 2002	*Escapology*	1
	(How Peculiar, Feel, Something Beautiful, Monsoon, Sexed Up, Love Somebody, Revolution, Handsome Man, Come Undone, Me and My Monkey, Song 3, Hot Fudge, Cursed, Nan's Song)	

Video's van Robbie Williams

Releasedatum	Titel
november 1998	*Robbie Williams Live in Your Living Room*
april 2000	*Rock DJ*
december 2001	*Robbie Williams Live at the Albert*
juli 2002	*Nobody Someday*
maart 2003	*The Robbie Williams Show*

Chronologie

13 februari 1974 Robert Peter Williams wordt geboren in het North Staffs Maternity Hospital in Stoke-on-Trent. Hij woont zijn eerste levensjaar met zijn familie aan Victoria Park Road in Tunstall. Zijn vader, Pete Conway, bereikt als komiek de finale van een talentenjacht op de televisie, *New Faces*.

1975 Zijn ouders nemen de Red Lion in Burslem over, vlak bij het terrein van voetbalclub Port Vale.

1977 'Internationaal' debuut wanneer hij John Travolta's 'Summer Nights' uit *Grease* zingt op een talentenjacht in het Pontin Continental in Torremolinos. Zijn vader Pete verlaat het gezin.

1981 Moeder Jan neemt hem mee naar zijn eerste concert, Showaddywaddy, in het Queen's Theatre in Burslem.

september 1985 Treedt op als Jeremy in *Chitty Chitty Bang Bang* in het Theatre Royal in Hanley. Na afloop wordt hij voorgesteld aan de burgemeester. Gaat naar de katholieke middelbare school St. Margaret Ward, een paar minuten lopen van zijn huis aan Greenbank Road in Tunstall.

oktober 1988 Speelt de sleutelrol van de Artful Dodger in *Oliver!* in het Queen's Theatre in Burslem. Zijn vader komt onverwacht en kijkt trots toe vanaf zijn stallesplaats.

juli 1990 Gaat van school en gaat met zijn beste vriend Lee Hancock werken als verkoper van dubbele glas.

augustus 1990 Zingt een song van Jason Donovan op een auditie voor een jongensband in Manchester. Hij wordt gekozen om samen met Gary, Mark, Jason en Howard Take That te formeren.

juli 1991 Take That brengt eerste single uit, het onbeduidende 'Do What U Like', dat de tweeëntachtigste plaats in de hitparade bereikt.

februari 1993 Take That wint eerste Brit Award voor 'Could It Be Magic', Best British Single.

april 1994 Is leadzanger van 'Everything Changes', de vierde nummer-éénhit van Take That.

juni 1994 Gaat stiekem naar het Glastonbury Festival maar verstopt zich de hele tijd in een tent.

december 1994 Jan zet het huis aan Greenbank Road, Tunstall, te koop. Als reden voor de verhuizing naar een chique wijk in Newcastle-under-Lyme geeft ze op dat ze niet meer voldoende privacy heeft door de Take That-fans.

juni 1995 Gaat naar het Glastonbury Festival met geblondeerd haar, een zwart gemaakte tand en een krat champagne. Danst als een waanzinnige op het podium waar Oasis speelt.

juli 1995 Robbie vertrekt uit Take That na een laatste bijeenkomst in de barakken van het territoriale leger in Stockport. Begint aan een periode van feesten die ertoe leidt dat hij gekozen wordt tot klaploper van het jaar in de *New Musical Express*.

augustus 1995 Is een groot succes als presentator van *The Big Breakfast* op Channel 4.

september 1995 Zet een zwarte pruik op, draagt hoge hakken en een witte herenslip in een advertentie voor een frisdrank, waar hij volgens de berichten £ 100.000 mee verdient. Verschijnt in *EastEnders* als figurant die in de Queen Vic telefoneert.

december 1995 Gaat uit met zijn eerste serieuze vriendin, grimeuse Jacqui Hamilton-Smith, dochter van Lord Colwyn. Ze gaan negen maanden met elkaar om.

februari 1996 Komt buiten de rechtbank om tot een overeenkomst met BMG dat hij een solocarrière kan beginnen. De vier

overige leden van Take That gaan uit elkaar.

juni 1996 Tekent een platencontract voor vier albums met Chrysalis/EMI voor naar gezegd werd £ 1 miljoen. Kort daarna gaat hij weg bij manager Tim Abbot en laat zich vertegenwoordigen door IE Music.

juli 1996 Zijn eerste soloplaat komt uit, 'Freedom 96', een cover van een song van George Michael. Hij komt niet hoger dan nummer 2 in de hitparade, al worden er 270.000 exemplaren van verkocht. Een respectabel aantal.

oktober 1996 Vertelt dat hij door Beechy Colclough, therapeut van vele beroemdheden, behandeld wordt voor zijn alcohol- en drugsproblemen.

mei 1997 Robbie wordt gefotografeerd terwijl hij de actrice Anna Friel omhelst op een balkon van een hotel in Rome, maar de romance duurt niet lang.

juni 1997 Laat zich opnemen in de Cloudskliniek bij Salisbury in Wiltshire voor zijn eerste ontwenningskuur. Hij blijft er zes weken.

juli 1997 Woont in het hooggerechtshof in Londen een zitting bij omdat voormalig manager van Take That Nigel Martin-Smith £ 200.000 eist aan onbetaalde commissie.

september 1997 Zijn eerste soloalbum, *Life Thru a Lens*, komt eindelijk uit, meer dan twee jaar nadat hij Take That heeft verlaten.

november 1997 Ontmoet Nicole Appleton van meisjesband All Saints tijdens een televisieprogramma, kort nadat de grootste hit van de groep 'Never Ever' uitkwam. De romance wordt serieus na nieuwjaar.

december 1997 'Angels' bereikt de vierde plaats op de Engelse hitparade. Hij staat dertien weken in de toptien en wordt de best verkochte single tot nu toe met 820.000 verkochte exemplaren. *Life Thru a Lens* komt terug in de hitparade en stijgt naar de eerste plaats. Hij staat samen op het podium met Gary Barlow tijdens Prinses Diana's Concert of Hope met 'Let It Be'.

februari 1998 Krijgt geen Brit Award maar zingt een geweldig duet met held Tom Jones. Hij noemt het de vijf beste minuten van zijn leven.

mei 1998 Krijgt de ambitie om een goal voor Port Vale te scoren als hij in een benefietwedstrijd voor Dean Glover speelt. Hij schiet een penalty in het doel aan het begin van de tweede helft. Een paar minuten later wordt hij het veld uit gestuurd omdat hij ruzie maakt met de scheidsrechter.

september 1998 Eerste nummer-éénhit in het VK met 'Millennium', waarin hij het thema van de James Bond-film *You Only Live Twice* gebruikt.

december 1998 Breekt eindelijk met Nicole

Appleton na een hectisch jaar waarin zij zich twee maal verloofden.

februari 1999 Wint drie solo-Brits, nadat hij zesmaal genomineerd was, een record. Wint dit jaar ook twee Ivor Novello Awards voor 'Angels' (vaakst uitgevoerde song) en Songwriter of the Year (met Guy Chambers).

april 1999 Koopt een kapitaal huis voor £ 1 miljoen in het dorp Batley, vlak bij Newcastle-under-Lyme. Bij het huis hoort bijna 10 hectare grond waar Robbie, die geen rijbewijs heeft, kan rondrijden in zijn Ferrari.

mei 1999 Vliegt over uit de Verenigde Staten om een benefietwedstrijd te spelen voor Port Vale-held Neil Aspin. Hij scoort en ze winnen met 5-3 van Leicester City. Pogingen tot een romance met Andrea Corr mislukken, ondanks dat hij haar twee boeketten van 101 rozen stuurt met de boodschap: 'Wat kan ik doen om je van me te laten houden?'

augustus 2000 *Sing When You're Winning* wordt uitgebracht en wordt zijn derde nummer-éénalbum. Hij draagt het op aan Guy Chambers.

november 2000 Vliegt naar Barbados voor een vakantie na een vreselijke avond tijdens de MTV Europe Music Awards in Stockholm, waar hij vocht met een platenproducent en aan het eind van de avond bewusteloos raakte.

februari 2001 Een gestoorde fan duwt hem

van het podium tijdens een concert in Stuttgart. Hij krijgt applaus als hij het concert toch afmaakt. Draagt Brit Award for Best Video op aan zijn neefje Freddie.

mei 2001 Trekt zijn voetbalschoenen weer aan voor Vale-aanhanger Martin Foyle's benefietwedstrijd in Vale Park.

oktober 2001 Brengt zijn album *Swing When You're Winning* onder de aandacht tijdens een succesvol concert in de Royal Albert Hall in Londen. Zijn oude vriend Jonathan Wilkes komt op het podium om 'Me and My Shadow' te zingen.

december 2001 Heeft zijn eerste kerstnummer-één als zijn duet 'Somethin' Stupid' met Nicole Kidman boven aan de hitparade staat. Verhuist naar Los Angeles, aanvankelijk voor tijdelijk, maar hij is er nog steeds en 'heeft zich nog nooit zo goed gevoeld'.

juni 2002 Ranzige foto's van Robbie en een topless Rachel Hunter verschijnen in de zondagskranten.

oktober 2002 Zegt tijdens een persconferentie in Londen dat hij 'rijker is dan in zijn stoutste dromen' nadat hij zijn nieuwe contract met EMI wereldkundig heeft gemaakt, waarbij het zou gaan om £ 80 miljoen, de grootste deal in de geschiedenis van de Engelse muziek. Breekt met Guy Chambers, met wie hij samen songs schreef.

november 2002 Zijn vijfde album, *Escapology*, wordt uitgebracht en staat meteen nummer één. Het wordt het best verkochte album van het jaar ondanks dat het pas 18 november uitkwam. De 650.00 tickets voor zijn Europese tournee 2003 zijn in zeven uur uitverkocht.

februari 2003 Rachel Hunter bevestigt dat Robbie en zij uit elkaar zijn, maar zegt dat ze altijd dol op hem zal blijven. Met het winnen van zijn veertiende Brit (Best British Male) breekt hij het record en maakt in zijn speech bij de uitreiking een grap in de vorm van een contactadvertentie: '29 jaar oude waterman, enigszins gezet, zoekt jongen of meisje om nachtenlang poker te spelen en AA-bijeenkomsten te bezoeken ... Tot volgend jaar.'

juni 2003 Begint uitverkochte Europese tournee in het Murrayfield Stadium in Edinburgh.